MW00604300

Libro sobre Alimentos Saludables de *Jerry Baker*

El Gran Libro de Alimentos Curativos

www.jerrybaker.com

Otros libros de Jerry Baker:

Jerry Baker's Top 25 Homemade Healers
Healing Fixers Mixers & Elixirs
Grandma Putt's Home Health Remedies
Nature's Best Miracle Medicines
Jerry Baker's Supermarket Super Remedies
Jerry Baker's The New Healing Foods
Jerry Baker's Amazing Antidotes
Jerry Baker's Anti-Pain Plan
Jerry Baker's Oddball Ointments, Powerful Potions,
  and Fabulous Folk Remedies

Jerry Baker's The New Impatient Gardener
Del supermercado al superjardín de Jerry Baker
Jerry Baker's Dear God...Please Help It Grow!
Secrets from the Jerry Baker Test Gardens
Jerry Baker's All-American Lawns
Jerry Baker's Bug Off!
Jerry Baker's Terrific Garden Tonics!
Jerry Baker's Backyard Problem Solver
Jerry Baker's Green Grass Magic
Jerry Baker's Great Green Book of Garden Secrets
Jerry Baker's Old-Time Gardening Wisdom

Jerry Baker's Backyard Birdscaping Bonanza
Jerry Baker's Backyard Bird Feeding Bonanza
Jerry Baker's Year-Round Bloomers
Jerry Baker's Flower Garden Problem Solver
Jerry Baker's Perfect Perennials!
Jerry Baker's Flower Power!

Jerry Baker's Solve It with Vinegar!
Jerry Baker's Speed Cleaning Secrets!
America's Best Practical Problem Solvers
Jerry Baker's Can the Clutter!
Jerry Baker's Homespun Magic
Grandma Putt's Old-Time Vinegar, Garlic, Baking Soda,
  and 101 More Problem Solvers
Jerry Baker's Supermarket Super Products!
Jerry Baker's It Pays to be Cheap!

Para solicitar cualquiera de estos libros, o si desea más información sobre los maravillosos remedios caseros o los consejos para la salud, el hogar y el jardín de Jerry Baker, escriba a:

Jerry Baker, P.O. Box 1001, Wixom, MI 48393

O visite a Jerry Baker en:

www.jerrybaker.com

Libro sobre Alimentos Saludables de *Jerry Baker*

El Gran Libro de Alimentos Curativos

117 Alimentos que Curan:
Cáncer, Diabetes, Enfermedades Cardíacas, Artritis,
Osteoporosis, Pérdida de la Memoria, Mala Digestión
y Cientos de Otros Problemas de Salud

Copyright © 2013 Jerry Baker

Todos los derechos reservados. No está permitido reproducir ni difundir ninguna parte de este libro en ninguna forma ni por ningún medio, incluidas fotocopias y grabaciones, ni electrónicamente ni por Internet ni por ningún otro sistema de almacenamiento o recuperación, sin la autorización expresa por escrito de la editorial.

AVISO

Hemos tratado de garantizar la precisión. Este es un libro de referencia únicamente, no un manual médico. Aunque la información que contiene puede ayudarle a tomar decisiones informadas de salud, no pretende reemplazar los tratamientos médicos. Si tiene un cuadro clínico, consulte a un médico competente de inmediato. Jerry Baker no asume ningún tipo de responsabilidad por lesiones, pérdidas o daños incurridos por el uso de esta información.

Publicado por American Master Products, Inc./Jerry Baker
Kim Adam Gasior, Editorial

Libro sobre Alimentos Saludables de Jerry Baker y Blackberry Cottage Production
Ellen Michaud, consultora editorial, Blackberry Cottage Productions
Nest Publishing Resources, diseño
Carol Keough, editora
Wayne Michaud, dibujante
Patty Sinnott, correctora

Impreso en los Estados Unidos de América

Ilustraciones, copyright © 2013 Wayne Michaud

Catalogación de la Publicación por la Editorial

Cicero, Karen.
    [Kitchen counter cures. Spanish]
    El gran libro de alimentos curativos : 117 alimentos que curan:
cancer, diabetes, enfermedades cardiacas, artritis, osteoporosis, perdida
de la memoria, mala digestion y cientos de otros problemas de salud / [Karen
Cicero, Colleen Pierre].
    pages cm -- (Libro sobre alimentos saludables de Jerry Baker)
    Includes index.
    ISBN 978-0-922433-73-5

    1. Functional foods. 2. Nutrition. 3. Diet therapy.
I. Pierre, Colleen. II. Baker, Jerry. III. Translation of: Cicero, Karen.
Kitchen counter cures. IV. Title. V. Series: Jerry Baker health book.

RA784.C52818 2013   613.2
                    QBI13-1582

4 2 3 5   edición en tapa dura

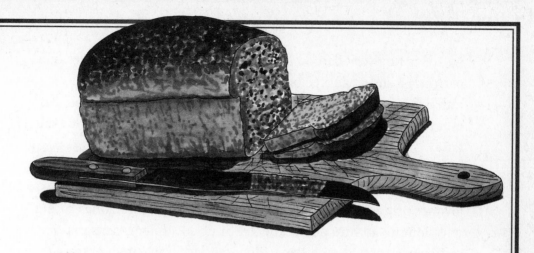

Tenía 10 años cuando me fui a vivir con mi Abuela Putt. Era más que un niño travieso, era un torbellino muy revoltoso.

Pero no me tomó mucho tiempo darme cuenta de que tenía un futuro promisorio. Mi abuela se hizo cargo de mí y me enseñó todo lo que sé sobre la naturaleza: alentó una pasión por las plantas que he conservado toda la vida. Relataba historias de la tradición estadounidense, que muchas veces les he contado. Me enseñó la eficacia curativa de los alimentos y me demostró que la comida puede ser sabrosa *y* saludable al mismo tiempo.

Estas enseñanzas me traen gratos recuerdos de mis visitas a la cocina de mi abuela. Cada vez que le doy a mi nieto rábano picante en galletas de soda cuando tiene la nariz congestionada, recuerdo cómo mi abuela las preparaba para mí y me explicaba con dulzura cómo los vapores me destaparían la nariz para volver a respirar con facilidad. El aroma del pan de trigo integral recién horneado me trae recuerdos de su cocina: las manos de la abuela enharinadas, su delantal sujeto con un moño perfecto, la masa amasada una y otra vez hasta dejarla caliente, elástica y lista para el horno.

Últimamente paso bastante tiempo pensando en aquellos días. Tal vez son los años que están pasando factura. Pero creo que tiene que ver más con vivir en una época distinta, en la que no había una variedad de píldoras exóticas de lindos colores que permitía a sus creadores hacer una fortuna rápida, sino que se trabajaba mucho y se cuidaba la salud con remedios caseros. En esta revolución tecnológica, nos olvidamos de la sabiduría de antaño.

De hecho, pensaba que yo seguía la misma tendencia hasta que conocí a Colleen y Karen, las autoras de este libro. Son dos jóvenes brillantes con los mismos valores sobre soluciones caseras que siempre admiré de mi abuela. Si no lo supiera, pensaría que somos parientes. Están llenas de vitalidad. Son inteligentes. ¡Y les *encanta* comer!

Colleen es dietista registrada y editora nutricional de la revista *Child*, y Karen es la directora de alimentos y nutrición de la revista *Child*. Juntas le enseñan a una generación nueva lo que mi abuela me enseñó hace mucho tiempo: que los alimentos sabrosos también son saludables.

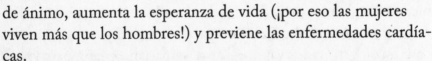

Por ejemplo, ¿le gusta el chocolate? (¡lo sabía!). Entonces no se sienta culpable por disfrutar una barra de chocolate. Con moderación, el chocolate mejora el estado de ánimo, aumenta la esperanza de vida (¡por eso las mujeres viven más que los hombres!) y previene las enfermedades cardíacas.

¿Qué me dice del queso? Muchas personas lo han eliminado de sus dietas por las grasas. Es una lástima, porque el queso semidescremado combate el cáncer de colon.

¿Y en qué lugar se encuentra la carne de res? Probablemente no en la mesa, debido al reciente alboroto por el alto contenido de grasas y colesterol. ¿Sabía que un corte magro de carne de res combate el cáncer, la diabetes y las enfermedades cardíacas, aumenta la energía y fortalece el sistema inmunológico?

¡Nunca lo habría imaginado! ¿Y usted? Fue por eso que les pedí a Colleen y a Karen que escribieran este libro. Contiene sus alimentos favoritos, los recientes descubrimientos de un montón de investigadores admirables, un montón de recetas para que hasta su quisquillosa tía Elmira coma de todo, y enseña cómo usar los alimentos para sentirse mejor y vivir más.

Aprenderá lo que cada alimento combate y refuerza: cómo el vino tinto ayuda a cicatrizar una herida, cómo las coles de Bruselas previenen accidentes cerebrovasculares y cómo la cebolla alivia quemaduras. Será una enfermera famosa en la cocina.

¡Recetas deliciosas que hacen agua la boca! Desde los clásicos favoritos como chuletas con manzana y arándanos rojos hasta novedosas delicias como waffles de albaricoque y cebolla en flor con mezquite, este libro está *repleto* de recetas fáciles que seguramente serán una saludable tentación.

Con *El Gran Libro de Alimentos Curativos*, Colleen y Karen retoman los clásicos favoritos para agregarles novedosas delicias. Con los mismos sabios valores sobre soluciones caseras más las modernas investigaciones, lo actual es el resultado de todo lo ya aprendido.

Esta es la herencia de la que estaría orgullosa la Abuela Putt.

Jerry Baker

Índice

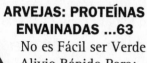

¡Adelante!

Siéntese en un lugar cómodo, suba los pies y beba una taza de té mientras nos presentamos. No es necesaria una presentación muy formal, pues probablemente seamos parecidos.

Tenemos trabajos de tiempo completo, no tenemos mucho tiempo para hacer las compras y no recibimos ayuda en la cocina excepto por la visita de algún amigo o nuestra madre. Es decir, hacemos todo el trabajo.

También tenemos esposos e hijos que se niegan a comer muchos alimentos saludables. Por eso acordamos escribir este libro. Con las responsabilidades de la mujer moderna, sabemos que necesita un libro completo sobre nutrición que incluya temas científicos expresados con un lenguaje directo, que le brinde consejos prácticos y que contenga recetas simples.

Así se encaró este libro. Pero también es un libro en el que puede confiar.

Colleen se ha desempeñado como dietista registrada por 20 años y todavía atiende pacientes en Baltimore. Karen ha escrito sobre nutrición en importantes revistas por más de una década. Ha entrevistado a cientos de investigadores. Nos conocimos en una conferencia sobre nutrición, nos hicimos amigos y antes de escribir este libro, trabajamos en equipo en temas de nutrición para un par de revistas.

Pero a pesar de nuestra experiencia, ninguno estaba preparado para la asombrosa información de los investigadores. Descubrimos una receta de sopa de pollo que se ha comprobado que combate el resfriado, una carretada de alimentos que podrían salvarle la vista y yogures que alivian el dolor de estómago. ¡Quedamos muy impresionados!

En total, los investigadores con quienes hablamos nominaron 117 alimentos que tienen la capacidad de mantenernos sanos y aliviar muchas afecciones. Si hojeó el libro antes de leer esta introducción (como lo hemos hecho nosotros a veces), ya sabe que dividimos este libro en 97 capítulos: un capítulo por alimento o grupo de alimentos.

Por supuesto, no se pueden comer los 117 alimentos todos los días. Pero puede incorporarlos a lo largo de un par de semanas. Para planificar las formas de incluir estos maravillosos alimentos, consulte la página 490 para ver menús estacionales con las recetas de este libro.

Los estudios demuestran que las personas que comen alimentos variados tienen más probabilidades de mantenerse sanas y satisfacer los requerimientos nutricionales que aquellas que mantienen una rutina alimenticia. Eso es porque la nutrición es sinérgica: los nutrientes trabajan en equipo, es decir, los alimentos se unen para mantener la salud del corazón, la presión arterial, los huesos y la memoria.

Incluso alimentos olvidados por los científicos porque pensaban que no realizaban un gran aporte, como es el caso del pepino y el chocolate, tienen compuestos, además de vitaminas y minerales. Muchos tienen el secreto para prolongar la vida, prevenir el cáncer o tener la piel más tersa. Cada uno de los alimentos de este libro cumple, al menos, alguna de esas funciones.

¿Está entusiasmado? ¡Vamos! Conozca 117 alimentos del supermercado que transformarán su cocina en un lugar cálido y saludable. Aprenda sus aportes y cómo incorporarlos a las comidas familiares, incluso con los más quisquillosos. Uno de los capítulos es la: manzana. ¿Conoce el refrán que dice que una manzana al día lo mantiene sano? Pronto sabrá que es muy cierto.

Karen
Karen Cicero

COLLEEN
Colleen Pierre, M.S. RD.

BUSCADOR DE SALUD

En las siguientes páginas, encontrará más de 100 recetas curativas que hemos creado para mantener su salud y la de su familia. A continuación encontrará algunos ejemplos de esas recetas, ordenados por la enfermedad o dolencia que afecta la salud con más frecuencia.

Si desea mantenerse sano, recorra la columna izquierda hasta llegar a una enfermedad o dolencia específica en la que esté interesado, y encuentre recetas increíbles. Luego incluya esas recetas en la dieta. Recuerde que no hay un alimento o receta individual que prevenga o alivie una afección por sí solo. Elabore una dieta saludable y balanceada con las recetas de este libro. ¡Buen provecho!

Aceite de Canola:

La Grasa más Saludable

EFICAZ CONTRA:
- ◼ el cáncer
- ◼ las enfermedades cardíacas
- ◼ el colesterol alto
- ◼ la artritis reumatoide
- ◼ los accidentes cerebrovasculares

REFUERZA:
- ◼ la función inmunológica

Comer más sano suele requerir un sacrificio: cambiar las donas por la granola, reemplazar la salsa Alfredo por salsa de tomate o sustituir las papas fritas por una papa al horno. Pero cambiar el aceite vegetal para cocinar a canola no es difícil. ¡Los alimentos serán más sabrosos!

EL APORTE DE LA CANOLA

Probablemente piense que el aceite de oliva es la única grasa saludable, ¿no es así? Es el que se lleva todos los titulares. Aunque el aceite de oliva califica como saludable, contiene el doble de grasas saturadas y solo la mitad de vitamina E que el de canola.

Es más, el aceite de canola es el único aceite para cocinar rico en ácidos alfa-linolénicos saludables para el corazón. Estas sustancias protegen contra las enfermedades cardíacas al reducir los niveles de colesterol malo (lipoproteína de baja densidad, LDL) y los triglicéridos (otro componente problemático del colesterol), y al reducir la pegajosidad de los glóbulos sanguíneos.

RESUMEN DE INFORMACIÓN NUTRICIONAL

Aceite de canola
(1 cucharada)

Calorías: 120

Grasas: 14 g

Grasas saturadas: 1 g

Colesterol: 0 mg

Sodio: 0 mg

Carbohidratos totales: 0 g

Fibra dietética: 0 g

Proteínas: 0 g

Vitamina E: 31% del valor diario

El aceite de canola contiene muchas de las grasas monoinsaturadas saludables que han vuelto famoso al aceite de oliva.

UN GRAN IMPACTO

El aceite de canola ha causado un gran impacto porque combate las enfermedades cardíacas desde varios ángulos. Un grupo de científicos estudió a 600 hombres y mujeres en Lyon, Francia, que acababan de sufrir un ataque al corazón. Pusieron a la mitad de los participantes en una dieta estilo mediterráneo que obtenía la mayoría de las grasas del aceite de canola. La otra mitad del grupo siguió una dieta estadounidense.

Aunque ambos grupos comieron más o menos la misma cantidad de grasas, quienes siguieron la dieta con aceite de canola tuvieron un 68% menos de probabilidades de sufrir otro ataque al corazón en los siguientes cuatro años que quienes siguieron el plan estadounidense. Los resultados fueron tan contundentes que los investigadores detuvieron el estudio antes de tiempo para que todos los participantes pudieran disfrutar de los beneficios del aceite de canola.

NO TODOS LOS ACEITES SON IGUALES

Después de escuchar sobre los resultados prometedores del aceite de canola en el estudio francés, los investigadores de la Universidad de Maryland en Baltimore decidieron mirar más de cerca. Les dieron a 10 hombres con niveles normales de colesterol comidas que contenían 50 gramos de grasas. Un día los hombres recibieron pan y aceite de canola (si es que eso se puede llamar comida), otro día recibieron pan y aceite de oliva, y un tercer día recibieron salmón (¡ahora sí!).

Antes y después de cada comida, los investigadores midieron el flujo sanguíneo en las arterias. El aceite de canola y el salmón no causaron cambios significativos, lo cual fue bueno, pero el aceite de oliva redujo la función de los vasos sanguíneos.

¿Necesita un Cambio de Aceite?

Por cucharada, todos los aceites tienen la misma cantidad de calorías (120) y gramos de grasas (14). Pero nutricionalmente difieren mucho. Según el tipo de aceite, los 14 gramos de grasas se dividen en diferentes formas: saturadas (malas), poliinsaturadas (buenas) y monoinsaturadas (muy buenas). Controle el porcentaje de cada una en su aceite favorito.

Aceite	Grasas Saturadas (%)	Grasas Poliinsaturadas (%)	Grasas Monoinsaturadas (%)
De Canola	7	32	61
De Maíz	13	58	29
De Oliva	15	10	75
De Maní	19	33	48
De Cártamo	10	76	14
De Girasol	12	72	16
Vegetal	14	64	22

¿Cuál fue la reacción de los investigadores? "Estábamos sorprendidos", afirmó el Dr. Robert Vogel, jefe de cardiología de la universidad. "Esperábamos ver beneficios con *todos* los aceites". Actualmente el Dr. Vogel está realizando el estudio con numerosos participantes.

Mientras tanto, recomienda cocinar con aceite de canola. Consulte a su médico si está tomando el diluyente de sangre Coumadin (warfarina sódica), porque el aceite de canola contiene abundante vitamina K, que estimula la coagulación de la sangre.

Si no prueba el aceite de canola por su corazón, hágalo por todos los otros beneficios. Los ácidos alfa-linolénicos del aceite de canola reducen el riesgo de sufrir un ataque al corazón, protegen contra el cáncer, suavizan los síntomas de la artritis reumatoide y estimulan el sistema inmunológico.

SOLUCIONES PARA COMPRAR Y PREPARAR

Encontrará muchas marcas de aceite de canola en el supermercado. Prefiera el tipo que diga "primer prensado" o "prensado en frío" en la etiqueta, aunque sea más caro.

Los productores de aceite de canola extraen cerca del 35% del aceite de la planta por medio del apisonado o el descascarado de las semillas. Para sacar el resto del aceite, algunos fabricantes remojan las semillas en un solvente químico. Es posible que algo del solvente termine en el aceite. Nadie sabe con seguridad si eso causa algún daño. Para estar seguros, compre el primer prensado antes de que se haya agregado el solvente.

PARA ALMACENARLO:

Guárdelo en un lugar fresco y oscuro, o en el refrigerador. Debería mantenerse bien por un año.

INFORMACIÓN BÁSICA SOBRE EL ACEITE DE CANOLA

A diferencia del aceite de oliva, el aceite de canola no tiene un sabor intenso. Así que es ideal para platos que requieren grasas sin un sabor bien definido. Pruebe estos dos usos.

◆ **Prepare galletas.** Puede sustituir la mantequilla o la margarina por aceite de canola en las recetas caseras de galletas, pastel y bizcocho de chocolate, y en las mezclas que vienen en caja. Si la receta requiere menos de ¼ taza de mantequilla o margarina, use la misma cantidad de aceite de canola. Si requiere ¼ taza o más, use aproximadamente un 20% menos de aceite de canola. Por ejemplo, sustituya ¼ taza (4 cucharadas) de mantequilla o margarina por 3½ cucharadas de aceite de canola, o ½ taza de manteca por 7 cucharadas de aceite. ¿Y si la receta requiere aceite vegetal? Prepárela con la misma cantidad de aceite de canola.

◆ **Sea creativo.** Caliente 2 cucharadas de aceite de canola en una sartén o wok antiadherente, agregue cebolla y ajo (¡lo que desee!), y saltee sus vegetales favoritos con pollo, cerdo o carne de res magra.

Pastelillos de Bayas

El aceite de canola reemplaza a la margarina en el favorito del desayuno de este fin de semana.

Aceite de canola en aerosol para cocinar
1¾ taza de avena
2 cucharadas de azúcar morena
1 taza de harina multiuso
½ taza de azúcar
1 cucharada de polvo para hornear
1 taza de leche descremada o con un 1% de grasas
1 huevo ligeramente batido
3 cucharadas de aceite de canola
1 cucharadita de extracto de vainilla
¾ taza de frambuesas frescas o congeladas (descongeladas)

Caliente el horno a 400 °F. Cubra 12 moldes medianos para pastelillos con aceite en aerosol. En un tazón pequeño, mezcle ¼ taza de avena con el azúcar morena. Reserve. En un tazón grande, mezcle la 1½ taza de avena restante con la harina, el azúcar y el polvo para hornear hasta integrar. En un tazón pequeño, mezcle el huevo, la leche, el aceite y el extracto de vainilla. Agregue esta mezcla a los ingredientes secos del tazón grande. Revuelva hasta que todo se humedezca, pero no demasiado. Incorpore las frambuesas con cuidado.

Divida la masa en partes iguales en los moldes para pastelillos. Rocíe con la mezcla de avena y azúcar morena. Hornee de 20 a 25 minutos o hasta que se dore. Deje enfriar en el molde por 5 minutos. Sáquelos de los moldes y sírvalos tibios.

Porciones: doce.

Datos nutricionales por porción: calorías, 171; proteínas, 4 g; carbohidratos, 28 g; fibra, 2 g; grasas, 5 g; grasas saturadas, 1 g; colesterol, 18 mg; sodio, 18 mg; calcio, 9% del valor diario; hierro, 8%.

Vinagreta Balsámica con Albahaca

Las plantas de albahaca de Karen crecieron mucho el año pasado, así que le quedó bastante incluso después de haber preparado mucho "Pesto para una Fiesta Familiar" (página 11). Así que en lugar de comprar un frasco de aderezo para un picnic veraniego, mezcló las hojas verdes de todos con esta preparación fresca del jardín. Un extra saludable: tiene casi un 75% menos de sodio que la mayoría de los aderezos comprados.

⅔ taza de aceite de canola
⅓ taza de vinagre balsámico
2 dientes de ajo
½ taza de albahaca fresca picada
¼ cucharadita de sal

En un procesador de alimentos, mezcle el aceite, el vinagre, el ajo, la albahaca y la sal hasta integrar.

Porciones: diez.

Datos nutricionales por porción: calorías, 135; proteínas, 0 g; carbohidratos, 2 g; fibra, 0 g; grasas, 14 g; grasas saturadas, 1 g; colesterol, 0 mg; sodio, 55 mg; hierro, 1% del valor diario.

Aceite de Oliva:

Una Gran Diferencia en Grasas

EFICAZ CONTRA:

- el cáncer
- la resequedad de las uñas
- las enfermedades cardíacas
- la hipertensión

Hace años, mucho antes de que estuvieran de moda las comidas sin carne, descubrimos una receta de Pesto Genovese. La receta llevaba abundante aceite de oliva y albahaca dulce; y volvía locos a nuestros esposos e hijos. Actualmente sabemos que todo ese aceite de oliva crea un escudo protector del corazón.

CÓRTELE EL PASO A LAS ENFERMEDADES CARDÍACAS

Los investigadores se interesaron en el aceite de oliva en los sesenta, cuando se dieron cuenta de que las poblaciones al sur de Italia, de Grecia y de la isla griega de

RESUMEN DE INFORMACIÓN NUTRICIONAL

Aceite de oliva (1 cucharada)

Calorías: 120

Grasas: 14 g

Grasas saturadas: 2 g

Grasas monoinsaturadas: 11 g

Colesterol: 0 mg

Sodio: 0 mg

Carbohidratos totales: 0 g

Fibra dietética: 0 g

Proteínas: 0 g

Vitamina E: 22% del valor diario

SOLUCIONES PARA COMPRAR Y PREPARAR

Podría pensar que el color del aceite de oliva le indica algo acerca del sabor. No es así, según la Olive Oil Source de Greenbrae, California. Los aceites más verdes generalmente provienen de aceitunas más verdes en las primeras etapas de la temporada y algunas aceitunas son más verdes o más doradas que otras. Pero muchos de los aceites del mercado son mezclas de distintas variedades, así que el color no es la clave.

El sabor del aceite depende de cuándo se recolectaron las aceitunas, de qué forma se almacenaron, cómo se procesaron, las condiciones del suelo y el clima, y la edad del árbol (los olivos alcanzan su madurez entre los 35 y los 150 años de edad y pueden vivir hasta 600 años). Lo único que tiene que hacer es catar algunas marcas hasta encontrar la que más le guste.

PARA ALMACENAR EL ACEITE DE OLIVA:

"El aceite de oliva no se añeja como un vino fino", según *Olive Oil Source*. La luz y el calor son sus enemigos, así que almacénelo en una alacena a oscuras, en un frasco de vidrio oscuro o en una lata en un lugar fresco; no cerca del hornillo, en donde lo arruinará el calor de la cocción. También es aceptable el refrigerador, pero el aceite se pondrá casi sólido, así que deberá calentarlo antes de usarlo.

MÁS ALLÁ DEL MÉTODO DE LA PISTOLA DE GRASA

Estas son algunas formas de sacar el mayor provecho del aceite de oliva:

◆ **Rocíelo; no lo fría.** Pase por una tienda de utensilios de cocina e invierta en un rociador de aceite. Llénelo con aceite de oliva, bombee para aumentar la presión y luego rocíe una ligera capa del aceite sobre pollo o pescado cocido, papas fritas al horno o vegetales al vapor.

◆ **Sumerja; no unte.** En lugar de poner mantequilla al pan, sirva pequeños recipientes con aceite de oliva para comerlo tipo salsa. En este caso, la calidad cuenta, así que elija un aceite con un sabor alucinante. Como chispa adicional, condiméntelo con ajo picado y albahaca fresca picada.

Creta comían cubetas enteras y, aún así, su esperanza de vida era la más larga del mundo. Además, los índices de enfermedades cardíacas y de algunos tipos de cáncer eran muy bajos.

Los estadounidenses comíamos casi la misma cantidad de grasa (cerca del 35% de nuestro total de calorías proviene de la grasa), pero nuestra salud se resentía. ¿Cuál era la diferencia? Comíamos hamburguesas con queso, perros calientes y papas fritas (todo cargado de grasas saturadas): pura basura para el corazón.

La investigación realizada por la Dra. Penny Kris-Etherton, dietista registrada y distinguida profesora de nutrición en la Universidad Estatal de Pennsylvania en State College, explica la gran diferencia entre las grasas. Cuando 22 personas pasaron de la dieta típica estadounidense a una dieta rica en las grasas monoinsaturadas del aceite de oliva, el colesterol total descendió en un 10%, el colesterol malo (lipoproteína de baja densidad, LDL) se redujo en un 14% y los triglicéridos cayeron un 13%. Pero no bajó el colesterol bueno (lipoproteína de alta densidad, HDL). La simple sustitución de las grasas saturadas por el aceite de oliva redujo la probabilidad de sufrir un ataque cardíaco en un 25%. Y eso representa el doble de la reducción indicada en el plan de dieta reducida en grasas del Paso II de la Asociación Americana del Corazón.

Alivio Rápido Para:

Uñas Resecas y Quebradizas

Para rejuvenecer las uñas resecas y quebradizas, sumerja las manos en 1/2 taza de aceite de oliva caliente de 15 a 30 minutos. ¡Las uñas absorberán el aceite como una esponja!

ALIVIE LA PRESIÓN

Cuando la Dra. Kris-Etherton realizaba estudios en los Estados Unidos, los investigadores de Nápoles, Italia, decidieron observar qué efecto podría tener el aceite de oliva sobre la presión arterial. Así que tomaron a 11 pacientes con presión arterial alta y los pasaron a una dieta rica en aceite de oliva extravirgen. El resultado: la presión arterial de ocho pacientes se redujo lo suficiente como para dejar de tomar medicamentos, (agregar una cucharadita de aceite de oliva a su ensalada seguramente lo

CÓMO DEFINIR LA CALIDAD DEL ACEITE

La Comisión de Comunidades Europeas define los tipos de aceite de oliva en la etiqueta, de la siguiente manera:

■ **El aceite extravirgen** es el de mejor calidad (menos del 10% alcanza este nivel) y es extraído de la primera prensa en frío. Tiene el sabor y el aroma perfectos y menos del 1% de acidez, con sabor, sensación al paladar y aroma extraordinarios. Es el mejor para ensaladas, salsas o alimentos.

■ **El aceite de oliva virgen fino** tiene un sabor y aroma perfectos y menos del 2% de acidez.

■ **El aceite de oliva común o semifino** tiene un sabor y aroma buenos y menos del 3.3% de acidez. Es posible que a este aceite se lo haya refinado para eliminar sabores u olores no deseados. Es bueno para freír cuando no se necesita sabor.

■ **El aceite de oliva puro** es una mezcla económica de aceites refinados y vírgenes. Tiene menos del 1.5% de acidez.

beneficia y mucho, pero antes de interrumpir el medicamento hable con su médico; interrumpir cualquier medicamento antihipertensivo conlleva riesgos.)

ESQUIVE AL CÁNCER

Para elaborar el aceite de oliva, se exprime (o, en términos tecnológicos, se prensa en frío) aceitunas frescas, con carozo. A diferencia de otros aceites vegetales, puede usarse fresco del envase sin calentarse ni refinarse. Este aceite natural no procesado contiene diminutos sobrantes de aceitunas, tales como fenoles y escualeno, que crean su sabor singular y lo hacen estable, y puede combatir el cáncer de colon, de mama y de próstata.

¿Cuál es el mejor aceite de oliva? Un análisis de la canasta familiar sugiere que los aceites de oliva del Mediterráneo contienen la mayor cantidad del protector escualeno.

Pesto para una Fiesta Familiar

Cada septiembre, Colleen cosecha hojas de albahaca para una fiesta familiar anual. Admite que la salsa es increíblemente rica, y que queda satisfecha con una pequeña porción.

1 taza de aceite de oliva extravirgen
2 dientes de ajo grandes
3 cucharadas de piñones (pignoli) crudos
2 tazas bien compactas de hojas de albahaca fresca sin tallos
1 ½ cucharadita de sal
¼ cucharadita de pimienta negra molida
1 taza de queso parmesano recién rallado
1 libra de pasta tipo tornillo o conchitas
3 cucharadas de piñones (pignoli) tostados

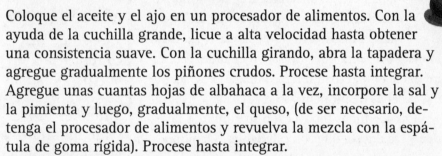

Coloque el aceite y el ajo en un procesador de alimentos. Con la ayuda de la cuchilla grande, licue a alta velocidad hasta obtener una consistencia suave. Con la cuchilla girando, abra la tapadera y agregue gradualmente los piñones crudos. Procese hasta integrar. Agregue unas cuantas hojas de albahaca a la vez, incorpore la sal y la pimienta y luego, gradualmente, el queso, (de ser necesario, detenga el procesador de alimentos y revuelva la mezcla con la espátula de goma rígida). Procese hasta integrar.

Cocine la pasta según las instrucciones del paquete. Reserve ½ taza del líquido de cocción y escurra el resto. Coloque la pasta en un plato grande para pasta y salpíquela con el líquido de cocción que reservó. Cubra con la salsa de pesto y revuelva con la ayuda de servidores ensaladeros grandes, hasta que la pasta esté bien cubierta. Decore con los piñones tostados.

Porciones: ocho.

Datos nutricionales por porción: calorías, 555; proteínas, 15 g; carbohidratos, 44 g; grasas, 35 g; grasas saturadas, 6 g; colesterol, 10 mg; sodio, 596 mg; folato, 28% del valor diario; vitamina E, 46%; calcio, 18%.

Aceituna:

A Punto para la Salud

EFICAZ CONTRA:
- el cáncer
- las enfermedades cardíacas
- los mareos

El padre de Colleen recuerda con mucho cariño el evento destacado del año escolar: el día de campo de la clase. La mejor parte era que, junto con el almuerzo, su mamá le empacaba un frasco delgado de aceitunas rellenas de pimiento solo para él.

Las aceitunas todavía son su alimento favorito y resulta ser que son saludables. Debido a que las aceitunas crecen bajo la abrasadora luz solar, producen abundantes antocianinas, flavonoides y fenoles, sustancias químicas vegetales que se generan naturalmente para y protegen la fruta para que no la dañe el sol. Cuando los come, estos fitoquímicos (*fito* proviene del griego y significa "planta") protegen las células contra los daños que puede causar la contaminación, las enfermedades y algunos de los procesos naturales del cuerpo que pueden desechar sustancias que causan enfermedades. Las aceitunas lo protegen contra todo, menos el sol.

Alivio Rápido Para:

Mareos

¿Se siente mareado cuando viaja en barco? ¿Volar lo pone verde? La próxima vez que el viaje implique mucho movimiento, lleve aceitunas. A la primera señal de mareo, cómase un par. Las aceitunas contienen taninos que resecan la boca y reducen el exceso de saliva que puede causar náuseas.

GRASAS BUENAS Y MALAS

Al igual que el aceite que producen, las aceitunas contienen grasas monoinsaturadas saludables para el corazón que pueden hacer lo siguiente:

▶ Reducir los niveles de colesterol y triglicéridos.

▶ Disminuir los coágulos sanguíneos.

▶ Ofrecer alguna protección contra el cáncer de mama.

Pero no se deje llevar. Hay grasas buenas y malas. Tres aceitunas gigantes de frasco aportan casi 40 calorías. Comer muchas aceitunas puede hacerle subir de peso y esto aumenta el riesgo de sufrir enfermedades cardíacas y cáncer.

Esas tres aceitunas también contienen más de 400 miligramos de sodio (cerca del 17% del valor diario). Como ya sabrá, una dieta rica en sodio aumenta la presión sanguínea en algunas personas. Pero lo que posiblemente no sepa es que el exceso de sodio puede quitar calcio de los huesos. Así que el truco es usar pocas aceitunas para acentuar los sabores de otros alimentos saludables.

EN LA VARIEDAD ESTÁ EL GUSTO

Probablemente conozca las aceitunas españolas verdes rellenas o las aceitunas en frasco extragrandes. Son generosas en cuanto a nutrientes. Pero los aficionados a las aceitunas sugieren que expanda sus horizontes con otras variedades cada vez más accesibles.

Un restaurante de la Ciudad de Nueva York ofrece un menú completo de aceitunas, en tanto que algunas tiendas de comestibles locales ofrecen "bares de aceitunas", en donde puede llenar sus propios frascos con aceitunas tales como las Kalamatas, las italianas verdes condimentadas extragrandes o las Cerignolas gigantes. Al ser más grande que

RESUMEN DE INFORMACIÓN NUTRICIONAL

Aceituna (1 extragrande)

Calorías: 12

Grasas: 1 g

Grasas saturadas: 0 g

Colesterol: 0 mg

Sodio: 137 mg

Carbohidratos totales: 1 g

Fibra dietética: menos de 1 g

Proteínas: 0 g

Vitamina E: 2% del valor diario

SOLUCIONES PARA COMPRAR Y PREPARAR

Las variedades de aceitunas son muchas, así que pruébelas todas.

CUANDO PRUEBE NUEVOS PLATILLOS CON ACEITUNAS:

◼ Mire la sección de delicatessen o de alimentos importados de la tienda de comestibles de su localidad o de una tienda de alimentos naturales.

◼ Investigue en las tiendas de alimentos italianos y griegos, que generalmente tienen variedades típicas y puede hacer una degustación antes de comprar.

◼ Si no puede encontrar novedades en su localidad, consulte en la *Santa Barbara Olive Company* en www.sbolive.com.

PARA ALMACENAR LAS ACEITUNAS:

◼ Guárdelas en frascos sin abrir o sellados en una despensa fresca y seca. Una vez que abra el frasco, manténgalo en el refrigerador.

◼ Refrigere las aceitunas que estén en frascos de delicatessen sin sellar, aun cuando estén fermentadas y curtidas.

DETALLES CON ACEITUNAS

Pruebe estas sabrosas formas de agregar chispa a las comidas con una interesante variedad de aceitunas:

◆ **Organice una degustación de aceitunas.** Use un poco de vino tinto o algo de queso parmesano fresco cortado fino para limpiar el paladar entre bocadillos, pero mantenga el enfoque en el sofisticado fruto. Prepare entre 5 y 10 variedades: quizás unas finas aceitunas verdes francesas (Picholine), unas aceitunas italianas rollizas en color púrpura (Gaeta) y unas aceitunas españolas marrones del tamaño de una arveja (Arbequina). Ofrezca solo lo suficiente, de modo que cada persona

una pacana entera con cáscara, la Cerignola es una aceituna con aspecto de tinta negra, con pulpa gruesa y carnosa y un sabor suave, menos salado y menos agrio. Otra delicia exótica es la aceituna francesa Niçoise, del tamaño de un pistacho, que se encuentra tradicionalmente en la Ensalada Niçoise. Estas aceitunas también sirven para decorar con distinción un salmón a la parrilla.

coma unas 10 aceitunas. Acompañe con una comida ligera, tal como una ensalada con un panecillo, y bayas frescas y trozos de melón como postre.

◆ **En ensaladas para días de campo.** Corte las aceitunas españolas rellenas para agregarlas a ensaladas de papa, huevo o incluso atún. Para ahorrar un poco, compre el frasco grande de aceitunas "saladas", las imperfectas y aporreadas, porque de todos modos las va a cortar. Recorte el uso de sal en la receta para reducir el sodio.

◆ **Con granos.** Anime las ensaladas frías preparadas con granos de trigo entero, arroz integral y silvestre, o el tabule con unas aceitunas agrias picadas. Las suaves aceitunas orondas en aceite son un placer terrenal.

◆ **En antiguas recetas favoritas.** Corte algunas aceitunas Kalamata y agréguelas a un frasco de salsa para espagueti a fin de lograr un sabor casero muy condimentado. ¡*Molto bene!* Agregue aceitunas Cerignola al puré de papas y reemplace la mantequilla por aceite de oliva. Cubra una pizza con aceitunas negras y verdes. Y convierta los tacos en delicias saludables para el corazón: envuelva lechuga, tomates picados, cebolla picada, pavo molido, queso reducido en grasas y aceitunas picadas en una suave tortilla de maíz. ¡Qué tentación!

◆ **En las verduras para el almuerzo.** Agregue unas cuantas de sus aceitunas favoritas a la mezcla de verduras crudas que lleva para el almuerzo. Darán un toque extra al brócoli, la coliflor y las zanahorias miniatura.

◆ **En un tapenade.** Bata algo de tapenade, la crema española para untar con aceitunas. Sirva unas cucharaditas sobre finas rebanadas de pan tostado y hará rugir a su corazón (lea la receta del tapenade "Trío de Crostini" en la página 16).

Y si le gustan las aceitunas rellenas, tiene suerte, porque fluyen jugos creativos de la planta empacadora de aceitunas. Algunos de los fabulosos y saludables rellenos son: almendras, ajo, hongos, cebollas, tomates deshidratados al sol, chiles jalapeños y, para aquellos que les gusta lo realmente picante, chiles habaneros.

Trío de Crostini

¿No se le ocurren entradas saludables? Este arco iris de cremas del Mediterráneo no necesita más que una rodaja de pan crujiente finamente rebanado y ligeramente tostado, para que absorba todas las delicias que gotean.

TAPENADE
(CREMA ESPAÑOLA DE ACEITUNAS)

1 taza de aceitunas negras picadas
1 onza de pasta de anchoas
1 diente de ajo fresco prensado
1 cucharada de aceite de oliva extravirgen
1 cucharada de jugo de limón recién exprimido
¼ cucharadita de tomillo deshidratado

Coloque la cuchilla grande en el tazón del procesador de alimentos. Agregue las aceitunas, la pasta de anchoas, el ajo, el aceite, el jugo de limón y el tomillo. Procese los ingredientes hasta integrarlos y convertirlos en una crema espesa para untar.

Porciones: dieciséis.

Datos nutricionales por porción: calorías, 38; proteínas, 1 g; carbohidratos, 2 g; fibra, 0 g; grasas, 4 g; grasas saturadas, 1 g; grasas monoinsaturadas, 3 g; colesterol, 1 mg; sodio, 419 mg; vitamina E, 9% del valor diario.

CREMA PARA UNTAR DE
TOMATE Y ALBAHACA A LA TOSCANA

4 tomates cherry bien maduros, sin semilla y en cubos
2 hojas grandes de albahaca fresca picada fina
1 cucharada de aceite de oliva extravirgen
Sal al gusto
Pimienta negra molida al gusto

En un tazón mediano, mezcle los tomates, la albahaca y el aceite hasta integrar. Condimente con la sal y la pimienta.

Porciones: dieciséis.

Datos nutricionales por porción: calorías, 15; proteínas, 0 g; carbohidratos, 1 g; fibra, 0 g; grasas, 1 g; grasas saturadas, 0 g; colesterol, 0 mg; sodio, 3 mg.

COBERTURA DE RABANITOS
ESTILO MEDITERRÁNEO

2 cabezas de rabanitos sin las hojas y ligeramente picados
1 ½ cucharada de aceite de oliva extravirgen
1 cucharada de vinagre balsámico
½ cucharadita de orégano deshidratado
sal al gusto
pimienta negra molida al gusto

En un procesador de alimentos, pique bien los rabanitos. Pase los rabanitos picados a un tazón. Agregue el aceite y el vinagre y mezcle bien. Incorpore el orégano, la sal y la pimienta.

Porciones: dieciséis.

Datos nutricionales por porción: calorías, 15; proteínas, 0 g; carbohidratos, 0 g; fibra, 0 g; grasas, 1 g; grasas saturadas, 0 g; colesterol, 0 mg; sodio, 2 mg.

Aguacate:

Abundancia de Grasas Saludables

EFICAZ CONTRA:
- el cáncer
- la resequedad del cabello
- las enfermedades cardíacas
- el colesterol alto

REFUERZA:
- el control del peso

Hay poco que se pueda comparar con el sabor de una crujiente tortilla frita en un plato de cremoso guacamole. ¡Mmmm! Desafortunadamente, en la última década, mientras contábamos los gramos de grasa hasta el cansancio, el guacamole se ganó una mala reputación. Los aguacates sufrían por ser una de las pocas frutas ricas en grasas: hasta 15 gramos en un aguacate mediano.

Por fortuna, los nutricionistas han descubierto que el 80% de la grasa de los aguacates es saludable. Es más, los aguacates superan a todas las frutas en ciertos compuestos vegetales que se cree que previenen el cáncer y las enfermedades cardíacas.

RESUMEN DE INFORMACIÓN NUTRICIONAL

Aguacate de California (⅕ mediano o aproximadamente ¼ taza)

Calorías: 55

Grasas: 5 g

Grasas saturadas: 1 g

Colesterol: 0 mg

Sodio: 1 mg

Carbohidratos totales: 3 g

Fibra dietética: 3 g

Proteínas: 1 g

Folato: 6% del valor diario

En resumen: ¡a comer guacamole!

UN RACIMO DE BETA-SITOSTEROL

El contenido de vitaminas y minerales de los aguacates no es impresionante: tienen algo de folato, potasio y vitaminas B6, C y E, pero las cantidades son escuálidas comparadas con las de otras frutas.

Sin embargo, los investigadores de la Universidad de California, Los Ángeles, descubrieron que los aguacates (por lo menos, los que se cultivan en California) contienen 76 miligramos de beta-sitosterol en 3 ½ onzas.

¿Beta qué? Beta-sitosterol. Es un compuesto vegetal que inhibe la absorción del colesterol en los intestinos, de modo que tendrá un nivel menor en el torrente sanguíneo y reducirá el riesgo de padecer enfermedades cardíacas. Es más, los estudios en animales han demostrado que el beta-sitosterol inhibe el crecimiento de tumores cancerosos.

En una onza, los aguacates tienen un contenido de beta-sitosterol que equivale a cuatro veces el de frutas de consumo común, tales como naranjas (17 miligramos), manzanas (11 miligramos) y fresas (10 miligramos). También contienen, por lo menos, el doble de beta-sitosterol que otras buenas fuentes, tales como elote, aceitunas y soya.

Alivio Rápido Para:

Cabello Sin Brillo

Para agregar brillo al cabello sin vida, pruebe esto: triture un aguacate muy maduro y hágase un masaje con el cabello húmedo durante 5 minutos. Déjelo actuar entre 10 minutos y 1 hora, y enjuague. Es posible que necesite varios enjuagues hasta quitarlo, pero le encantarán los resultados.

NUEVO NUTRIENTE

Y eso no es todo. Los aguacates también son ricos en glutatión, un compuesto vegetal que neutraliza los radicales libres (sustancias que causan daño en las células). Los estudios sugieren que el glutatión previene el cáncer de boca y de faringe, y las enfermedades cardíacas.

Los aguacates ofrecen aproximadamente 28 miligramos de glutatión en 3 ½ onzas, en tanto que muchas otras frutas, tales como la sandía (7 miligramos), las peras (5 miligramos) y los bananos (4 miligramos), aportan considerablemente menos.

GRASAS FANTÁSTICAS

Sí, son excelentes, porque una dieta rica en grasas no saturadas, el tipo principal de los aguacates, reduce el nivel de colesterol malo (lipoproteína de baja densidad, LDL) y mantiene el nivel de colesterol bueno (lipoproteína de alta densidad, HDL). Docenas de estudios han vinculado las grasas no saturadas a un menor riesgo de tener problemas del corazón, aunque la mayoría de ellos evaluaron la cantidad de aceite de oliva consumido, en lugar de la cantidad de aguacate.

Para destacar los beneficios de los aguacates, investigadores de Australia solicitaron a un grupo de mujeres de 37 a 58 años que siguieran una dieta rica en carbohidratos y baja en grasas durante tres semanas, y otra dieta rica en grasas no saturadas de aguacates durante otras tres semanas. Según su peso corporal, comieron entre ½ y 1 ½ aguacate al día.

Los resultados fueron impresionantes: cuando las participantes hicieron la dieta de aguacate, los niveles de colesterol total descendieron un 8% en promedio, en comparación con solo el 4% cuando siguieron la dieta rica en carbohidratos y reducida en grasas. Y hay más. La dieta de aguacate no disminuyó los niveles de colesterol bueno en las mujeres, pero la dieta rica en carbohidratos y baja en grasas lo redujo un 14%.

DELE GRASA A LAS GRASAS

Sabemos lo que está pensando: "Me gusta la idea, pero si como aguacates y aceite de oliva, no entraré en los jeans". Está equivocado. Si sustituye estos alimentos por otros bajos en grasas que sean menos saludables (galletas sin grasas), no subirá ni una libra de peso. Pero una dieta rica en grasas hasta puede ayudarle a perder peso.

Esta es la prueba: un estudio de 18 meses realizado en Brigham y en el *Women's Hospital* de Boston comparó una dieta rica en grasas no saturadas con una dieta baja en grasas. A quienes siguieron la dieta rica en grasas se les permitió comer cerca de 45 gramos de grasas al día,

Úntelo para Adelgazar

Puede bajar algunas libras si sustituye la crema para untar en panecillos, papas horneadas, sándwiches y tostadas por otra reducida en calorías. Compruebe cómo rinde 1 onza (2 cucharadas) de la "Crema de Aguacate en Un Minuto" (página 24) si la compara con la misma cantidad de condimentos típicos.

Cobertura	Calorías	Grasas Saludables (g)	Grasas Saturadas (g)
Aguacate para untar	53	4	1
Mantequilla	215	8	15
Queso crema	105	3	7
Mayonesa	215	17	4

mayormente proveniente de alimentos tales como aguacates, nueces y aceite de oliva. El grupo que hizo la dieta baja en grasas consumió únicamente 25 gramos de grasas al día.

Después de seis meses, ambos grupos perdieron el mismo peso: unas 13 libras. Pero un año más tarde, el grupo de la dieta reducida en grasas volvió a subir cerca de 7 libras, en tanto que quienes siguieron la dieta rica en grasas recuperaron solamente 2 libras.

"Los participantes de la dieta rica en grasas parecían disfrutarla, así que tenían muchas más probabilidades de seguirla", indica la jefa del estudio, la dietista registrada Kathy McManus.

Es su decisión: vegetales al vapor, aderezos para ensaladas sin grasa y panecillos deshidratados, o verduras a la parrilla con aceite de oliva, aguacate y nueces. ¿Qué prefiere?

SOLUCIONES PARA COMPRAR Y PREPARAR

Hay más de 100 variedades de aguacates, pero afortunadamente solo dos tipos principales: el de California y el de Florida. Encontrará aguacates de California todo el año, pero los de la soleada Florida están en venta de junio a marzo.

Debido a que tienen sabores marcadamente diferentes, compre ambos para saber cuál prefiere. En general, los aguacates de California saben más a mantequilla que sus primos del sur, probablemente porque tienen el doble de grasas y casi un tercio más de calorías. Todo lo demás (incluido el contenido nutricional) es idéntico.

En cualquiera de los dos tipos, determine la madurez de la fruta antes de comprarla.

CUANDO ELIJA AGUACATES:

■ Compre un aguacate ligeramente blando si desea comerlo pronto. Para saber si está a punto, apriételo suavemente en la palma de la mano.

■ Compre un aguacate firme si no piensa disfrutarlo en unos días. Colóquelo en una bolsa de papel a temperatura ambiente. Madurará en un plazo de dos a cinco días (consejo: si desea comer ese aguacate en breve, coloque también una manzana dentro de la bolsa para que madure más rápido).

CORTE DE FORMA SEGURA

Cuando vaya a comer el aguacate, tendrá que sacar el carozo y pelarlo. Relájese. Parece más difícil de lo que es. En aras de la seguridad, preferimos seguir esta técnica recomendada por la Comisión del Aguacate de California:

■ Corte el aguacate a lo largo alrededor del carozo.

■ Gire las mitades para separarlas.

■ Deslice suavemente la punta de una cuchara debajo del carozo y levántelo.

■ Para pelar la fruta, coloque hacia abajo el lado del corte y retire la cáscara con un cuchillo.

■ Como alternativa, saque con una cuchara la parte interior del aguacate.

■ Use de inmediato el aguacate o rocíele jugo de limón o vinagre blanco para evitar la decoloración.

CUBOS PARA CONDIMENTAR

Puede incorporar el bello aguacate verde a docenas de platillos aparte del guacamole. Estos son algunos ejemplos:

◆ **Avive la salsa.** Para dar un toque adicional de nutrientes y sabor, agréguele aguacate a cualquier salsa de tomate (casera o comprada).

◆ **Rellene el sándwich.** Omita la mayonesa. En su lugar, utilice rodajas de aguacate en los sándwiches (especialmente el de pavo).

◆ **Anime la pasta.** ¿Está cansado de la salsa de tomate? Cocine una libra de fettuccine (el simple o la variedad con chile rojo) y añada de inmediato 2 cucharadas de aceite de oliva, ¼ taza de vinagre de vino blanco, ½ taza de cilantro fresco picado, ½ taza de pimiento rojo en cubos, ½ taza de pimiento verde o amarillo en cubos, 1 taza de tomates deshidratados en cubos y, desde luego, 1 aguacate en cubos.

Crema de Aguacate en Un Minuto

¿Tiene un minuto? Es lo que demora la preparación de esta tentadora cobertura para focaccia, galletas de soda y panecillos.

1 aguacate mediano sin carozo ni cáscara
2 cucharadas de jugo de limón
2 cucharadas de albahaca fresca picada

En un tazón mediano, pise el aguacate con un tenedor. Agregue el jugo de limón y la albahaca, y revuelva. Cubra y refrigere, por lo menos, 1 hora para integrar los sabores.

Porciones: seis.

Datos nutricionales por porción: calorías, 53; proteínas, 1 g; carbohidratos, 2 g; fibra, 1 g; grasas, 5 g; grasas saturadas, 1 g; colesterol, 0 mg; sodio, 4 mg; folato, 5% del valor diario.

Ensalada Mediterránea

Si no puede viajar al Mediterráneo, disfrute sus fabulosos sabores en su comedor. Puede usar cualquier verdura de hoja verde, pero esta ensalada lucirá visualmente impresionante con rachicoria roja.

½ aguacate sin carozo ni cáscara
4 tazas de verduras de hoja verde limpias y picadas
¼ taza de queso feta desmenuzado
8 aceitunas Kalamata
½ taza de vinagreta balsámica reducida en grasas o sin grasa, como la *Old Cape Cod*

Corte el aguacate en tiras. En un tazón grande, revuelva suavemente hasta integrar el aguacate, las verduras de hoja verde, el queso, las aceitunas y la vinagreta.

Porciones: cuatro.

Datos nutricionales por porción: calorías, 112; proteínas, 3 g; carbohidratos, 6 g; fibra, 2 g; grasas, 9 g; grasas saturadas, 2 g; colesterol, 8 mg; sodio, 408 mg; calcio, 8% del valor diario; hierro, 7%.

Ajo:
El Diente que Desprecia al Cáncer

EFICAZ CONTRA:
- el pie de atleta
- el cáncer
- las enfermedades cardíacas
- el colesterol alto

REFUERZA:
- la función inmunológica
- el estado de ánimo
- el control de peso

Hace algunos años, cuando Karen y su esposo John vacacionaban en San Francisco, visitaron Garlic World (el mundo del ajo), un mercado que comercializa cualquier producto elaborado con ajo, incluso helado y jalea de ajo. Eso nos sonaba tan extraño como le suena a usted. Lo que no es extraño es la increíble capacidad que tiene el ajo para mantenernos saludables.

REDUCE EL RIESGO DE CÁNCER

En un análisis reciente sobre los estudios médicos, por ejemplo, los investigadores de la Universidad de Carolina del Norte determinaron que las personas que consumían seis o más dientes de ajo a la semana tenían un riesgo 30% menor de desarrollar cáncer de colon y un riesgo 50% menor de desa-

RESUMEN DE INFORMACIÓN NUTRICIONAL

Ajo (5 dientes)
Calorías: 22
Grasas: 0 g
Grasas saturadas: 0 g
Colesterol: 0 mg
Sodio: 3 mg
Carbohidratos totales: 5 g
Fibra dietética: 0 g
Proteínas: 1 g
Vitamina C: 8% del valor diario

Alivio Rápido Para:

Pie de Atleta

Irónico: puede dar por terminado el problema del pie de atleta con la "rosa olorosa". Sumerja los deditos en un recipiente de agua caliente con unos cuantos dientes de ajo triturados y un chorrito de alcohol para frotar, sugiere el Dr. James Duke, Ph.D., investigador retirado del Departamento de Agricultura de los Estados Unidos y autor de *The Green Pharmacy* (La Farmacia Natural). "El ajo es mi primera opción de tratamiento por sus propiedades fungicidas", destaca el Dr. Duke.

rrollar cáncer de estómago que las personas que comían un diente de ajo o menos a la semana.

Otros estudios han sugerido que el ajo evita el cáncer de mama y de próstata, pero la evidencia todavía está en la etapa preliminar.

Los suplementos de ajo no parecen tener efecto sobre el cáncer, porque solo tienen trazas de alicina, según los investigadores de Carolina del Norte.

MÁS BENEFICIOS DEL BULBO

El ajo se ha utilizado desde la antigüedad para alejar docenas de problemas de salud. De hecho, los antiguos griegos comían ajo antes de una carrera para obtener una ventaja competitiva (¡es posible que nadie se les quisiera acercar!)

Los científicos no han confirmado la validez de cada uso, pero aparte de combatir el cáncer, parece que el ajo es útil en las siguientes áreas:

▶ **Enfermedades cardíacas.** En una revisión de los estudios, se determinó que consumir de medio a un diente de ajo al día reduce el nivel de colesterol total en aproximadamente un 9%, lo que reduce el riesgo de padecer enfermedades cardíacas en aproximadamente un 20%.

▶ **Función inmunológica.** El ajo tiene gran contenido de compuestos que pueden matar algunos tipos de bacterias y virus. Un estudio realizado en la Universidad Brigham Young en Provo, Utah, informó que el ajo machacado en aceite mataba el rinovirus de tipo 2 (causa del resfriado común), dos tipos de herpes y varios otros virus comunes.

▶ **Estado de ánimo.** Esto no es una broma. Un estudio reciente determinó que cuando se sirve ajo en las comidas, los integrantes de la familia tienden a ser más amables. Una explicación posible: el ajo evoca los recuerdos positivos de la niñez y tranquiliza a las personas.

SOLUCIONES PARA COMPRAR Y PREPARAR

Ninguna variedad de ajo es difícil de comprar

CUANDO ELIJA AJO:

■ Escoja bulbos firmes y gruesos.

■ Busque los dientes de ajo perfectamente cerrados.

PARA ALMACENARLO:

Mantenga el ajo en un lugar fresco y oscuro, hasta que lo consuma.

CÓMO PELAR AJO, DE LA A A LA Z

Pelar dientes de ajo con este método es pan comido.

■ Coloque los dientes de ajo en una tabla para cortar.

■ Ponga el lado plano de un cuchillo sobre ellos.

■ Dé un golpe suave en el cuchillo con el puño cerrado para partir la cáscara. Y, cual si fuera magia, los dientes de ajo saldrán expulsados.

Para deshacerse de ese olor en las manos, frótelas con sal o jugo de limón y lávelas con agua caliente y jabón (para hacer desaparecer el aliento a ajo, masque una ramita de perejil).

COMIDAS TAN RÁPIDAS COMO SALUDABLES CON UN TOQUE DE AJO

Ahora agregue los dientes sobre estos platos:

◆ **Aderece su mayonesa.** ¿Piensa que la mayonesa de bajo contenido graso sabe mal? Mezcle 2 cucharadas con 1 cucharadita de ajo finamente picado y pruébela nuevamente. Úntela en un sándwich vegetariano.

◆ **Deslícelo en el pollo.** Cuando ase pollo, coloque unos dientes de ajo pelados dentro de la cavidad para agregar sabor.

◆ **Úntelo en el pan.** El pan con ajo ya preparado suele estar saturado de grasas y calorías. Hágalo usted mismo: corte una rebanada de pan italiano horizontalmente por la mitad, y unte con una brocha abundante aceite de oliva, unos cuantos dientes de ajo triturados y perejil picado. Hornéelo hasta que comience a dorarse ligeramente.

▶ **Control del peso.** El brócoli al vapor y las zanahorias cocidas realzan su sabor cuando se les agrega un poco de ajo picado. Y, entre más le gusten las verduras, más probabilidad habrá de que las coma, y esas son buenas noticias para las caderas y el corazón.

Pasta al Ajo de Mamá

A Linda, la mamá de Karen, le encanta el ajo. Incluso cuando come en restaurantes que el resto de la familia considera que agregan suficiente ajo a la comida, Mamá reclama: "apenas siento el sabor del ajo".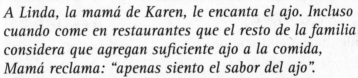
Ahora prepara sus propios platos de pasta cargada de ajo, como el siguiente. Advertencia: ¡es solo para valientes!

1 libra de pasta de tamaño mediano, como rigatoni, rotini o conchitas
1 bulbo de ajo pelado y picado
¼ taza de albahaca fresca picada
2 cucharadas de orégano
5 tomates maduros grandes picados
¼ taza de aceite de oliva extravirgen
¼ taza de queso parmesano rallado

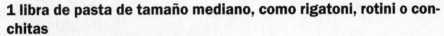

Cocine la pasta según las instrucciones del paquete. Mientras, en una cacerola grande a fuego medio, saltee el ajo, la albahaca, el orégano y los tomates en el aceite durante 8 a 10 minutos. Escurra la pasta, mézclela con la salsa y espolvoree el queso.

Porciones: seis.

Datos nutricionales por porción: calorías, 257; proteínas, 7 g; carbohidratos, 33 g; fibra, 3 g; grasas, 12 g; grasas saturadas, 2 g; colesterol, 3 mg; sodio, 94 mg; calcio, 12% del valor diario; hierro, 15%.

Albahaca:

La Hierba de la Buena Salud

EFICAZ CONTRA:
- la hinchazón abdominal
- el cáncer de colon
- las infecciones
- las inflamaciones
- las úlceras

REFUERZA:
- los huesos

Es la fragancia de la albahaca fresca la que cautiva. La cultivamos en nuestros jardines para usarla en la cocina, pero también por el aroma. Cortar el césped deja de ser un trabajo y pasa a ser una maravilla cuando pasa cepillando la albahaca y su perfume penetrante lo envuelve.

Solo existen cuatro sabores: dulce, ácido, amargo y salado. Pero la albahaca, de la familia de las mentas, ha sido aclamada desde tiempos ancestrales por la forma en que sus aromáticos compuestos convierten los sabores básicos de los alimentos en sabores de la cocina *gourmet* con tan solo un corte de tijera.

Históricamente la albahaca se ha desempeñado como hierba para la cocina, no medicinal. Pero eso está cambiando.

RESUMEN DE INFORMACIÓN NUTRICIONAL

Albahaca fresca (½ taza)

Calorías: 6

Grasas: 0 g

Grasas saturadas: 0 g

Colesterol: 0 mg

Sodio: 0 mg

Carbohidratos totales: 1 g

Fibra dietética: 1 g

Proteínas: 1 g

Vitamina A: 16% del valor diario

Vitamina C: 4%

Calcio: 3%

Hierro: 4%

Manganeso: 15%

SOLUCIONES PARA COMPRAR Y PREPARAR

Si no cultiva albahaca, puede encontrarla fresca en la mayoría de las tiendas de alimentos saludables y en muchas tiendas grandes de comestibles.

CUANDO ELIJA ALBAHACA:

Busque hojas verdes y resistentes (no marchitas ni negras).

PARA ALMACENARLA:

■ Almacene la albahaca cortada en el refrigerador. A Colleen le gusta especialmente el recipiente Tupperware con agujeros de ventilación que permite que la albahaca respire.

■ Almacene los ramilletes de albahaca en agua, ya sea en la encimera o en el refrigerador. Los ramilletes, es decir, la albahaca con las raíces, permanecerán frescos durante una o dos semanas.

CONVIÉRTASE EN GOURMET

Una vez que empiece a usar albahaca, a menudo optará por comidas *gourmet*. Algunas ideas para comenzar:

◆ **En ensaladas.** Un puñado de albahaca fresca con verduras de hoja verde propias del verano logrará que los invitados pregunten: "Mmmmm, ¿qué es esto?".

◆ **En un exquisito linguini.** Para obtener la pasta mejor aderezada cuando coma al aire libre, agregue tomates maduros y frescos, picados, albahaca fresca cortada fina, algo de ajo prensado y un poco de aceite de oliva. Sírvala cruda sobre la pasta caliente.

◆ **Para el verano.** Si termina con demasiada albahaca (¿es posible eso?), puede picarla en el procesador de alimentos con solo la cantidad suficiente de aceite de oliva para elaborar una pasta uniforme. Use la pasta sobre sándwiches en lugar de mantequilla o mayonesa para obtener grasas no saturadas saludables para el corazón. O congélela en bandejas para cubos de hielo y luego agréguela a sopas, estofados y platos de pasta durante todo el año.

◆ **En el microondas.** Deshidrate la albahaca en el microondas. Lave las hojas y séquelas con cuidado. Coloque un pequeño puñado a la vez en toallas de papel. Llévela al microondas a temperatura alta durante aproximadamente 5 minutos o hasta que se seque bien y esté quebradiza. Desmenuce las hojas, luego guárdelas en un recipiente hermético en un lugar fresco y oscuro. Agréguela a platillos de pollo, salsas para pastas, ensaladas y todo tipo de comida italiana.

TENGA SU PROPIO CULTIVO

La albahaca es fácil de cultivar en el jardín, en la terraza o hasta en una maceta profunda en la repisa de la ventana. Todo lo que necesita es mucho sol y calor y un poco de lluvia. La albahaca es perfecta para los lugares cálidos que chamuscan a la mayoría de las plantas normales.

Plante las semillas cuando el tiempo se vuelva cálido y deje que el suelo se seque de un riego al siguiente. Después de que de las plantas tengan dos juegos de brotes, desprenda la parte superior para que se ramifiquen.

Dos o tres plantas proporcionarán más hojas de las que usará.

Alivio Rápido Para:

Resaca

¿Bebió algo de más anoche? Bueno, la albahaca reduce la hinchazón y flatulencia posteriores. Prepare un té: deje reposar al menos 15 minutos en una taza de agua recién hervida 2 cucharadas de hojas de albahaca fresca picadas o 2 cucharaditas de hojas deshidratadas. Cuélelo y bébalo a sorbos.

LA NUEVA HIERBA DEL VECINDARIO

Un grupo de investigadores de la India han probado en animales de laboratorio el aceite de hojas de albahaca. De acuerdo con esta investigación, esto es lo que puede hacer la albahaca:

▶ Disminuir la actividad productora de úlceras de la aspirina y el alcohol.

▶ Combatir las inflamaciones y las hinchazones.

▶ Combatir las bacterias que causan infecciones.

La albahaca también puede hacer lo siguiente:

▶ **Prevenir el cáncer de colon.** La albahaca contiene eugenol, un compuesto que aumenta la producción de antioxidantes, por lo menos, en los intestinos de los animales de laboratorio. Los antioxidantes lo ayudan a eliminar las sustancias tóxicas que pueden causar cáncer. Así que la albahaca puede ser útil en la prevención del cáncer de colon.

▶ **Formar huesos.** La albahaca distribuye pequeñas cantidades de los minerales calcio, cobre, magnesio y manganeso, todos los cuales parecen ser importantes para tener un esqueleto resistente.

Ensalada Veraniega de Tomate y Albahaca

En el calor del verano, cuando las plantas están repletas de los más rollizos y perfectos tomates y los puestos de venta a la orilla de la carretera están abarrotados de las más exquisitas variedades, se le antojará una ensalada que intensifique su irrefutable sabor. En lugar de lechuga, utilice albahaca fresca para acentuar sus cualidades.

1 tomate grande maduro pero firme
½ cucharadita de vinagre balsámico
½ cucharadita de aceite de oliva
4 virutas superdelgadas de queso parmesano (aproximadamente 1 onza en total)
4 hojas grandes de albahaca fresca
3 aceitunas verdes grandes Cerignola u otras disponibles (decoración)

Lave el tomate y séquelo con cuidado. Con un cuchillo serrado, corte cuatro trozos gruesos y jugosos. Dispóngalos en un plato. Salpique con el vinagre y luego con el aceite. Cubra cada trozo de tomate con una viruta del queso y una hoja de albahaca. Decore con las aceitunas.

Porción: una.

Datos nutricionales por porción: calorías, 207; proteínas, 12 g; carbohidratos, 13 g; fibra, 3 g; grasas, 13 g; grasas saturadas, 4 g; colesterol, 22 mg; sodio, 612 mg; vitamina A, 33% del valor diario; vitamina C, 49%, calcio, 36%.

Albaricoque:

Excelente Agente contra el Cáncer

EFICAZ CONTRA:

■ el cáncer

■ las enfermedades cardíacas

■ la hipertensión

■ el colesterol alto

■ los accidentes cerebrovasculares

■ las infecciones vaginales

REFUERZA:

■ la función inmunológica

RESUMEN DE INFORMACIÓN NUTRICIONAL

Albaricoques frescos (3)

Calorías: 48

Grasas: 0 g

Grasas saturadas: 0 g

Colesterol: 0 mg

Sodio: 1 mg

Carbohidratos totales: 11 g

Fibra dietética: 2 g

Proteínas: 1 g

Vitamina A: 52% del valor diario

Vitamina C: 17%

El otro día, la abuela de Karen le preguntó qué vegetales son ricos en betacaroteno. La abuela acababa de escuchar en las noticias un reporte sobre ese nutriente, y quería saber si su gaveta de frutas y verduras estaba abastecida con los alimentos adecuados.

Karen, contenta de poder ayudar y de demostrar lo que había aprendido en la escuela, recitó los nombres de las verduras con mayor contenido de –betacaroteno: zanahorias, calabazas y batatas. Pero Karen también comentó que no solo las verduras poseían un alto contenido de betacaroteno. De hecho, los albaricoques, bellas frutas de color amarillo anaranjado, recientemente fueron incluidas en la lista de las mejores 10 fuentes de betacaroteno, según la *Wellness Letter* de la Universidad de California, en Berkeley. Tan solo tres albaricoques proporcionan más de la mitad del requerimiento diario de vitamina A (el cuerpo convierte el betacaroteno en vitamina A).

Mientras que los suplementos de betacaroteno pueden tener beneficios limitados, si es que los tienen, ingerir la cantidad suficiente del nutriente trae numerosos beneficios. ¿Cuál es la diferencia? El betacaroteno saca provecho de cientos de primos menos conocidos presentes en los alimentos, pero que no están incluidos en los suplementos. Los científicos consideran que el betacaroteno y sus primos (llamados colectivamente carotenoides) trabajan en equipo para prevenir enfermedades.

CÓCTEL ANTICANCERÍGENO

No es una bebida. Es el trabajo del betacaroteno y los carotenoides. La familia de los carotenoides ataca al cáncer de diferentes maneras.

Por ejemplo, el betacaroteno come los radicales libres (sustancias que dañan las células) de los líquidos ubicados dentro y fuera de las grasas del cuerpo. El licopeno, otro carotenoide que se encuentra en los albaricoques, puede detener el crecimiento de las células cancerígenas. Además, otros carotenoides pueden estimular una enzima de su sistema inmunológico que descompone los agentes cancerígenos, es decir, las sustancias que causan el cáncer.

"Una dieta rica en betacaroteno proveniente de abundantes frutas y verduras puede reducir en un tercio el cáncer de mama", comenta la Dra. Cheryl Rock, Ph.D., R.D., profesora adjunta de medicina familiar y preventiva de la Universidad de California, en San Diego.

Alivio Rápido Para:

Infecciones Vaginales Molestas

¿Tiene una infección vaginal? Coma albaricoques. El betacaroteno que contienen puede reforzar su sistema inmunológico lo suficiente como para detener la infección. Un estudio de la Facultad de Medicina Albert Einstein de la Ciudad de Nueva York determinó que las células vaginales de las mujeres con infecciones vaginales tenían niveles significativamente más bajos de betacaroteno que las células de mujeres saludables.

SOLUCIONES PARA COMPRAR Y PREPARAR

Según la época en la que desee comprar albaricoques frescos, pueden ser tan difíciles de encontrar como unas sandalias cómodas. Más del 95% de la producción de los Estados Unidos proviene de California y está disponible entre mediados de mayo y finales de junio. En agosto, es posible que su supermercado tenga albaricoques de Oregon y Washington, mientras que los chilenos generalmente llegan entre finales de noviembre y abril.

CUANDO ELIJA ALBARICOQUES FRESCOS:

■ Busque los de cáscara lisa.

■ Busque frutas suaves, si desea consumirlas de inmediato, o ligeramente firmes, si las desea guardar por unos días.

■ Evite los albaricoques con un tinte verdoso o duros, porque es posible que nunca lleguen a madurar por completo.

PARA ALMACENARLOS:

■ Coloque los albaricoques maduros dentro de una bolsa plástica y refrigérelos. Cómalos en los siguientes tres a siete días.

■ Coloque los albaricoques parcialmente maduros dentro de una bolsa de papel. Guárdelos a temperatura ambiente, lejos de la luz solar directa, hasta que estén listos para comer; por lo general, en uno o dos días. Luego guárdelos en el refrigerador.

Albaricoques enlatados. ¿No consigue albaricoques frescos? Una buena alternativa es la versión enlatada (más del 80% de los albaricoques de Estados Unidos son enlatados), la cual puede sustituir por albaricoques frescos en la mayoría de las recetas.

Albaricoques deshidratados. Quienes controlan su peso, tengan cui-

Los albaricoques son beneficiosos tanto para los hombres como para las mujeres. Una revisión del Instituto Nacional del Cáncer que incluyó 156 estudios determinó que una dieta abundante en frutas y

dado: onza por onza, la fruta seca tiene el triple de betacaroteno, pero quintuplica las calorías de la fruta fresca.

FUTUROS FAVORITOS

Cuando lleve los albaricoques a su cocina, podrá usarlos de muchas maneras. Estas son algunas de las maneras favoritas de Karen:

◆ **Mézclelos.** Agregue ½ taza de albaricoques frescos picados, enlatados o deshidratados en la masa para panecillos o panqueques. ¡Serán el deleite de su familia!

◆ **Coloque su ensalada en la lista de las mejor aderezadas.** En una licuadora, combine 2 albaricoques frescos sin carozo con 2 cucharadas de vinagre de vino blanco y 1 cucharada de azúcar. Agregue lentamente ¼ taza de aceite de canola. Siga batiendo hasta que esté espeso y suave. Agregue 2 cucharadas de albahaca fresca picada. Vierta el aderezo sobre una ensalada de lechuga color verde oscuro, zanahorias, pepinos, pasas y queso feta, y revuelva para distribuir el aderezo. O use el aderezo para marinar pollo.

◆ **Prepare tortillas fritas.** Cómalas con esta salsa de albaricoque fácil de preparar: en un tazón mediano, combine 2 cucharadas de jugo de limón, 2 cucharadas de aceite de canola, ⅛ cucharadita de pimienta negra recién molida, 6 albaricoques frescos picados, ½ taza de cebolla roja picada y ⅓ taza de pimiento rojo picado.

◆ **Prepare una merienda.** En lugar de salir corriendo hacia la máquina expendedora cuando le da hambre en el trabajo, saque una granola casera de su cartera o de la gaveta del escritorio. En una bolsa plástica, mezcle ¼ taza de albaricoques deshidratados, pretzels miniatura, manís, pasas y cereal integral, como *Wheat Chex* o *Cheerios*. ¡Disfrútelo!

verduras reduce en aproximadamente la mitad el riesgo de la mayoría de cánceres (incluidos los de vejiga, cuello del útero, pulmones y estómago).

RIESGO CARDÍACO

El betacaroteno y sus primos no solo son eficaces contra el cáncer. También lo son contra el principal asesino de hombres y mujeres en los Estados Unidos: las afecciones cardíacas. ¿Cómo? El betacaroteno y el licopeno combaten un proceso que empeora aún más el colesterol de lipoproteína de baja densidad (LDL) dañino, que hace que se pegue más placa en las paredes de las arterias. Un estudio realizado con más de 85,000 enfermeras demostró que una dieta rica en betacaroteno reduce el riesgo de sufrir afecciones cardíacas hasta en un sorprendente 22%.

SIN PRESIONES

Además de estar llenos de betacaroteno, los albaricoques (particularmente la variedad deshidratada) están llenos de potasio, nutriente que ayuda a reducir la presión arterial y el riesgo de sufrir accidentes cerebrovasculares. En un estudio que realizó la Universidad de Harvard con más de 40,000 hombres, quienes recibieron la mayor cantidad de potasio tuvieron cerca de un 40% menos de probabilidades de sufrir un accidente cerebrovascular.

¿Cuánto potasio ofrece una porción de 3 ½ onzas de albaricoques deshidratados? Cerca de 1,400 miligramos, es decir, tres veces la cantidad contenida en un banano.

Waffles Increíbles
de Albaricoque

¡Saque a relucir su waflera! A su familia le encantará esta receta de waffles que obtuvimos de la chef repostera Diane Wagner.

1 lata (15 onzas) de albaricoques cortados en mitades
1 taza de harina multiuso
1 taza de harina de trigo integral
3 cucharadas de azúcar
½ cucharadita de sal
1 ½ cucharadita de polvo para hornear
¼ cucharadita de bicarbonato
1 ¾ taza de suero de mantequilla
2 cucharadas de mantequilla, derretida
1 yema de huevo
3 claras de huevo
1 taza de yogur de vainilla reducido en grasas
⅓ taza de miel de maple

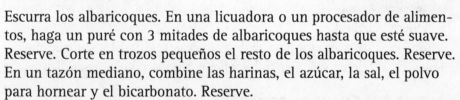

Escurra los albaricoques. En una licuadora o un procesador de alimentos, haga un puré con 3 mitades de albaricoques hasta que esté suave. Reserve. Corte en trozos pequeños el resto de los albaricoques. Reserve. En un tazón mediano, combine las harinas, el azúcar, la sal, el polvo para hornear y el bicarbonato. Reserve.

En un tazón pequeño, mezcle el suero de mantequilla, la mantequilla, la yema de huevo y el puré de albaricoque hasta integrar. Vierta los ingredientes húmedos sobre la mezcla de harina e integre. En otro tazón mediano, bata las claras de huevo hasta que queden firmes, pero que no se sequen. Incorpore a la preparación. Agregue despacio los albaricoques picados. Cocine en una waflera. Agregue 2 cucharadas del yogur y algo de jarabe de maple sobre cada waffle.

Porciones: 4 de 2 waffles cada una.

Datos nutricionales por porción: calorías, 254; proteínas, 9 g; carbohidratos, 45 g; fibra, 3 g; grasas, 5 g; grasas saturadas, 3 g; colesterol, 39 mg; sodio, 393 mg; calcio, 16% del valor diario; hierro, 13%.

Alcachofa:

Globo de Bondades

EFICAZ CONTRA:
- el cáncer
- la diarrea
- las enfermedades cardíacas
- el colesterol alto

REFUERZA:
- la digestión
- la regularidad
- el control del peso

Es cierto: las alcachofas tienen un aspecto extraño. Y por mucho tiempo, representaron un misterio demasiado profundo. Afortunadamente Colleen tiene un par de hijas aventureras que nos dieron una pista sobre cómo separar las alcachofas y divertirnos de manera deliciosa.

¡Sigamos sus consejos para disfrutar las alcachofas! Descubrirá que, además de ser deliciosas, tienen beneficios para la salud sorprendentes.

BENEFICIOSAS PARA EL CORAZÓN

Le encantará saber cuánto pueden ayudar a su corazón las alcachofas. En primer lugar, ayudan a que la sangre fluya libremente, por su alto contenido de luteolina, una de las sustancias vegetales naturales de la familia de los flavonoides que actúa como antioxidante. En un ambiente de laboratorio, la luteolina concentrada extraída de alcachofas previene la oxidación del colesterol dañino (lipoproteína de baja densidad, LDL), el proceso que torna al colesterol en pegajoso, lento y muy ansioso por encontrar un lugar para descansar en las paredes de las arterias. Y eso vuelve a las arterias más angostas y proclives a taparse.

En segundo lugar, una alcachofa mediana proporciona aproxima-

SOLUCIONES PARA COMPRAR Y PREPARAR

Durante el año, puede encontrar pocas alcachofas frescas, pero encontrará muchísimas entre marzo y mayo. Los globos de otoño e invierno pueden tener una apariencia blanquecina o con ampollas por el frío. Pero no se preocupe, se pondrán verdes cuando los cocine. De hecho, estas suelen ser las alcachofas con mejor sabor.

Las alcachofas vienen en tres tamaños. Las bebé pesan solo entre 2 y 3 onzas cada una. Son excelentes para entremeses, guisos y sofritos. Las medianas pesan entre 8 y 10 onzas cada una. Son excelentes para salsas, rellenos o como primer plato liviano. Las alcachofas grandes pesan alrededor de 1 libra cada una y rinden para preparar un entremés para dos o más personas.

PARA ALMACENAR LAS ALCACHOFAS:

Rocíelas con un poco de agua, colóquelas dentro de una bolsa plástica hermética y llévelas al refrigerador. Se mantendrán aproximadamente por una semana.

COCINA FÁCIL

Corte el tallo para que la alcachofa se pueda asentar firmemente sobre la parte inferior. Luego corte aproximadamente entre un cuarto y un tercio de la parte superior. Cocínelas con uno de los siguientes tres métodos:

◆ **Hervidas:** coloque las alcachofas cortadas en forma vertical en una olla honda con 3 pulgadas de agua hirviendo. Agregue jugo de limón o condimentos, si lo desea. Cubra y hierva a fuego lento de 25 a 40 minutos, según el tamaño, o hasta que un pétalo cercano al centro pueda sacarse con facilidad. Deje las alcachofas boca abajo para que escurran.

◆ **Al vapor:** coloque las alcachofas preparadas en una rejilla sobre agua hirviendo. Cubra y cocine al vapor de 25 a 40 minutos, o hasta que estén cocidas.

◆ **Con microondas:** coloque las alcachofas preparadas en un tazón hondo para microondas. Agregue agua, tape y cocine en el microondas en la potencia alta hasta que estén cocidas. Para una alcachofa, use ½ taza de agua y cocine en el microondas de 5 a 8 minutos; para dos alcachofas, utilice 1 taza de agua, de 7 a 11 minutos.

damente el 15% del requerimiento diario de folato. El folato es una vitamina B que ayuda a controlar los niveles sanguíneos de homocisteína, que, cuando están fuera de control, pueden causar un infarto.

Y en tercer lugar, las alcachofas están llenas de cinarina, sustancia que reduce la producción de colesterol. Es decir, si se produce menos colesterol, el cuerpo tendrá que lidiar con menos colesterol.

BONDADES PARA LA PIEL

La cinarina también puede tener beneficios para la piel. En un estudio italiano, los investigadores descubrieron que la cinarina (esta vez extraída de la hierba equinácea) protege el colágeno, el tejido conectivo que une las células para protegerlas contra el daño del sol. Por supuesto, se necesitan más estudios y posiblemente le convenga usarla más como protector solar que como alimento. Aún así, las posibilidades son interesantes.

Mientras tanto, investigadores de Cleveland han analizado los beneficios de la prevención del cáncer al comer otro ingrediente de la alcachofa: la silimarina. En el laboratorio, la silimarina parece impedir el desarrollo del cáncer en varias etapas.

PÓNGASE EN MARCHA

Para que los intestinos funcionen mejor, necesita una ingesta constante de frutas y verduras ricas en fibra. Y las alcachofas son fantásticas, pues brindan aproximadamente un tercio del requerimiento diario en tan solo un globo mediano libre de grasa.

Alivio Rápido Para:

Problemas Digestivos

¿Tiene problemas digestivos? Cómase una alcachofa. Es un colagogo, un vegetal que estimula la producción de bilis: emulsionante que ayuda a digerir las grasas.

RESUMEN DE INFORMACIÓN NUTRICIONAL

Alcachofa hervida (1 mediana)

Calorías: 60

Grasas: 0 g

Grasas saturadas: 0 g

Colesterol: 0 mg

Sodio: 114 mg

Carbohidratos totales: 13 g

Fibra dietética: 6 g

Proteínas: 4 g

Vitamina A: 4% del valor diario

Vitamina C: 13%

Calcio: 5%

Hierro: 9%

También ayudan a controlar el peso, si las come con limón en lugar de ahogarlas en mantequilla. No solo las alcachofas son bajas en calorías (solo 60 cada una), sino que toma mucho tiempo comerlas, por lo que su cuerpo tiene oportunidad de percatarse de que ya está satisfecho antes de ingerir demasiadas calorías.

LUCHADORES INCANSABLES

Las alcachofas también son prebióticos. Es decir, proporcionan solo el tipo correcto de carbohidratos para alimentar a las bacterias buenas en su barriga. Así pues, bien alimentadas, estas bacterias tienen la energía necesaria para multiplicarse hasta convertirse en un enorme ejército lo suficientemente fuerte como para luchar contra una hostil invasión bacteriana y la diarrea que suele acompañarla.

CÓMO SERVIR UNA ALCACHOFA DE MANERA ARTÍSTICA

Puede servir una alcachofa cocida de las siguientes formas:

◆ **Con salsa.** Es el entremés más divertido. Jale los pétalos uno por uno. Sumérjalos individualmente en una salsa saludable, como la "Salsa de Gazpacho Fresco" que aparece en la otra página. Meta el pétalo en la boca, sosteniendo la punta, y muerda suavemente. Luego saque el pétalo de la boca, raspando el tejido suave con los dientes. Tire los restos y tome otro pétalo.

◆ **Rellena.** Con una cuchara, raspe el centro velloso de la alcachofa cocida. Introduzca un relleno frío (como ensalada de pollo o atún) o caliente (como carne de cangrejo).

◆ **En rebanadas.** De nuevo, retire las vellosidades del centro de la alcachofa, luego quite algunas hojas externas para decoración. Corte rebanadas delgadas y agréguelas a una ensalada.

◆ **Versión rápida.** ¿Está ocupado? Coloque una aceituna gigante en el centro de un corazón de alcachofa enlatado. Úsela como decoración para su cena o ensalada.

Entremés de Alcachofa con Salsa de Gazpacho Fresco

Lo único malo de comer alcachofas es que suelen acompañarse con mantequilla. Pero al cambiar la salsa, cambiará el panorama nutricional por completo. Pruebe esta colorida salsa. La recomienda la Junta de Alcachofas de California, y contiene numerosos ingredientes saludables.

½ libra de tomates rojos maduros picados y sin semilla
1 ½ cucharada de salsa de tomate
2 cucharaditas de vinagre de vino tinto
2 cucharaditas de jugo de lima recién exprimido
1 ½ cucharadita de aceite de oliva extravirgen
2 cucharaditas de cebolla escalonia picada fina
¼ taza de pimiento dulce verde picado
2 cucharaditas de eneldo fresco picado
¼ cucharadita de pimienta negra recién molida
⅛ cucharadita de salsa de chile rojo
4 alcachofas frescas medianas hervidas

En una licuadora o un procesador de alimentos, mezcle los tomates, la salsa de tomate, el vinagre, el jugo de lima y el aceite. Pase la mezcla a un tazón grande. Agregue las cebollas, el pimiento, el eneldo, la pimienta negra y la salsa de chile. Cubra y refrigere. Para servir, coloque la salsa de gazpacho en un tazón ancho. Jale los pétalos de la alcachofa, de a uno a la vez, sumérjalos en el gazpacho y raspe las partes suaves con los dientes.

Porciones: cuatro.

Datos nutricionales por porción: calorías, 98; proteínas, 5 g; carbohidratos, 19 g; fibra, 8 g; grasas, 2 g; grasas saturadas, menos de 1 g; colesterol, 0 mg; sodio, 126 mg; folato, 19% del valor diario; vitamina A, 16%; vitamina C, 43%; cobre, 18%; magnesio, 21%; potasio, 17%.

Apio:

El Tallo de la Discordia

EFICAZ CONTRA:
■ la hipertensión

REFUERZA:
■ la hidratación
■ el control del peso

A Colleen le encantan los trozos gruesos de apio para dar volumen a la ensalada de atún. La porción recomendada de atún (unas 3 onzas) no es suficiente para llenar su pan pita. Así que agrega apio y rellena una hoja grande de lechuga morada doblada con una rodaja de tomate, y ya tiene tres de sus porciones diarias de vegetales. Además de sentirse satisfecha, le encanta ese sonido crujiente del apio.

CALORÍAS NEGATIVAS

Mientras Colleen mastica, piensa en los rumores sobre el apio, buenos y malos. Las personas a dieta han escuchado el rumor sobre las "calorías negativas": dice que se queman más calorías al masticar el apio de las que se obtienen por digerirlo. ¡Y es casi cierto! Un tallo de apio de 8 pulgadas aporta unas 6 (sí, 6) calorías después de masticarlo. Técnicamente, eso no es negativo, pero está muy cerca. Con esos valores, tendría que comer un campo entero de apio para tener problemas de calorías.

Básicamente puede comer cuanto apio desee y bajar libras. Sustituya un par de galletas Oreo por un tallo de apio y ahorrará 100 calorías. Si su bocadillo habitual en las tardes es una barra de chocolate, ahorrará más de 200 calorías. Ayuda el buen sabor del apio, especial-

Alivio Rápido Para:

Hipertensión

¿Tiene hipertensión? Coma apio. Los investigadores han descubierto un químico natural en el apio, llamado ftálido, que reduce la presión arterial (en ratas) por medio de la dilatación de los vasos sanguíneos.

mente los tallos dulces del interior (lo sé, no es chocolate, pero es muy saludable). Además el apio no contiene grasas ni colesterol, y tiene mucha agua, así que lo mantendrá hidratado.

¿LE ASUSTA EL SODIO?

El apio tiene la reputación de tener un alto contenido de sodio. Si tiene alguna enfermedad de los riñones y debe someterse a diálisis, el contenido de sodio en un par de tallos de apio podría ser un problema. Pero esa inquietud la han adquirido personas hipertensas a quienes se les ha recomendado una dieta reducida en sodio (2,000 miligramos).

Y un tallo de apio aporta solo 35 miligramos de sodio, menos que una zanahoria (casi 40 miligramos). Agregue eso a la recomendación de la dieta Enfoques Dietéticos para Detener la Hipertensión (DASH, *Dietary Approaches to Stop Hypertension*) que señala que hay que comer de 8 a 11 frutas y vegetales al día para reducir la presión arterial, y el apio tiene un lugar destacado en el desfile de alimentos saludables (si desea más información sobre la dieta DASH, consulte "Evite la Hipertensión" en la página 245).

RESUMEN DE INFORMACIÓN NUTRICIONAL

Apio (de 8 pulgadas)

Calorías: 6

Grasas: 0 g

Grasas saturadas: 0 g

Colesterol: 0 mg

Sodio: 35 mg

Carbohidratos totales: 2 g

Fibra dietética: menos de 1 g

Proteínas: menos de 1 g

Folato: 3% del valor diario

Vitamina A: 1%

Vitamina C: 3%

Calcio: 2%

Hierro: 1%

Potasio: 3%

SOLUCIONES PARA COMPRAR Y PREPARAR

El apio está en "temporada" todo el año. Y encontrar el mejor es muy fácil si usa los ojos y la nariz.

CUANDO ELIJA APIO:

■ Compre apio compacto, brillante y bien formado con hojas frescas de color verde brillante. Las hojas amarillas son una señal de que el apio es viejo.

■ El apio debe sentirse firme y crujiente. Ignore el apio blando o amarillo.

■ Evite el maltratado, con cortes, golpes o tallos rasgados.

■ Hágale la prueba del "olfato". Si huele amargo, no lo compre.

PARA ALMACENARLO:

Guarde el apio en la bolsa plástica en la que viene en la gaveta de vegetales del refrigerador y corte los tallos a medida que los necesite.

CUANDO ESTÉ LISTO PARA USARLO:

■ Lave bien los tallos y corte las puntas.

■ Si el apio se puso blando, corte el extremo de la raíz y las hojas, luego colóquelo en un vaso con agua por una hora o dos. Volverá a endurecerse.

AGREGUE CALORÍAS NEGATIVAS

Las calorías del apio podrán ser negativas, pero estamos seguros de que disfrutará el sabor y la textura que este vegetal aporta a los alimentos de todos los días. Pruebe estas ideas.

◆ **Avive sopas y estofados.** Agrégueles apio picado. Para lograr un mejor sabor y una textura firme, agréguelo unos 20 minutos antes de que el plato se haya terminado de cocinar.

◆ **Recurra a los productos enlatados.** Refresque las sopas enlatadas con unas cuantas hojas de apio.

◆ **Úselo como cuchara infantil.** Use los extremos anchos de los tallos grandes de apio como cucharas comestibles para sopa. ¡A los niños les encantará!

Apio Dorado Estilo Italiano

Si busca un acompañamiento rápido y sabroso para animar un platillo insípido como pollo o solomillo de cerdo, ¡esto es lo que necesita! El apio sobresale en una mezcla de vegetales con un toque de los ingredientes italianos clásicos. Nos gusta el apio dorado servido en un tazón de sopa poco profundo, con una pechuga de pollo al horno y una rebanada de pan tostado italiano a un lado. ¡Mamma mia! ¡A eso le llamo comer bien!

4 tallos de apio de 8 pulgadas cortados en trozos de dos pulgadas
4 tomates italianos en rodajas
2 dientes de ajo picados o machacados
½ taza de agua
1 taza de ejotes italianos congelados
½ taza de pimiento verde picado
½ taza de pimiento rojo picado
½ taza de cebolla picada
¼ cucharadita de semillas de anís
Una pizca de pimienta de cayena molida
1 cucharadita de aceite de oliva
¼ cucharadita de orégano seco
½ cucharadita de albahaca seca

Coloque el apio en una sartén grande. Cubra con los tomates, el ajo y el agua. Lleve a ebullición. Tape, baje el fuego y deje hervir por 10 minutos. Agregue los ejotes, los pimientos (rojo y verde), la cebolla, las semillas de anís, la pimienta de cayena, el aceite, el orégano y la albahaca. Tape y deje hervir a fuego lento por 10 minutos o hasta que el apio esté blando.

Porciones: cuatro.

Datos nutricionales por porción (solo los vegetales): calorías, 133; proteínas, 5 g; carbohidratos, 26 g; fibra, 8 g; grasas, 3 g; grasas saturadas, menos de 0.5 g; colesterol, 0 mg; sodio, 87 mg; vitamina A, 73% del valor diario; vitamina C, 169%; calcio, 10%; hierro, 13%; potasio, 24%.

Arándano:

Lo Mantendrá Fresco como una Lechuga

EFICAZ CONTRA:
- el cáncer
- las enfermedades cardíacas
- las infecciones del tracto urinario
- las arrugas

REFUERZA:
- la memoria

Lo ha escuchado toda su vida: coma zanahoria (para la vista), espinaca (para los músculos) y un banano (por el potasio). Pero podemos apostar a que nunca nadie le dijo que comiera arándanos.

Lea esto: si ve un arándano a 10 pies, ¡cómalo! En un estudio reciente de la Universidad Tufts en Boston, los arándanos superaron a más de 50 frutas y verduras en cantidad de antioxidantes, compuestos que lo protegen contra el cáncer, las enfermedades cardíacas e incluso las arrugas. La parte más saludable se encuentra en el mismísimo pigmento

RESUMEN DE INFORMACIÓN NUTRICIONAL

Arándanos frescos (1 taza)

Calorías: 81

Grasas: 0 g

Grasas saturadas: 0 g

Colesterol: 0 mg

Sodio: 9 mg

Carbohidratos totales: 21 g

Fibra dietética: 4 g

Proteínas: 1 g

Vitamina C: 30% del valor diario

SOLUCIONES PARA COMPRAR Y PREPARAR

En una onza, los arándanos silvestres contienen el doble de antioxidantes que sus parientes más redondos. Así que si los ve en el supermercado, ¡cómprelos! Wyman's, el vendedor más grande de arándanos silvestres, los vende frescos, congelados o enlatados.

Pero si los únicos arándanos que encuentra son cultivados, no los ignore. ¡Están llenos de beneficios!

CUANDO ELIJA ARÁNDANOS FRESCOS:

Compre arándanos secos, firmes y uniformes.

PARA ALMACENARLOS:

■ Guarde las bayas en el refrigerador. Durarán como mínimo una semana, si es que resiste la tentación.

■ Si los consigue en abundancia en una granja local, colóquelos en una sola capa sobre una bandeja para hornear y congélelos por unas horas. Cuando esté seguro de que se han congelado, páselos a recipientes herméticos y guárdelos en el congelador hasta que esté listo para usarlos. Se mantendrán bien durante un año, por lo menos.

COLOREE LOS ALIMENTOS DE AZUL

Ya compró lo mejor. Ahora ponga los arándanos a prueba en la cocina. Deguste estos sabrosos placeres:

◆ **Agregue elegancia a la ensalada.** Deje la lechuga de la variedad "iceberg" en el supermercado, porque ofrece muy pocos nutrientes. (¡piense que es agua crujiente!). Reemplácela por verduras de hoja verde, como espinaca o lechuga romana. Luego agregue arándanos frescos, queso feta y vinagreta balsámica reducida en grasas.

◆ **Coloree los postres de azul.** Reemplace las chispas de dulce por arándanos como decoración del yogur helado. O congele un pastel y luego agréguele arándanos. Para preparar un postre superfácil, llene un plato con arándanos y cúbralos con un poco de crema batida.

nfecciones del Tracto Urinario

Los arándanos son ricos en taninos, compuestos que eliminan las bacterias responsables de las infecciones del tracto urinario. Los investigadores de la Universidad Rutgers en Chatsworth, Nueva Jersey, descubrieron que estos taninos evitan que los gérmenes se adhieran a la pared de la vejiga, donde proliferan. ¿Cuántos arándanos debe comer? Los investigadores no lo saben con certeza. Pero si tiene infecciones del tracto urinario con frecuencia, coma unos cuantos cuando pase por la cocina!

que les da a estas bayas ese color tan interesante. Los científicos lo llaman antocianina. Este pigmento ataca los radicales libres, las sustancias que causan daño celular en su cuerpo.

"Con tan solo 1/2 taza de arándanos al día, duplicaría la cantidad de antioxidantes para todo el día", comenta el responsable del estudio, el Dr. Ronald Prior, quien admite que él apenas comía arándanos, excepto en los panqueques, hasta que condujo este estudio. Ahora come media pinta todos los días.

LA BAYA MÁS INTELIGENTE

Siguiendo el trabajo del Dr. Prior, otros investigadores de Tufts descubrieron la primera pista que indica que los arándanos ayudarían a revertir la pérdida de la memoria de corto plazo. Dividieron las ratas mayores en cuatro grupos. Un grupo recibió la dieta usual, mientras que las otras recibieron un suplemento de extracto de arándanos, fresas y espinaca. Hasta ahora, el grupo de los arándanos ha superado a todos los otros en las pruebas de memoria. Ahora los científicos trabajan para aislar los compuestos de los arándanos que mejoran la memoria a fin de probarlos en humanos. Mientras tanto, *coma arándanos* para recordarlo .

Dolor de Estómago

¿Tiene dolor de estómago? Coma unas cucharadas de arándanos deshidratados. Recientemente se ha informado que inhiben la capacidad de las bacterias de adherirse en el cuerpo, lo cual reduce la posibilidad de que se desarrolle una infección al recubrimiento del estómago. Pero no compre los arándanos frescos o congelados, porque pueden empeorar los problemas del estómago.

Brisa de Arándanos

Esta bebida es tan energizante que parece aire fresco. Combínela con un panecillo de trigo integral para preparar un desayuno nutricionalmente equilibrado, o disfrútela como una merienda de media tarde. ¡Será amor al primer sorbo!

1 taza de arándanos congelados
1 taza de leche total o parcialmente descremada
6 onzas de yogur de limón parcialmente descremado
1 cucharadita de extracto de limón
2 cucharaditas de miel o azúcar (opcional)

En una licuadora, vierta los arándanos, la leche, el yogur, el extracto de limón y la miel o el azúcar (si lo desea). Tápela y licúe hasta integrar. De ser necesario, agregue hielo hasta llegar a la consistencia deseada.

Porciones: dos.

Datos nutricionales por porción: calorías, 186; proteínas, 8 g; carbohidratos, 35 g; fibra, 2 g; grasas, 2 g; grasas saturadas, 1 g; colesterol, 10 mg; sodio, 117 mg; calcio, 29% del valor diario.

Arándano Rojo:
La Concentración Protectora

EFICAZ CONTRA:

- las alergias
- el cáncer de colon
- las enfermedades cardíacas
- las infecciones del tracto urinario

¿Está cansada de las infecciones del tracto urinario? Son bastante comunes: 7 millones de consultas al médico cada año. La mayoría de las mujeres las contraen alguna vez, pero para algunas de nosotras, son una compañera constante.

Si desea curarse, es momento de aprovechar el jugo de los arándanos rojos.

MAR DE TANINOS

Probablemente piense que las historias sobre las cualidades protectoras del arándano rojo son un mito. ¡Pero son ciertas! Las investigaciones de la Facultad de Medicina de Harvard demostraron que las

RESUMEN DE INFORMACIÓN NUTRICIONAL

Lightstyle Cranberry Juice Cocktail (preparado con edulcorante *Splenda*) (1 taza)

Calorías: 40

Grasas: 0 g

Grasas saturadas: 0 g

Colesterol: 0 mg

Sodio: 7 mg

Carbohidratos totales: 10 g

Fibra dietética: 0 g

Proteínas: 0 g

Vitamina C: 88% del valor diario

SOLUCIONES PARA COMPRAR Y PREPARAR

Los arándanos rojos frescos se venden desde septiembre hasta diciembre, justo a tiempo para preparar su propia salsa de arándanos rojos para el Día de Acción de Gracias.

CUANDO ELIJA ARÁNDANOS ROJOS:

Compre arándanos rojos firmes, redondos y de color rojo oscuro. Al igual que con la mayoría de las frutas y verduras, mientras más oscuro sea el color, más antioxidantes contendrán.

PARA ALMACENARLOS:

■ Guárdelos en la bolsa original en el refrigerador. Durarán dos semanas.

■ O congélelos en la bolsa original envueltos en plástico adicional (para protegerlos de las quemaduras por frío y la deshidratación). Consúmalos todo el año.

CUANDO ESTÉ LISTO PARA USARLOS:

Antes de comer las bayas refrigeradas o congeladas, lávelas y clasifíquelas bajo el grifo.

ANTOJO DE ARÁNDANOS ROJOS

Use los arándanos rojos en estas formas sabrosas.

◆ **Salsa de arándanos rojos.** Unte esta salsa en el sándwich de pavo. Es una forma libre de grasas de disfrutar las sobras del Día de Acción de Gracias y también un excelente aderezo de los sándwiches de *delicatessen* de todo el año. Pruébela también con chuletas de cerdo. Ahora tienen menos grasa y son más secas, y la gustosa salsa de arándanos rojos las hace jugosas y deliciosas.

◆ **Vuélvase loco.** Prepare arroz silvestre y agréguele apio picado, albaricoques deshidratados picados y arándanos rojos frescos o congelados. Si las visitas ya están a la puerta y desea preparar algo rápido, mezcle arroz blanco y silvestre.

mujeres mayores que bebieron a diario 1¼ taza de jugo de arándanos rojos durante un mes tuvieron solo el 42% de probabilidades de desarrollar una infección del tracto urinario. Y si continuaban bebiendo esta bebida refrescante y ácida, las probabilidades bajaban aún más.

La explicación la brindan los investigadores del centro de investigación del arándano y del arándano rojo de la Universidad Rutgers en Chatsworth, Nueva Jersey. La bacteria E. coli (causa habitual de las infecciones del tracto urinario) forma pequeños ganchos, como Velcro, que se enganchan en las paredes del tracto urinario. En lugar de ser eliminadas con el agua que usted bebe, se quedan ahí y se multiplican, causando una infección masiva. Afortunadamente el jugo de arándanos rojos contiene un antídoto eficaz, los taninos condensados, que desenganchan a las bacterias para eliminarlas.

UNA ALTERNATIVA ESBELTA

Para obtener suficientes taninos condensados, necesitará una bebida con un 27% de jugo de arándanos rojos. El jugo de arándanos rojos del supermercado tiene azúcar agregado. Por lo general, un jugo con azúcar agregado no se consideraría un alimento saludable, pero el jugo de arándanos rojos es una excepción. En su estado natural, este jugo es tan ácido que no se puede beber directamente.

Lamentablemente la variedad endulzada aporta 175 calorías en las 10 onzas diarias que necesitará para eliminar las bacterias. Si le preocupan las calorías, pruebe el jugo *Ocean Spray Lightstyle Cranberry Juice Cocktail*. Este jugo se endulza con *Splenda* (sucralosa) y aporta solo 50 calorías por cada porción de 10 onzas.

EL DILEMA DIARIO

Probablemente esté pensando: "Me gusta ese sabor ácido y refrescante pero, ¿tengo que tomarlo *todos* los días?". ¡Ánimo! Tiene otras opciones para olvidarse de estas molestas bacterias:

Alivio Rápido Para:

Estornudos por Alergias

Los arándanos rojos son ricos en quercetina, un antihistamínico natural que reduce los estornudos derivados de los alérgenos del aire.

NACIDO EN ESTADOS UNIDOS

Los arándanos rojos son una fruta estadounidense que los nativos usaron como alimento y medicamento mucho antes del *Mayflower*. Los peregrinos inventaron el nombre actual.

En los viajes entre el Viejo Continente y el Nuevo, los marineros estadounidenses empacaron un par de cubetas de arándanos rojos ricos en vitamina C para prevenir el escorbuto. Los marineros británicos dependían de las limas y de allí proviene el apodo "limey" (en inglés) para estos marineros.

Aunque hay más de 100 variedades de arándanos rojos, solo 4 se cultivan habitualmente: *Early Blacks*, *Howes*, *McFarlins* y *Searles*.

▶ **Un cuarto de taza de *Craisins*** (arándanos rojos dulces deshidratados) también contiene la cantidad suficiente de taninos.

▶ **Una taza de arándanos frescos o congelados.**

▶ **Diez onzas de cóctel de arándanos rojos/arándanos** son tan eficaces como el jugo puro de arándanos rojos.

Pero no agregue otras frutas. Mezclar durazno, kiwi y otras frutas que no sean bayas con los arándanos rojos sabe delicioso también, pero diluye la eficacia de los taninos y la deja desprotegida.

MÁS MAGIA CON BAYAS

Los arándanos rojos también contienen ácido elágico, que combatiría el cáncer de colon. Y en el laboratorio, el extracto de arándanos rojos evita que el colesterol se vuelva pegajoso y tape las arterias. Debido a que los arándanos rojos tienen poca cantidad de los ingredientes conocidos que evitan ese taponamiento, los investigadores siguen jugando a "Adivine el Nombre del Antioxidante". Pero más allá de los nombres, los arándanos rojos han demostrado ser muy beneficiosos. ¡Piense que es magia!

Pastelillos con Arándanos Rojos

Cuando llegue el Día de Acción de Gracias, hornee estos pastelillos. Dado que habrá demasiado pavo y guarniciones, nadie los comerá con la cena, sino que los llevarán a casa para desayunarlos a la mañana siguiente.

2 tazas de harina de trigo integral
¾ taza de azúcar
1½ cucharadita de polvo para hornear
½ cucharadita de sal
½ cucharadita de bicarbonato
¼ taza de aceite de canola
1 huevo mediano batido
1 cucharadita de ralladura de cáscara de naranja
¾ taza de jugo de naranja fortificado con calcio
3 tazas de arándanos rojos frescos picados
½ taza de pacanas picadas en pedazos grandes

Caliente el horno a 400 °F. Coloque moldes de papel para pastelillos en un molde grande. En un tazón grande, mezcle la harina, el azúcar, el polvo para hornear, la sal y el bicarbonato. En un tazón pequeño, mezcle el aceite, el huevo, la ralladura de naranja y el jugo de naranja. Incorpore la mezcla de naranja a la mezcla de harina hasta integrar. Agregue los arándanos rojos y las pacanas. Llene dos tercios de los moldes con la masa. Hornee por 15 minutos, o hasta que al insertar un palillo en el centro de un pastelillo, el palillo salga limpio. Saque los pastelillos del molde y déjelos enfriar sobre una rejilla de alambre.

Porciones: doce.

Datos nutricionales por porción: calorías, 220; proteínas, 4 g; carbohidratos, 34 g; fibra, 4 g; grasas, 9 g; grasas saturadas, 1 g; colesterol, 16 mg; sodio, 104 mg; vitamina A, 1% del valor diario; vitamina C, 11%; calcio, 7%; hierro, 7%; manganeso, 13%.

Arroz Integral:

El Grano con Beneficios Integrales para la Salud

EFICAZ CONTRA:
■ **la diabetes**
■ **las enfermedades cardíacas**

Seguramente le encanta el arroz. La mayoría de nosotros come unas 25 libras de arroz al año; lamentablemente es casi siempre arroz blanco. Es una pena que elijamos el blanco, porque como nos repite nuestra amiga Ellen: el arroz integral eclipsa a su primo más pálido en casi todas las vitaminas y minerales (si desea ver una comparación de los dos tipos, consulte "El Tazón de Arroz" en la página 61).

"¿Sabía que todo el arroz inicialmente es integral?", pregunta Ellen, con un movimiento de amonestación del dedo. El grano se cosecha con la cáscara, una cubierta dura e incomible que protege los granos enteros color café. Para que el arroz sea brillante y blanco, los productores le quitan (en términos tecnológicos, refinan) la cascarilla, el salvado y el

RESUMEN DE INFORMACIÓN NUTRICIONAL

Arroz integral cocido (²/₃ taza)

Calorías: 170

Grasas: 1.5 g

Grasas saturadas: 0 g

Colesterol: 0 mg

Sodio: 10 mg

Carbohidratos totales: 34 g

Fibra dietética: 2 g

Proteínas: 4 g

Vitamina B3 (niacina): 8% del valor diario

Cobre: 4%

Hierro: 2%

Magnesio: 15%

Cinc: 6%

SOLUCIONES PARA COMPRAR Y PREPARAR

Encontrará distintos tipos de arroz integral en el supermercado. Estas son las opciones.

■ **Arroz integral instantáneo.** Para los días en que no tiene un segundo que perder en la cocina, cocine un paquete de arroz integral instantáneo. Estará listo en 10 minutos, una diferencia bastante grande en comparación con los 30 a 45 minutos que toma el arroz integral tradicional.

■ **Arroz integral regular.** Pero si no está en una carrera contra el reloj, elija el arroz integral regular porque tiene mejor sabor y consistencia que la versión instantánea. También puede acelerar el proceso de cocción del arroz regular si usa una arrocera o remoja el arroz en agua de 2 a 3 horas antes de cocinarlo.

Si elige el arroz regular, tendrá que decidir el largo del grano.

■ **El grano mediano** se considera la longitud ideal para cualquier propósito (el arroz instantáneo, casualmente, casi siempre viene en grano mediano).

■ **El grano corto** funciona mejor en pudines y rellenos.

■ **El grano largo** es ideal para pilafs, ensaladas y platos salteados.

UN SABOR INTERNACIONAL

El arroz integral se puede usar en cualquier plato que utilice arroz blanco. Le aportará un ligero sabor a nuez y una textura más robusta. Pruebe estos placeres de arroz integral.

◆ **Viaje a Pekín.** Use arroz integral en sus platos chinos favoritos, como el Pollo Moo Shu. Karen suele pedir en los restaurantes chinos que reemplacen el arroz blanco y pegajoso por este grano integral. ¡Es una brillante idea!

◆ **Anótese un gol con estilo tailandés.** Creerá que está en Bangkok cuando prepare arroz integral con un plato salteado y picante de mariscos.

◆ **Conserve las tradiciones.** ¿Qué es tan tradicional como la tarta de manzana de mamá? ¿Qué opina de una sopa de pollo y arroz integral?

Alivio Rápido Para:

Riesgo de Ataque al Corazón

Un estudio reciente determinó que comer dos porciones diarias de granos integrales reduce en un 30% el riesgo de morir de un ataque al corazón. "Estamos tratando de determinar qué tienen exactamente los granos integrales que sirve de protección: la fibra, las vitaminas y los minerales, los fitoquímicos o todos ellos juntos", comenta el Dr. Lawrence Kushi, Sc.D., catedrático de nutrición humana de la Universidad de Columbia en la Ciudad de Nueva York. Mientras tanto, ¡coma arroz integral y granos integrales!

germen del grano. Sin embargo, los investigadores han determinado que estas son las partes que almacenan una gran variedad de vitaminas, minerales y sustancias fitoquímicas que combaten las enfermedades. Felizmente estos componentes, y los nutrientes que contienen, permanecen intactos en el arroz integral.

INCORPORE LOS PRODUCTOS INTEGRALES

¿Y qué harán todos esos nutrientes por usted? Es una excelente pregunta. El arroz integral lo ayudará de diversas maneras.

▶ **Prevenir las enfermedades cardíacas.** Un estudio reciente de la Universidad de Columbia en la Ciu-

ARROZ INTEGRAL SENCILLO

Encontrará arroz en cualquier cosa: desde barras de desayuno hasta cenas congeladas. ¿Pero no es ese el tipo de arroz (¡ejem!) de la variedad menos colorida? Sí, pero hay algunas excepciones deliciosas. Estas compañías mejoran los alimentos fáciles con arroz integral.

■ Grainaissance (www.grainaissance.com). Elabora bebidas y pudines con arroz integral orgánico.

■ Hain Kidz (www.thehainfoodgroup.com). Vende las golosinas de chispas de chocolate y malvaviscos por excelencia (pista: Snap, Crackle y Pop!) preparadas con arroz integral.

■ Lundberg Family Farms (www.lundberg.com). Comercializa galletas de arroz integral y mezclas instantáneas de acompañamientos (¡el pesto con ajo asado es el mejor!).

■ Mon Cuisine (www.moncuisine.com). Utiliza arroz integral en cenas congeladas vegetarianas.

El Tazón de Arroz

¿Cuál es más saludable? ¿El arroz blanco o el integral? Nosotros le brindamos los datos, usted lleva la cuenta. Los valores nutricionales están basados en ½ taza de arroz cocido.

Arroz	Fibra (g)	Vitamina E (mg)	Fósforo (mg)
Integral	1.6	2	79
Blanco	0.03	0	34

dad de Nueva York sugiere que las mujeres que comen tres porciones diarias de granos integrales, como el arroz integral, tienen un riesgo un 27% menor de desarrollar enfermedades cardíacas que aquellas que comen solo granos refinados, como el arroz blanco.

▶ **Reducir el peligro de padecer diabetes.** Mientras que los investigadores trabajan para aislar la magia del arroz, un grupo de la Universidad de Harvard examina por qué el arroz integral y otros granos integrales parecen protegernos de la diabetes tipo 2. Un estudio con más de 65,000 enfermeros reveló que quienes comieron grandes cantidades de granos refinados duplicaron el riesgo de desarrollar diabetes en comparación con quienes consumieron casi solo carbohidratos no refinados. "El páncreas tiene que secretar rápidamente mucha insulina para que el cuerpo absorba los carbohidratos refinados", explica el Dr. Walter Willett, jefe del departamento de nutrición en Harvard. "Con el tiempo, el páncreas reduce la producción de insulina, y se desencadena la diabetes".

¿Cuál es la conclusión? Ellen la resume en dos palabras: "¡Compre integral!".

Empanaditas Saludables

¿Está atrapado en una rutina de sándwiches? Prepare esta creación llena de vegetales que le dejará satisfecho. Este almuerzo delicioso aporta toda la vitamina C y un tercio de la fibra diaria que necesita.

1 cucharada de aceite de oliva o canola
2 dientes de ajo picados
1 cebolla morada pequeña picada
2 pimientos rojos o verdes picados
¼ libra de zanahorias miniatura en rodajas
½ taza de hongos picados
2 tazas de arroz integral instantáneo cocido
1 cucharadita de sazonador italiano
Sal al gusto
Pimienta negra molida al gusto
4 panes pita de trigo integral

Caliente el aceite en un wok o una sartén antiadherente grande a fuego mediano-alto. Agregue el ajo, la cebolla, el pimiento, la zanahoria y los hongos, y saltee de 4 a 6 minutos o hasta que estén blandos, pero no pastosos. Reduzca el fuego a medio-bajo, y mezcle el arroz, el sazonador italiano, la sal y la pimienta negra. Saltee de 2 a 3 minutos, revolviendo con frecuencia. Divida la mezcla de arroz en cuartos y rellene los panes pita.

Porciones: cuatro.

Datos nutricionales por porción: calorías, 296; proteínas, 8 g; carbohidratos, 156 g; fibra, 8 g; grasas, 6 g; grasas saturadas, 1 g; colesterol, 0 mg; sodio, 252 mg; vitamina C, 100% del valor diario.

Arvejas:

Proteínas Envainadas

EFICAZ CONTRA:
- la diabetes
- el colesterol alto

REFUERZA:
- la energía
- la regularidad

Cuando los hijos de Colleen eran pequeños, los llevaba a granjas donde pudieran cosechar, para que supieran de dónde viene la comida. Para los niños, fue una verdadera sorpresa aprender que la leche no viene de cajas ni las fresas, de frascos. Lo que más les sorprendió fue aprender que las arvejas en vaina crecen en una enredadera, y saben completamente diferente de sus parientes congelados o enlatados del supermercado. Esas arvejas eran tan deliciosamente dulces que, en el camino a casa, la familia se comió la mitad de lo que había cosechado.

NO ES FÁCIL SER VERDE

A veces es difícil determinar en dónde ubicar a las arvejas en el esquema de nutrición. Técnicamente son una verdura de hoja verde. Pero los dietistas suelen referirse a las verduras de hoja

Alivio Rápido Para:

Colesterol Alto

¿Le preocupa tener el colesterol alto? Si en lugar de almorzar un sándwich frío toma una sopa de arvejas, obtendrá un beneficio doble. ¡Excluirá las grasas saturadas que elevan el colesterol alto y agregará la fibra soluble que lo disminuye!

SOLUCIONES
PARA COMPRAR
Y PREPARAR

Las arvejas son legumbres: pequeñas semillas frescas que crecen en vainas. Las arvejas frescas son las mejores, pero su temporada es breve. Pruebe otras formas para disfrutarlas todo el año.

Si le gustan las arvejas frescas, prepárese para correr a los mercados de agricultores o las granjas donde usted mismo las cosecha en abril o mayo, la única temporada. Luego corra de regreso a casa y cocínelas con cuidado tan rápido como pueda. Al igual que el elote fresco, las arvejas pierden rápido esa dulzura incomparable. En unas 4 a 6 horas, tendrá arvejas viejas.

CUANDO ELIJA ARVEJAS FRESCAS:

Elija arvejas redondas color verde brillante (no amarillas) sin manchas ni puntos.

Arvejas congeladas y enlatadas. Para la cocina de todos los días, las arvejas congeladas son una buena opción, aunque tienen mucha menos vitamina C que las frescas. Las arvejas enlatadas se pueden usar en un santiamén, pero no son tan sabrosas ni crujientes.

Arvejas secas. Las arvejas secas partidas se venden en bolsas plásticas de 1 libra en la sección de arroz y frijoles secos de la tienda de abarrotes. Lávelas y revíselas antes de cocinar una sopa, porque a veces contienen piedras pequeñas.

Arvejas glamorosas. Ahora hay arvejas chinas frescas en muchos supermercados grandes. Compre vainas tiernas, limpias, frescas y brillantes sin cortes ni manchas. Evite las aguadas o blandas, porque las vitaminas tienden a irse junto con la frescura. Es posible

comestible cuando hablan de verduras de hoja verde. Y las arvejas son almidonosas, no verduras fibrosas llenas de vitaminas A y C.

¿Y la arveja china? ¡Sí! Esas se parecen más a las tradicionales "verduras" que a los nutricionistas les encantan.

que también encuentre arvejas dulces cerca. Están a medio camino entre una arveja china plana y una arveja verde completamente madura. Se comen las semillas y las vainas. Como podría esperarse, también son un cruce nutricional, con un poco más de proteínas que las arvejas chinas, y un poco menos de vitamina C. También encontrará ambas variedades en la sección de alimentos congelados.

Garbanzos. Si desea depender de las proteínas de las legumbres, no se olvide de los garbanzos: recibirá una dosis extra de folato.

LE GUSTARÁN LAS ARVEJAS Y SUS VAINAS

Ahora que la alacena está llena de arvejas, estas son algunas formas de recibir todos los beneficios:

▶ **Apílelas.** Agregue arvejas y un huevo duro partido a la ensalada para obtener proteínas completas con los vegetales.

▶ **Empáquelas.** Lleve una lata de sopa de arvejas para el almuerzo y caliéntela en el microondas. Es fácil y aporta carbohidratos, proteínas y vegetales.

▶ **Viértalas.** Agregue arvejas congeladas a cualquier sopa para aportar proteínas.

▶ **Úntelas.** Licue una lata de garbanzos con el hummus. Agregue un poco de limón, ajo y aceite de ajonjolí, y licue hasta que todo esté suave.

▶ **Mézclelas.** Incorpore arvejas chinas a los platos salteados. Agréguelas a último minuto para aportar nutrición crujiente.

▶ **Combínelas.** Revitalice las zanahorias cocidas con unas cuantas arvejas dulces. Añaden color, textura, sabor y fibra. ¡Y la combinación es un festín para los ojos!

Son una versión inmadura de arvejas en vaina, así que se pueden comer enteras. Una taza de arvejas chinas cocidas contiene todo el requerimiento diario de vitamina C; más de lo que obtendría de una taza de espinaca cocida o de una naranja. Y también más fibra. Y aporta un poco de vitamina A, aproximadamente el 4% del valor diario. También es excelente para formar y proteger la piel y para mantener los intestinos en buen funcionamiento: tiene muchas bondades.

¿ANIMAL, VEGETAL O MINERAL?

Entonces, si las arvejas no son una verdura de hoja verde, ¿qué son? Un sustituto de la carne, solo que mejor. Esto es lo que ofrecen:

▶ **Proteínas muy eficaces.** Una taza de arvejas frescas, congeladas o enlatadas, aporta tantas proteínas como un huevo o una onza de carne de res magra: ¡y no contiene grasa!

De hecho, una taza de arvejas y otra de leche descremada proporcionan más de un tercio de las proteínas diarias. Y las proteínas son completas, como las de la carne, así que son excelentes para formar músculos, reparar tejidos, mejorar el sistema inmunológico, y fortalecer cada célula, enzima y hormona del cuerpo.

▶ **Fibra fabulosa.** Y hay más: las arvejas aportan un tercio del valor diario de fibra: ¡algo que no obtiene de la carne!

▶ **Minerales y vitaminas importantes y sustanciosos.** Por cada mineral y vitamina que se le ocurra, excepto por el cinc y la vitamina B12, las arvejas igualan o superan los valores de una porción de 3 onzas de carne de res magra.

Las arvejas tienen proteínas muy eficaces.

RESUMEN DE INFORMACIÓN NUTRICIONAL

Garbanzos cocidos (1/2 taza)

Calorías: 134

Grasas: 2 g

Grasas saturadas: menos de 1 g

Colesterol: 0 mg

Sodio: 6 mg

Carbohidratos totales: 22 g

Fibra dietética: 6 g

Proteínas: 7 g

Folato: 35% del valor diario

Calcio: 4%

Cobre: 14%

Hierro: 13%

Cinc: 8%

EL ALMIDÓN TIENE UNA MISIÓN

Probablemente piense que, como las arvejas son almidonosas, aumentará de peso. No es así. Las arvejas son una excelente arma contra el aumento de peso.

¿Por qué? Aunque el almidón de las arvejas es puro carbohidrato, es del tipo que se mueve lento: de bajo índice glucémico (IG). A diferencia de los carbohidratos con índice glucémico alto (pan blanco y papas) que ingresan al torrente sanguíneo con prisa, los carbohidratos de las arvejas vagonean mientras se les digiere. Esta energía se libera lentamente en el flujo sanguíneo, y eso evita que vuelva a sentir hambre pronto.

Cinco estudios demuestran que las personas a dieta comen menos bocadillos después de una comida con índice glucémico bajo, comenta la Dra. Susan Roberts, directora del laboratorio de metabolismo de la energía en la Universidad Tufts en Boston. Si tiene diabetes o resistencia a la insulina, una modesta porción de arvejas también puede controlar el aumento del azúcar en sangre y dar tiempo para que la insulina funcione mejor.

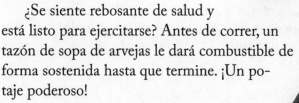

¿Se siente rebosante de salud y está listo para ejercitarse? Antes de correr, un tazón de sopa de arvejas le dará combustible de forma sostenida hasta que termine. ¡Un potaje poderoso!

Arvejas Recién Cosechadas en Copas de Lechuga

Nada es más dulce que las arvejas en vaina recién cosechadas. Son tan suaves y sabrosas que querrá comerlas sin que nada interfiera con el sabor natural. Las hojas de lechuga proporcionan la humedad suficiente para cocinar sin que las vitaminas se pierdan en el agua de ebullición.

2 hojas grandes de lechuga de la variedad *iceberg*
1 ½ taza de arvejas recién sacadas de la vaina (aproximadamente 1 libra en vaina)
1 cucharada de agua
1 cucharadita de mantequilla

En una sartén pesada antiadherente a fuego lento, coloque 1 de las hojas de lechuga en forma de copa. Rellénela con las arvejas. Cubra con la segunda hoja de lechuga. Vierta el agua en el fondo de la sartén. Cubra y hierva a fuego lento de 10 a 15 minutos, o hasta que las arvejas estén apenas blandas. De ser necesario, agregue agua a cucharaditas durante la cocción para evitar que la lechuga se queme. Para servir, coloque la hoja de lechuga superior sobre un plato, llénela con la mitad de las arvejas y agregue la mitad de la mantequilla. Coloque la otra hoja de lechuga con arvejas en otro plato y agregue el resto de la mantequilla. ¡Apúrese y disfrute!

Porciones: dos.

Datos nutricionales por porción: calorías, 119; proteínas, 7 g; carbohidratos, 19 g; fibra, 7 g; grasas, 2 g; grasas saturadas, 1 g; colesterol, 5 mg; sodio, 24 mg; vitamina A, 17% del valor diario; vitamina C, 20%; cobre, 11%; hierro, 11%; cinc, 11%.

Ayote:

Cornucopia de Salud

EFICAZ CONTRA:

- el cáncer
- las enfermedades cardíacas
- la hipertensión
- los accidentes cerebrovasculares

REFUERZA:

- los huesos
- la función inmunológica
- la vista

Colleen hizo lo imposible el pasado Día de Acción de Gracias: logró que los niños (y los adultos) comieran ayote. Y nadie dijo: "¡Guácala!". El secreto estuvo en la presentación. Empezó con los cuatro colores diferentes del tipo bellota. Uno tenía la tradicional cáscara exterior verde y el otro era dorado. El tercero era verde con puntitos blancos y dorados, y el cuarto era verde con rayas doradas. Colleen los cortó a lo ancho en rebanadas de 1 pulgada, les quitó las semillas y *voilà*: ¡flores de ayote! Les roció aceite de oliva en aerosol, espolvoreó un poco de azúcar morena y canela, y luego los horneó por 20 minutos: fueron el éxito sorpresa de la reunión familiar. Apilados en un plato, parecían flores de colores en un jardín.

RESUMEN DE INFORMACIÓN NUTRICIONAL

Ayote (tipo calabaza almizclera) hecho puré (½ taza)

Calorías: 49

Grasas: 0 g

Grasas saturadas: 0 g

Colesterol: 0 mg

Sodio: 5 mg

Carbohidratos totales: 13 g

Fibra dietética: 3 g

Proteínas: 1 g

Vitamina A: 172% del valor diario

Vitamina C: 20%

Calcio: 5%

Hierro: 4%

**SOLUCIONES
PARA COMPRAR
Y PREPARAR**

Algo especialmente agradable del ayote de invierno es que la temporada comienza cuando los tiernos vegetales de verano (como el elote y los tomates) empiezan a desaparecer. En septiembre, encontrará el ayote de invierno en varios colores, formas y tamaños en los supermercados y a la orilla de la carretera.

CUANDO ELIJA AYOTE DE INVIERNO:

Compre el que esté firme, liso y uniforme.

PARA ALMACENARLO:

Quítele la tierra. Con esa cáscara dura, el ayote es lo suficientemente resistente para sobrevivir meses sin refrigeración. Prepare un espectacular centro de mesa de otoño, que durará hasta que sirva el ayote como guarnición del pavo del Día de Acción de Gracias.

INCORPORE EL AYOTE A SU MENÚ

Revitalice su menú semanal con ayote:

◆ **Minimícelo.** Elija un ayote del tipo bellota en miniatura, pártalo a la mitad y sáquele las semillas. Luego cocínelo en el microondas hasta que se sienta blando con el tenedor (el tiempo de cocción depende del tamaño). Espolvoree nuez moscada y nuez de nogal picada. Rinde dos porciones perfectas de ½ taza.

◆ **Agrándelo.** Agregue ayote horneado o puré de ayote congelado a la sopa más sedosa (pruebe nuestra "Sopa de Calabaza Almizclera con Jengibre" de la página 73). O agregue las sobras de un ayote horneado a la sopa de vegetales de lata.

◆ **Venérelo.** Convierta el puré de ayote dorado en una salsa celestialmente saludable para carne magra de cerdo, estofado o pechugas de pollo: mezcle el ayote con cebolla en polvo y polvo de ajo.

◆ **Fantasee.** Convierta el ayote en su cena. Parta una calabaza almizclera pequeña y sáquele las semillas. Rellene el espacio con una mezcla de pechuga de pavo molida, apio picado, zanahorias ralladas y arroz integral cocido. Lleve al horno hasta que esté blando.

EL COLOR DE LA SALUD

El color es clave para saber cuáles son los alimentos más saludables del jardín de la Madre Naturaleza. Los componentes que producen bellos colores son los mismos que mejoran la vista, protegen las células contra el cáncer y defienden las arterias de la acumulación de colesterol.

El precioso color naranja profundo del ayote de invierno (calabaza de invierno) es una señal segura de que está cargado de betacaroteno, un carotenoide que se convierte en vitamina A en nuestro cuerpo. Y una sola porción pequeña de ½ taza de ayote bellota aporta el betacaroteno suficiente para satisfacer la mitad de sus necesidades diarias de vitamina A. La misma cantidad de ayote de la variedad Hubbard también aporta el requerimiento completo para un día. Un trozo pequeño de calabaza almizclera es la mayor fuente de vitamina A: proporciona la cantidad suficiente para un día y medio.

Alivio Rápido Para:

Quemaduras de sol

¿Tiene propensión a quemarse por el sol? Coma alimentos ricos en betacaroteno, incluidos ayote de invierno, zanahorias, albaricoques y melón. Esta dieta aumentará el poder protector del bloqueador solar.

UN TRABAJO BIEN HECHO

Las frutas y las verduras color verde oscuro, naranja profundo y rojo brillante pueden aportar más de 400 carotenoides. Aproximadamente 50 de estos carotenoides pueden producir algo de vitamina A, pero el betacaroteno es, lejos, el principal proveedor, y tiene muchos trabajos por hacer:

▶ **Aplasta el cáncer.** El betacaroteno previene el cáncer porque agota la energía del oxígeno singlete, un tipo de oxígeno "excitado" que rompe las membranas celulares, destruye enzimas y confunde al ADN para que produzca células cancerosas en lugar de células normales.

▶ **Beneficia el sistema inmunológico.** El betacaroteno también parece ser un poderoso estimulante del sistema inmunológico: lo mantiene alerta para detectar organismos invasores y eliminar células potencialmente cancerosas.

▶ **Brinda otro tipo de protección.** El betacaroteno protege su piel de las quemaduras del sol. En un estudio, las mujeres que consumieron mucho betacaroteno y usaron protector solar obtuvieron más protección contra las quemaduras del sol que las que usaron solo protector solar.

El betacaroteno también puede reducir la ceguera nocturna. Un estudio realizado en Nepal mostró que una ingesta alta de betacaroteno redujo en un 50% la ceguera nocturna en mujeres embarazadas. Además, el betacaroteno puede aumentar los esfuerzos de la vitamina A por alargar y fortalecer los huesos.

POTASIO Y MÁS POTASIO

Tal vez haya comido muchos bananos por el potasio, y eso es bueno. Pero si prefiere cambiar un poco la rutina, coma a veces ayote en lugar de banano (no en el desayuno, por supuesto). Una pequeña porción de ½ taza (suficiente para llenar media pelota de tenis) aporta un 20% más de potasio que un banano, ¡y la mitad de las calorías!

El potasio es especialmente importante para las personas que hacen mucho ejercicio y para toda persona que tome diuréticos, porque este mineral regula el ritmo cardíaco y mantiene la presión sanguínea bajo control. Y eso reduce el riesgo de sufrir un ataque al corazón o un accidente cerebrovascular.

Sopa de Calabaza Almizclera con Jengibre

Cuando el otoño se convierte en invierno y los muñecos de nieve decoran las ventanas, muchas personas claman por sopa. Y esta sopa de textura sedosa, con su suave calor y sabor a jengibre, es todo lo que necesita para ahuyentar el frío. Y lo mejor de todo es que se prepara en 30 minutos.

1 cebolla mediana finamente picada
2 dientes de ajo picados
1 cucharada de semillas de cilantro molidas
1 cucharadita de pimienta molida
2 cucharadas de aceite de oliva extravirgen
1 cucharada de mantequilla
4 paquetes (12 onzas cada uno) de calabaza almizclera conge-lada hecha puré
1 trozo de 4 pulgadas de jengibre fresco finamente picado
3 latas (14½ onzas cada una) de caldo de pollo reducido en sodio
Sal al gusto
Pimienta negra molida al gusto
Crema agria reducida en grasas (opcional)

En una olla profunda sobre fuego mediano, saltee la cebolla, el ajo, el cilantro y la pimienta en el aceite y la mantequilla por unos 15 minutos, revolviendo con frecuencia. Agregue la calabaza almizclera, el jengibre, el caldo, la sal y la pimienta. Lleve a ebullición sobre fuego alto, baje el fuego y hierva suavemente por 10 minutos. Decore cada porción con un poco de crema agria, si lo desea.

Porciones: seis.

Datos nutricionales por porción: calorías, 240; proteínas, 8 g; carbohidratos, 39 g; fibra, 4 g; grasas, 8 g; grasas saturadas, 3 g; colesterol, 9 mg; sodio, 134 mg; folato, 14% del valor diario; vitamina A, 219%; vitamina C, 19%; manganeso, 30%; potasio, 15%.

Banano:

Lo Mejor de Lo Mejor

EFICAZ CONTRA:
- el cáncer
- las enfermedades cardíacas
- la hipertensión
- los cálculos renales
- el síndrome premenstrual
- los accidentes cerebrovasculares

REFUERZA:
- la energía

Colleen y su esposo Ted han creado el sistema perfecto para conseguir un surtido de bananos perfectos. Ted adora los bananos con un tinte verde y firmes, y los come apenas llega a la casa. Colleen considera que los bananos en esta etapa de maduración son crocantes e incomibles. Así que los coloca en una canasta sobre la encimera para tentar a Ted. Con el primer punto marrón, Ted pierde el interés y se enciende el de Colleen. A ella le encantan los bananos cremosos, dulces y maduros, y se apresura a ponerlos en el refrigerador para detener el proceso de maduración.

¿Le preocupa que las cáscaras se pongan negras en el refrigerador? No se preocupe, mi querida. Las cáscaras pueden oscurecerse, pero el interior se mantiene exquisito por más tiempo cuando están frías.

RICOS EN CARBOHIDRATOS

Los bananos son el bocadillo perfecto de la Madre Naturaleza. No requieren preparación (¡ni lavado!) ni refrigeración. Vienen en un envoltorio biodegradable y no requieren utensilios para disfrutarlos. ¿Qué podría superar a un banano?

A los bebés les encanta (a menudo son el primer alimento por su fácil digestión) y los deportistas aprovechan su energía rápida y sostenida basada en carbohidratos. Los que viven encerrados en el gimnasio las echan a la bolsa para energizarse antes de la rutina de ejercicios. Y las mujeres con síndrome premenstrual pueden obtener una saludable explosión de serotonina.

AFABLE BAJO PRESIÓN

Aparte de ser deliciosos, los bananos construyen un escudo contra las enfermedades cardíacas. Contienen potasio, que lo mantiene protegido contra la presión arterial alta, un gran factor de riesgo de enfermedades cardíacas y accidentes cerebrovasculares. Pero probablemente ya lo sabía. (El potasio también previene los cálculos renales, especialmente si lleva una dieta rica en sodio).

Lo que puede sorprenderlo es que los bananos son un eficaz paquete de piridoxina (conocida también como vitamina B6); cada banano mediano suministra un tercio del requerimiento diario.

En un estudio en el que participaron 80,000 mujeres profesionales saludables, aquellas cuyas dietas incluían mayor cantidad de vitamina B6 y folato (otra vitamina B) fueron las que tuvieron menos probabilidades de sufrir un ataque al corazón. En otro estudio con casi 500 personas con alto riesgo de sufrir enfermedades cardíacas, el aumento de la ingesta de B6, folato y vitamina B12 ayudó a controlar los niveles de homocisteína en sangre, otro factor de riesgo de ataque al corazón. Así que en cualquier nivel de riesgo, es importante comer bananos.

Los informes sobre los beneficios de la fibra en la prevención del cáncer intestinal, de colon y colorrectal cambian día tras día. Los pro-

RESUMEN DE INFORMACIÓN NUTRICIONAL

Banano (1 mediano)

Calorías: 109

Grasas: 0 g

Grasas saturadas: 0 g

Colesterol: 0 mg

Sodio: 1 mg

Carbohidratos totales: 28 g

Fibra dietética: 3 g

Proteínas: 1 g

Vitamina A: 2% del valor diario

Vitamina B6: 34%

Vitamina C: 12%

Calcio: 1%

Hierro: 2%

Potasio: 12%

SOLUCIONES PARA COMPRAR Y PREPARAR

Hay bananos todo el año.

CUANDO ELIJA BANANOS:

■ Comprar el banano correcto es, en gran medida, una cuestión de paladar. Colleen cree que los bananos cortos y gruesos son los más dulces.

■ Evite los bananos con cortes o magulladuras.

■ El grado de madurez que prefiera es lo que cuenta.

PARA ALMACENARLOS:

Guarde los bananos a temperatura ambiente hasta que alcancen la madurez que usted prefiera; luego, refrigérelos.

PREPARACIÓN DE LA BONANZA BANANERA

Una vez que haya comprado el racimo perfecto de bananos, disfrútelos como postre dulce o endulce naturalmente otros platos. Estas son algunas ideas:

◆ **Ensártelos.** Inserte palitos de madera en bananos muy maduros, sin cáscara. Sumerja los bananos en chocolate y congélelos como sabroso bocadillo.

◆ **Hágalos girar.** En una licuadora, mezcle bananos maduros con yogur o leche y vainilla para disfrutar un refrescante batido de leche.

◆ **Ilumínelos.** Haga brillar una cena simple con una ensalada con velas. (Colleen aprendió esta receta en *Brownies* cuando tenía 8 años y aún le encanta). En un plato para ensalada, coloque un aro de piña sobre una hoja de lechuga. Corte un banano sin cáscara transversalmente. Coloque una mitad del banano verticalmente en el aro de piña, con la parte cortada hacia abajo. Corone con una cereza sobre un mondadientes para simular una llama.

◆ **Cocínelos.** Saltee rodajas de banano, espolvoréelas con azúcar morena y sírvalas sobre su pescado favorito a la parrilla.

◆ **Endulce el sándwich.** Reemplace la jalea por rodajas de banano maduro en el sándwich de mantequilla de maní.

blemas son complejos y la fibra tiene muchos aspectos que analizar. En un estudio hawaiano, los investigadores analizaron muestras de fibra: soluble e insoluble, cruda, dietética y polisacáridos sin almidón. No es de extrañar que todos estemos confundidos.

En ese estudio, solo demostró beneficios en la prevención del cáncer la fibra vegetal. Pero los investigadores determinaron que comer ciertos alimentos vegetales, tales como bananos, brócoli, zanahorias y elote, tuvo una relación inversa con el riesgo de padecer cáncer colorrectal. Es decir, cuantos más bananos comían los participantes del estudio, era menos probable que desarrollaran ese cáncer. Y en otro estudio, se informó que los bananos, junto con las naranjas, los melocotones y los espárragos, impedían la creación de células cancerosas. Así que mientras trabaja por alcanzar el objetivo del programa "5 al día", proclame: "Banano, hazme tuyo".

Pudín de Maní y Banano

Es un postre rápido con la consistencia de una "comida reconfortante" y el calcio y el potasio que reclama el cuerpo para controlar la presión arterial.

2 cucharadas de mantequilla de maní crujiente
1 taza de yogur natural descremado
1 banano mediano partido en cuatro y en rodajas

En un plato para microondas, derrita la mantequilla de maní en el microondas. Agregue rápido el yogur. Incorpore el banano y revuelva nuevamente. Divida la preparación en dos platos para postre y sírvala.

Porciones: dos.

Datos nutricionales por porción: calorías, 217; proteínas, 11 g; carbohidratos, 27 g; fibra, 2 g; grasas, 8 g; grasas saturadas, 2 g; colesterol, 2 mg; sodio, 172 mg; vitamina B2 (riboflavina), 21% del valor diario; vitamina B6, 24%; calcio, 25%; potasio, 18%.

Desayuno de Bananos a la Danesa

Si desea alimentarse sanamente, evite el carrito de postres. Cuando añore el sabor cremoso de un postre de queso danés, satisfaga su antojo con este postre endulzado con banano. Esta combinación de fruta, lácteos, pan integral y avellanas saludables para el corazón será un desayuno completo (¡con una taza de humeante café caliente!).

1 banano muy maduro pelado y triturado
¼ taza de queso ricotta reducido en grasas
2 rebanadas de pan 100% integral molido en piedra
1 cucharada de avellanas finamente picadas
½ cucharadita de azúcar con canela

En un tazón mediano, mezcle el banano y el queso hasta integrar. Unte la mitad de la mezcla en cada rebanada de pan. Espolvoree cada rebanada con la mitad de las avellanas y el azúcar con canela. Tuéstelas en un tostador hasta que la parte inferior esté crujiente y el relleno parezca crema pastelera.

Porción: una.

Datos nutricionales por porción: calorías, 386; proteínas, 13 g; carbohidratos, 55 g; fibra, 5 g; grasas, 13 g; grasas saturadas, 8 g; colesterol, 30 mg; sodio, 431 mg; vitamina B6, 36% del valor diario; calcio, 30%.

Batata:

Tubérculo Superestrella

EFICAZ CONTRA:
- el cáncer
- las enfermedades cardíacas
- los calambres de las piernas
- las infecciones vaginales

REFUERZA:
- la función inmunológica

La cena del Día de Acción de Gracias no sería lo mismo sin el tibio sabor de las batatas que se desarman en la boca. Mmmmm, imagínelas ahora. Pero si saben tan bien, ¿por qué la mayoría come papas blancas todo el tiempo y reserva las batatas para el Día de Acción de Gracias? Para nosotros, es un misterio. Especialmente porque, además de ser deliciosas, ¡las batatas rellenan nuestros cuerpos de betacaroteno, un antioxidante poderoso!

ESTRELLA VEGETAL

Cuando se trata de vitaminas y minerales, las batatas son superestrellas. El *Center for Science in the Public Interest*, grupo de defensa de la nutrición en Washington D. C. recientemente clasificó los vegetales después de sumar los porcentajes de requerimientos diarios de seis nutrientes importantes: folato, vitamina A, vitamina C, calcio, cobre y hierro. Principal-

RESUMEN DE INFORMACIÓN NUTRICIONAL

Batata (1 mediana)

Calorías: 117

Grasas: 0 g

Grasas saturadas: 0 g

Colesterol: 0 mg

Sodio: 11 mg

Carbohidratos totales: 28 g

Fibra dietética: 4 g

Proteínas: 2 g

Vitamina A: 498% del valor diario

Vitamina C: 47%

mente debido a su contenido de vitamina A, las batatas están primeras en la lista con 582 puntos (las zanahorias están en segundo lugar con 434 puntos).

Este Campeonato de Vegetales no sería tan importante si los estudios de investigación sobre la batata no fueran tan impresionantes. Algunos datos fenomenales:

▶ Un estudio suizo sugiere que las mujeres que ingieren cerca de 3.7 miligramos de betacaroteno al día (aproximadamente un tercio de batata) tienen hasta un 68% menos de probabilidades de desarrollar cáncer de mama que las que comen menos betacaroteno.

▶ Un estudio de los Países Bajos siguió durante cuatro años las dietas y los historiales médicos de cerca de 5,000 personas de entre 55 a 95 años. El estudio determinó que quienes consumían más betacaroteno tenían un riesgo 45% menor de desarrollar enfermedades cardíacas que quienes consumían menos betacaroteno.

▶ Más cerca de casa, un estudio de la Tufts University en Boston demostró que las personas mayores que consumían, al menos, 15 miligramos de betacaroteno al día (una batata y ⅔ zanahoria en miniatura) mejoraban el sistema inmunológico.

▶ En la Ciudad de Nueva York, las investigaciones de la Escuela de Medicina Albert Einstein sugieren que una dieta rica en betacaroteno puede prevenir infecciones vaginales.

Las investigaciones siguen y siguen. Docenas de estudios han mostrado una relación entre el betacaroteno y la reducción del riesgo de sufrir cáncer, enfermedades cardíacas y otros importantes problemas de salud.

Alivio Rápido Para:

Calambres Nocturnos en las Piernas

Si se despierta a medianoche, porque tiene dolorosos calambres en las piernas, es posible que no esté comiendo suficientes alimentos ricos en potasio. Así que agregue a su dieta más batatas, bananos y jugo de naranja.

SOLUCIONES PARA COMPRAR Y PREPARAR

Si prefiere las batatas más dulces, selecciónelas y guárdelas con cuidado.

CUANDO ELIJA BATATAS FRESCAS:

■ Busque tubérculos frescos con piel tirante, sin arrugas ni manchas.

■ Evite las batatas magulladas. Se deterioran muy rápido y se ve afectado el sabor de la batata entera.

PARA ALMACENARLAS:

■ Guarde las batatas frescas en un lugar oscuro, fresco y seco. No las guarde en el refrigerador, a menos que estén cocidas, porque les quitará dulzura.

Batatas enlatadas. Compare el contenido de sodio y las calorías entre las marcas. Es posible que algunas tengan azúcar adicional.

TENTACIONES DULCES

Ahora que ya compró las batatas, podría preparar dulce de batata. ¿Pero por qué no probar una de estas deliciosas opciones más saludables?

◆ **Machaque con gusto.** Sustituya los tubérculos blancos por las batatas en la receta de puré de papas. Sazone con canela y nuez moscada molida en lugar de sal y pimienta.

◆ **Hornéelas a la perfección.** Hornee las batatas a 400 °F de 40 a 50 minutos. Cubra con un toque de sirope de arce, jengibre molido y pacanas picadas en lugar de mantequilla o crema agria. Para que sus hijos las coman, añada unos cuantos malvaviscos miniatura.

◆ **Empiece el día con el pie derecho.** Pruebe la mezcla para panqueques con batata. Encuéntrela en www.brucefoods.com.

◆ **Rebane y deléitese.** Corte las batatas en rodajas y cómalas con puré de manzana.

OLVÍDESE DE LAS PASTILLAS

Pero antes de caer en la tentación de tomar un suplemento en lugar de comerse una porción de batatas, piense en esto: el betacaroteno de los alimentos parece ofrecer protección, pero los beneficios de los suplementos de betacaroteno son inciertos. De hecho, los suplementos incluso pueden incrementar el riesgo de desarrollar cáncer de pulmón en fumadores.

Así que aproveche este buen consejo: prepare la cena del Día de Acción de Gracias (por lo menos, la parte de las batatas) todos los jueves del año.

Una Batata, Otra Batata

¿Hay diferencia? Mucha, en el caso de las batatas. Muchos supermercados y productores de alimentos enlatados etiquetan mal las batatas, especialmente las variedades de piel más oscura, como ñames. Los verdaderos ñames son difíciles de encontrar, y si algún día encuentra uno, generalmente se venden en trozos sellados en plástico envolvente. Este es un resumen de las diferencias.

Característica	Batata	Ñame
Contenido de betacaroteno	muy alto	ninguno
Apariencia	cáscara lisa y delgada	cáscara áspera y escamosa
Color de la cáscara	amarillo claro hasta anaranjado oscuro	café o negro
Color interior	de amarillo pálido a anaranjado fuerte	blanco hueso, morado o rojo
Tamaño	aprox. ¼ - ½ libra cada una	puede crecer hasta 150 libras cada uno
Sabor	húmedo	seco
Preparación	se puede usar cruda o cocida	es tóxico si se come crudo
Dónde se cultiva	en Estados Unidos	en el Caribe

Batatas Fritas

La próxima vez que oiga que las papas fritas lo llaman, diríjase a la cocina, no a los Arcos Dorados de la famosa cadena de comida rápida. Estas batatas fritas caseras ofrecen más sabor (y muchas menos calorías y grasas) que la comida rápida.

Aceite de canola en aerosol para cocinar
4 batatas lavadas con cepillo sin pelar
1 cucharadita de canela en polvo
½ cucharadita de nuez moscada en polvo
½ cucharadita de pimienta negra molida
¼ cucharadita de sal kosher
½ taza de puré de manzana

Caliente el horno a 425°F. Rocíe dos bandejas para hornear con aceite en aerosol. Corte las batatas a la mitad. Corte cada mitad en juliana. Colóquelas en las bandejas, rocíe otro poco de aceite en aerosol y espolvoree la canela, la nuez moscada, la sal y la pimienta. Hornee de 30 a 40 minutos, o hasta que estén doradas y blandas (voltéelas una vez). Sírvalas con puré de manzana.

Porciones: seis.

Datos nutricionales por porción: calorías, 120; proteínas, 2 g; carbohidratos, 27 g; fibra, 6 g; grasas, 1 g; grasas saturadas, 0 g; colesterol, 0 mg; sodio, 149 mg; calcio, 5% del valor diario; hierro, 7%.

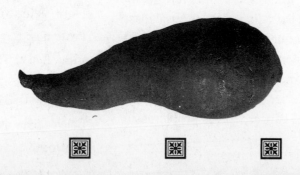

Brócoli:

Saludable Hasta el Tallo

EFICAZ CONTRA:
- el cáncer
- las enfermedades cardíacas

REFUERZA:
- los huesos
- la vista

Por años, nuestra amiga Ellen ha detestado el brócoli. Es comprensible, porque si el brócoli se cuece en exceso o está demasiado maduro, puede ser difícil de tragar (sin importar cuánta salsa de queso le agregue), y la mamá de Ellen siempre cocinaba el brócoli hasta que parecía una baba verde con algunos trozos duros.

Afortunadamente, cuando Ellen se casó, su cuñada le presentó el brócoli fresco. Ahora Ellen mantiene una reserva en el refrigerador todo el tiempo. Lo ralla sobre las ensaladas, lo sirve recién blanqueado, con salsa, o lo mastica cuando se siente tensa.

Afortunadamente ha aprendido lo sabroso que puede ser el brócoli, porque es excelente contra el cáncer y otros problemas graves de salud.

RESUMEN DE INFORMACIÓN NUTRICIONAL

Brócoli (1 mediano)

Calorías: 45

Grasas: 0.5 g

Grasas saturadas: 0 g

Colesterol: 0 mg

Sodio: 55 mg

Carbohidratos totales: 8 g

Fibra dietética: 5 g

Proteínas: 5 g

Vitamina A: 15% del valor diario

Vitamina C: 220%

Calcio: 6%

Hierro: 6%

SOLUCIONES PARA COMPRAR Y PREPARAR

¿Fue al supermercado a comprar brócoli fresco? ¡Sea cuidadoso!

CUANDO ELIJA BRÓCOLI:

■ Compre floretes de color verde oscuro o de un verde violáceo uniforme. Tienen más vitaminas A y C que los floretes más pálidos.

■ Revise el color de los tallos y el tronco. Deben ser verdes y abundantes.

■ Evite el brócoli con floretes amarillos, porque ya pasó su mejor momento y no sabrá bien independientemente de la forma en que lo prepare.

■ ¿No tiene tiempo para lavar el brócoli? Busque los paquetes ya lavados, como Mann's Broccoli Wokly (¿no es simpático?), en la sección de productos frescos junto a las mezclas de ensalada en bolsa.

PARA ALMACENARLO:

■ Después de comprar el brócoli, cuídelo como a un bebé. Guárdelo en una bolsa plástica en la gaveta del refrigerador para proteger las vitaminas. Use el brócoli uno o dos días después de comprarlo. Se mantendrá bien de cuatro a cinco días.

■ No lave el brócoli antes de guardarlo, porque eso acelera el crecimiento de moho.

CUANDO ESTÉ LISTO PARA USARLO:

Antes de comer o cocinar el brócoli, lávelo en agua fría. Sumérjalo por unos minutos si no logra quitarle la suciedad.

HAGA REVERDECER LA PASTA

Agregue brócoli a la salsa de tomate (consulte la "Pasta Primavera a la Marinara" en la página 374), o prepare una salsa para pasta con brócoli, ajo, aceite de oliva y unas pocas cucharadas del agua caliente que usó para hervir la pasta.

LA TRIBU DEL BRÓCOLI

Al igual que la Tribu de los Brady, el brócoli contiene, al menos, seis integrantes saludables: vitamina A, vitamina C, vitamina K, fibra y los fitocompuestos luteína y sulforafano. Los científicos consideran que muchos de estos elementos trabajan en equipo. El beneficio principal: prevenir el cáncer. Esto es lo que el brócoli puede hacer.

▶ **Prevenir problemas de próstata.** Un estudio reciente del Centro de Investigación del Cáncer Fred Hutchinson en Seattle determinó que tres porciones de vegetales al día pueden reducir el riesgo de cáncer de próstata en un sorprendente 45%. "Si alguno de esos vegetales es del tipo de las crucíferas, como el brócoli, los hombres podrían reducir el riesgo aún más", indica el coautor del estudio, el Dr. Alan Kristal, Dr.P.H.

▶ **Combatir el cáncer de vejiga.** Otra investigación con 50,000 hombres determinó que quienes comieron una porción de ½ taza de brócoli dos veces a la semana redujeron a la mitad las probabilidades de desarrollar cáncer de vejiga (el cuarto cáncer más prevalente).

▶ **Luchar contra el cáncer de colon.** Un estudio de la Facultad de Medicina de la Universidad de Utah en Salt Lake City sugiere que el brócoli también reduce el riesgo de cáncer de colon.

BENEFICIOS ADICIONALES

Aparte del cáncer, los estudios han demostrado que el brócoli podría ser ideal para los siguientes problemas de salud:

▶ **Enfermedades cardíacas.** Recientemente, los investigadores descubrieron que las mujeres que comían brócoli una vez a la semana reducían a la mitad el riesgo de sufrir enfermedades cardíacas.

▶ **Fracturas de cadera.** La vitamina K en el brócoli puede reducir las probabilidades de fracturarse la cadera en las personas de mayor edad, de acuerdo con un estudio de la Universidad Tufts en Boston.

▶ **Cataratas.** En un estudio de la Universidad de Harvard con más de 36,000 hombres, los científicos descubrieron que comer alimentos con un alto contenido de luteína (brócoli y espinaca) puede reducir el riesgo de desarrollar cataratas.

BRÓCOLI PARA EL ALMUERZO

Ahora puede llenarse de brócoli todos los días para asegurarse de recibir los beneficios, pero probablemente no sea necesario. Sin embargo, lo que los investigadores recomiendan es comer al menos ½ taza de crucíferas al día. Entre las crucíferas se encuentran el brócoli, el repollo chino, las coles de Bruselas, el repollo, la coliflor y la col rizada.

Brócoli Salteado Simple

Puede cocinar brócoli con recetas gourmet. ¿Pero quién tiene tanto tiempo todas las noches? Con esta receta rápida, comerá brócoli dos o tres veces por semana. La mejor parte: ¡una porción aporta casi toda la vitamina C que necesita para todo el día!

1½ cucharada de aceite de canola
2 dientes de ajo picados
1 bolsa (1 libra) de floretes de brócoli frescos o 1 brócoli (1½ libra) fresco, limpio y cortado
3 cucharadas de salsa para platos salteados reducida en sodio
¼ cucharadita de pimienta negra recién molida

Caliente el aceite en un wok o una sartén antiadherente grande a fuego mediano. Saltee el ajo de 1 a 2 minutos. Agregue el brócoli y cocínelo de 2 a 3 minutos, o hasta que se torne verde brillante. Agregue la salsa y saltee por 1 minuto. Retire de la sartén. Sazone con la pimienta.

Porciones: cuatro.

Datos nutricionales por porción: calorías, 85; proteínas, 5 g; carbohidratos, 7 g; fibra, 3 g; grasas, 5 g; grasas saturadas, 0 g; colesterol, 0 mg; calcio, 5% del valor diario; hierro, 7%.

Calabaza:

Agradezca sus Potentes Nutrientes

EFICAZ CONTRA:
- el cáncer
- las enfermedades cardíacas
- la hipertensión
- los accidentes cerebrovasculares

REFUERZA:
- la función inmunológica
- la vista

En la mañana del Día de Acción de Gracias, justo cuando las tartas de calabaza estaban saliendo del horno, la suegra de Colleen llamó para recordarle que su aporte para la cena ese año era apio y aceitunas, no tarta. ¡Qué problema! ¿Y ahora?

Sin dudarlo, Colleen decidió disfrutar el momento y llamó a su familia a desayunar. A cada quien le sirvió un trozo de tarta de calabaza calentita con un vaso de leche descremada bien fría. ¡Nunca antes ni después un trozo de tarta había sido tan apreciado! La cocina aún conservaba el calor y la fragancia celestial de las especias flotaba por el aire. Todos tenían hambre, y comer tarta en el desayuno era simplemente perfecto.

Afortunadamente también era nutritivo, porque la calabaza enlatada que todos usamos para preparar tarta está llena de carotenos (¡el requerimiento para tres días completos!), vitamina E, cobre, hierro, magnesio y potasio.

SOLUCIONES
PARA COMPRAR
Y PREPARAR

Aparte de la tarta, ¿cuándo fue la última vez que comió la calabaza como vegetal? No pierda esta oportunidad de usar calabaza en una comida: es muy simple.

CUANDO ELIJA UNA CALABAZA:

■ Visite los mercados de agricultores y los puestos a la orilla de la carretera.

■ Si puede, busque una de esas calabazas pequeñas, planas y de color rojo anaranjado. Será más dulce. O seleccione una calabaza anaranjada brillante de esas que sirven para tallarlas.

■ No elija las grandes, que tienden a ser duras y fibrosas, y más difíciles de manipular. ¡Lo último que necesita es pelear con una calabaza!

■ No importa qué tipo compre, busque una sin manchas, uniforme y que huela fresco.

CUANDO ESTÉ LISTO PARA USARLA:

Ya eligió la calabaza perfecta. ¿Cómo la cocina? Siga estos pasos simples y tendrá calabaza para preparar comidas rápidas en cualquier momento:

■ Quite toda la suciedad de la calabaza.

■ Colóquela sobre una tabla para cortar sólida.

■ Con un cuchillo grande y filoso, corte la calabaza a la mitad.

Colleen usa leche descremada evaporada en lugar de crema para que el relleno sea *light*. Y con los huevos que le agrega, cada porción tiene tantas proteínas como una onza de carne.

En lugar de mantequilla animal o vegetal en la masa, usa aceite de canola (saludable para el corazón), así que todos iniciaron el día con

■ Saque las semillas con una cuchara y déjelas aparte (tuéstelas después si lo desea; son deliciosas).

Use cualquiera de estos métodos para cocinarla:

Método 1: corte la calabaza en trozos grandes y colóquelos en una bandeja para hornear engrasada. Hornee a 325 ºF por aproximadamente una hora o hasta que la pulpa se ablande. Raspe la pulpa de la cáscara y colóquela en el procesador de alimentos para hacerla puré.

Método 2: corte la calabaza en trozos grandes, pélelos y colóquelos en una olla. Agregue ½ taza de agua y hierva a fuego lento hasta que esté blanda (unos 25 minutos).

HAGA QUE TODOS LOS DÍAS SEAN EL DÍA DE TODOS LOS SANTOS

Ahora está listo para disfrutar de la calabaza en estas formas deliciosas:

◆ **En puré.** Caliente el puré de calabaza con un poco de margarina, canela en polvo y leche descremada. Sirva como puré de batatas.

◆ **En salsa.** Agregue un poco de sal y pimienta al puré de calabaza y úselo como salsa para un estofado magro.

◆ **En trozos.** Caliente los trozos de calabaza en el microondas. Espolvoree con especias para tarta de calabaza y pacanas tostadas picadas. Sirva como acompañamiento de solomillo de cerdo.

◆ **En la sopa.** Revuelva trozos de calabaza en la sopa enlatada para aportar sabor y nutrientes.

◆ **Saborrr.** Hágalo simple: saque la calabaza de una lata. Sazone con jengibre en polvo, agregue pasas o cerezas deshidratadas y caliente en el microondas. Es deliciosa con pollo al horno.

una dosis extra de vitamina E, abundantes vitaminas B (¡hasta folato!) y la mitad del requerimiento diario de grasas monoinsaturadas saludables para el corazón.

Lo cierto es que no todas las tartas son iguales. Esta es muy superior a las demás.

RESUMEN DE INFORMACIÓN NUTRICIONAL

Calabaza enlatada (½ taza)

Calorías: 42

Grasas: 0 g

Grasas saturadas: 0 g

Colesterol: 0 mg

Sodio: 6 mg

Carbohidratos totales: 9 g

Fibra dietética: 3 g

Proteínas: 1 g

Vitamina A: 338% del valor diario

Vitamina C: 6%

Vitamina E: 9%

Calcio: 3%

Hierro: 9%

VEGETAL PODEROSO

La calabaza es uno de los vegetales más poderosos. El color anaranjado profundo es una señal de que está repleta de carotenos, los cuales combaten tanto las enfermedades cardíacas como el cáncer. Por taza, la calabaza compite con el melón y las zanahorias cocidas como los vegetales que contienen más betacaroteno, y aporta el doble de alfacaroteno que cualquier otra fruta o vegetal.

Tanto el betacaroteno como el alfacaroteno se pueden convertir en vitamina A, con toda la eficacia para proteger la visión nocturna, fortalecer el sistema inmunológico y formar piel y revestimientos mucosos que protegen contra bacterias y virus.

El betacaroteno puede estimular el sistema inmunológico: se ha demostrado que impulsa la actividad de las células asesinas naturales en hombres mayores. Hace que los monocitos que combaten las bacterias trabajen de forma más eficiente, y pone de manifiesto los antígenos problemáticos para que las células T colaboradoras puedan formar los anticuerpos adecuados.

Y la calabaza es el equivalente del maíz amarillo en cuanto a la cantidad de luteína que puede aportar. La luteína cuida la mácula del ojo (crucial para leer, ver el velocímetro y percatarse de las señales de alto): la protege contra la dañina luz azul y evita la degeneración macular por edad.

Relleno de Tarta/Flan de Calabaza con Especias

La tarta de calabaza es ideal para el Día de Acción de Gracias. Agregue esta receta a su masa favorita (o la nuestra). ¿Pero quién puede consumir tantas calorías todo el año? Hornee el relleno en moldes para flan para tener un postre lleno de energía con la mitad de las calorías.

2 tazas de calabaza enlatada
1 ½ taza de leche descremada evaporada
½ taza de azúcar morena compacta
¼ taza de azúcar
1 cucharada de melaza residual
½ cucharadita de sal
1 cucharadita de canela en polvo
¼ cucharadita de nuez moscada en polvo
⅛ cucharadita de clavos de olor en polvo
2 huevos grandes ligeramente batidos

Caliente el horno a 300 °F. En un tazón grande, mezcle la calabaza, la leche, los azúcares, la melaza, la sal, la canela, la nuez moscada, los clavos de olor y los huevos y revuelva con un batidor de metal hasta integrar. Con un cucharón, sirva la mezcla en seis moldes para flan. Coloque los moldes sobre un soporte en un molde para hornear con agua caliente (el agua no debe pasar de la mitad de los lados de los moldes). Hornee de 50 a 60 minutos, o hasta que al insertar un cuchillo en el relleno, el cuchillo salga limpio. Deje enfriar antes de servir.

Porciones: seis.

Datos nutricionales por porción: calorías, 205; proteínas, 8 g; carbohidratos, 40 g; fibra, 3 g; grasas, 2 g; grasas saturadas, menos de 1 g; colesterol, 73 mg; sodio, 296 mg; vitamina A, 238% del valor diario; vitamina B2 (riboflavina), 19%; vitamina D, 30%; vitamina E, 7%; calcio, 23%; hierro, 10%; potasio, 12%.

Masa con Canola

La masa repostera tiene un doble impacto. Es rica en calorías y grasas saturadas (tapan las arterias). Pero es fácil reemplazarlas por grasas saludables para el corazón con esta masa sencilla. No hemos podido hacer mucho para reducir las calorías, así que no se emocione.

1 ¾ taza de harina multiuso enriquecida
½ cucharadita de sal
½ taza de aceite de canola
3 cucharadas de agua fría

Caliente el horno a 425 °F. En un tazón pequeño, mezcle la harina y la sal. Agregue el aceite y mezcle bien con un tenedor. Rocíe con el agua fría y mezcle de nuevo. Extiéndala entre dos hojas de papel encerado hasta que esté lo suficientemente grande como para cubrir el molde. Retire la hoja superior de papel encerado. Mientras sostiene la hoja de abajo, dé vuelta la masa y colóquela hacia abajo sobre el molde. Suavemente retire la segunda hoja de papel encerado, dejando la masa en el molde. Presione suavemente la masa sobre el molde y luego corte la orilla con un cuchillo con filo. Pinche en varios lugares con un tenedor. Lleve al horno de 12 a 15 minutos, o hasta que esté ligeramente dorada, o prepárela con recetas que no necesiten horneado previo.

Porciones: seis o masa para una tarta.

Datos nutricionales por porción: calorías, 293; proteínas, 4 g; carbohidratos, 28 g; fibra, 1 g; grasas, 19 g; grasas saturadas, 1 g; colesterol, 0 mg; sodio, 194 mg; folato, 14% del valor diario; vitamina B1 (tiamina), 19%; vitamina B2 (riboflavina), 11%; vitamina B3 (niacina), 11%; vitamina E, 26%; hierro, 9%.

Canela:

Antigua Especia con Nuevo Enfoque

EFICAZ CONTRA:
- la intoxicación por alimentos
- las enfermedades cardíacas
- las úlceras

REFUERZA:
- la alimentación saludable

¿Recuerda el aroma de los rollos de canela recién horneados en la panadería los domingos por la mañana hace mucho, mucho tiempo? Acompañaban al tocino y los huevos, lo cual no es exactamente lo que promocionamos en este libro. Ahora usamos el aroma a canela para tentar con alimentos más saludables como frutas, vegetales y arroz.

La saga de la canela comenzó con el nacimiento de la civilización. En el año 2500 antes de Cristo, estaba en auge el intercambio de especias egipcias, que incluía la canela, la cual provenía de Ceilán y pasaba por Grecia y Roma. Los ciudadanos del Imperio Eterno desarrollaron un verdadero "gusto por las especias", que difundieron a los territorios conquistados. La canela y las otras especias no solo eran sabrosas: según los rumores, también ocultaban el olor de la carne en descomposición. Pero no debería prestar atención a los rumores.

Ahora los investigadores creen que la canela, junto con el cardamomo, el clavo de olor y otras especias típicamente usadas en la cocina asiática, evitan la descomposición de los alimentos. En un estudio, altas

SOLUCIONES PARA COMPRAR Y PREPARAR

La canela es la corteza interna seca de dos árboles de la familia del laurel que crecen en Asia. La verdadera canela es color tostado pálido. Pero en los supermercados, la mayor parte de la canela es de la otra variedad: tiene un color más oscuro y un aroma más intenso.

Puede comprarla molida o en rama. Cuando elija canela, busque un empaque sellado y revise la fecha de vencimiento. Guarde la canela en un lugar fresco y oscuro.

DESPIERTE LAS PAPILAS GUSTATIVAS

Mantenga la canela a la mano, porque hay muchas formas de usarla. Pruebe estas sugerencias.

◆ **Con granos.** La canela es una llamada para despertarse a desayunar. Agregue la canela en polvo al cereal integral caliente, o espolvoréela sobre un waffle integral cubierto con fresas frescas.

◆ **Modernice las tostadas a la francesa.** Empiece con pan 100% integral, unte con queso ricotta semidescremado y espolvoree con canela molida. ¡Espectacular!

◆ **Deshágase de las grasas.** Sazone el ayote de invierno (como el ayote de bellota o la calabaza almizclera) con canela molida y nueces tostadas, y no tendrá que decidir si es mejor usar mantequilla o margarina (lea "Ayote de Bellota con Canela" en la página 98).

◆ **Sazone los postres.** Espolvoree canela en polvo sobre la natilla, el pudín y el arroz con leche para darles un toque casero.

◆ **Cause revuelo.** Use una rama de canela para avivar el chocolate caliente o la sidra de manzana caliente.

◆ **Saboree la molienda diaria.** Agregue un trozo de rama de canela cuando muela los granos de café. ¡Exótico!

RESUMEN DE INFORMACIÓN NUTRICIONAL

Canela en polvo
(1 cucharadita)

Calorías: 6

Grasas: 0 g

Grasas saturadas: 0 g

Colesterol: 0 mg

Sodio: 0 mg

Carbohidratos totales: 2 g

Fibra dietética: 1 g

Proteínas: 0 g

Calcio: 3% del valor diario

Hierro: 5%

Manganeso: 19%

dosis de aceite de corteza de canela evitaron que creciera moho en platos de laboratorio (¿cree que esto podría funcionar en nuestros refrigeradores?).

DESHÁGASE DE ESA SUSTANCIA PEGAJOSA

La otra noticia sorprendente es que la canela aparentemente tiene cierta actividad antioxidante. En un estudio de laboratorio, la canela y el clavo de olor fueron las mejores especias en la prevención de la oxidación de los ácidos grasos. Este cambio químico convierte al colesterol en la sustancia pegajosa que tapa las arterias, y aumenta el riesgo padecer de enfermedades cardíacas. Otro estudio sugiere que la canela y el cardamomo estimularían enzimas antioxidantes.

DETENGA LA HINCHAZÓN ABDOMINAL

También se evalúa a la canela por su capacidad para eliminar la H. pylori, la bacteria que causa la mayoría de las úlceras estomacales. Siga leyendo para saber más sobre el tema. Si tiene molestias estomacales, hinchazón abdominal o gases, prepárese una taza de té de canela. La Comisión E de Alemania, que estudia la fitoterapia en Europa, afirma su eficacia.

Ayote de Bellota con Canela

Cuando soplen vientos fríos, cocine este acompañamiento simple con vegetales. Le calentará la pancita y la cocina quedará impregnada con un aroma increíble.

1 ayote de bellota mediano partido a la mitad y sin semillas
½ cucharadita de canela en polvo
2 cucharadas de nueces de nogal tostadas y picadas

Coloque las mitades del ayote sobre un plato de papel y cocine en el microondas con la potencia alta por 5 minutos. Voltee el ayote y cocine por otros 5 minutos, o hasta que sea fácil penetrarlo con un tenedor. Coloque cada mitad sobre un plato, espolvoree la canela y agregue las nueces.

Porciones: dos.

Datos nutricionales por porción: calorías, 136; proteínas, 3 g; carbohidratos, 24 g; fibra, 4 g; grasas, 5 g; grasas saturadas, 0 g; colesterol, 0 mg; sodio, 7 mg; vitamina B1 (tiamina), 22% del valor diario; vitamina B6, 19%; vitamina C, 27%; magnesio, 20%; manganeso, 34%.

Carne de Res:

No Nos Quejamos Si Compra la Magra

EFICAZ CONTRA:
- el cáncer
- las enfermedades cardíacas

REFUERZA:
- la energía
- la función inmunológica

¿Carne de res? ¿Incluida en un libro acerca de remedios caseros? Apuesto a que no puede creer lo que lee. La verdad es que no estábamos seguros de incluirla. Pero después de investigar, nos dimos cuenta de que no podíamos dejarla fuera.

Aunque las grasosas hamburguesas pueden mandar al colesterol a través de los Arcos Dorados, algunos cortes de carne se pueden comparar al pollo. Además, la carne está repleta de nutrientes que combaten las enfermedades y que son difíciles de encontrar, incluso en una dieta saludable. Así que sería mejor que tomara asiento antes de seguir leyendo.

EL CORTE ES IMPORTANTE

La carne de res obtuvo mala reputación porque, en comparación con otras carnes, contiene gran cantidad de grasas saturadas. En un estudio tras otro se ha vinculado a las enfermedades cardíacas con una dieta rica en grasas saturadas. Pero no todos los cortes de carne de res son inaceptables. Ocho cortes de carne de res cumplen con las normas del Departamento de Agricultura de Estados Unidos (USDA) para que se los considere magros. Son los cortes: cuete, peceto, pulpa bola, aguayón, bistec de lomito, solomillo, punta de lomo y bistec de falda.

Una porción de 3 onzas de la mayoría de estos cortes contiene 6 gramos de grasa total y 2 gramos de grasas saturadas. Cuando elija uno de estos cortes magros, el nivel de colesterol responderá de la misma manera que con el pollo.

ES POSIBLE QUE LA CARNE MAGRA NO ELEVE EL COLESTEROL

En un estudio reciente con 145 hombres y mujeres con colesterol entre leve y moderadamente alto, los investigadores de tres importantes centros médicos compararon los efectos que tenía la carne blanca magra con los de la carne roja magra sobre los niveles de colesterol de los participantes. Durante casi nueve meses, un 80% de la carne que consumió la mitad de los participantes fue carne de res magra. La otra mitad del grupo comió carne blanca magra. Después de una pausa de cuatro semanas, los grupos intercambiaron el tipo de carne. Durante todo el estudio, a los participantes se les instruyó para seguir un plan de alimentación saludable recomendado por la Asociación Americana del Corazón.

Resultado: sea que los participantes hubieran consumido carne roja o blanca, redujeron los niveles de colesterol malo (lipoproteína de baja densidad, LDL) y mejoraron los niveles de colesterol bueno (lipoproteína de alta densidad, HDL). "Una dieta saludable para el corazón que contenga hasta 6 onzas de carne roja magra al día puede causar un impacto positivo en los niveles de colesterol en sangre", indica el investigador principal, Dr. Michael H. Davidson.

RESUMEN DE INFORMACIÓN NUTRICIONAL

Cuete (3 onzas, asado)

Calorías: 149

Grasas: 5 g

Grasas saturadas: 2 g

Colesterol: 59 mg

Sodio: 53 mg

Carbohidratos totales: 0 g

Fibra dietética: 0 g

Proteínas: 25 g

Vitamina B3 (niacina): 16% del valor diario

Vitamina B6: 16%

Vitamina B12: 31%

Hierro: 10%

Selenio: 33%

Cinc: 27%

OBTENGA LAS VITAMINAS Y LOS MINERALES DE LA CARNE

Ahora ya sabe que comer carne de res magra no es perjudicial para el corazón. Pero también tiene otras ventajas. La carne de res suministra seis vitaminas y minerales que pueden escasear en la dieta:

▶ **Hierro.** El hierro es el FedEx de los nutrientes: lleva oxígeno a las células, en donde se lo usa para producir energía. Lamentablemente 7.8 millones de mujeres estadounidenses no obtienen suficiente hierro, lo que lo hace el componente nutricional con mayor deficiencia en los Estados Unidos.

Sin el hierro suficiente, puede volverse anémico, una afección que lo deja exhausto, irritable y débil. Aunque la mayoría de los alimentos que hay en el refrigerador contienen hierro, la carne de res es la mejor apuesta, ya que el hierro proveniente de ella se absorbe de seis a nueve veces mejor que el hierro de la mayoría de las fuentes no cárnicas. Por ejemplo, para obtener la misma cantidad de hierro de una porción de carne de res de 3 onzas, debería haber comido, por lo menos, 3 tazas de espinaca. Pero no podría absorberlo tan bien como el hierro de la carne de res.

▶ **Cinc.** Es el mismo nutriente de las grajeas para combatir los resfríos. Casi el 75% de los estadounidenses no cumple los requisitos recomendados para el cinc. No consumir suficiente cinc puede comprometer el sistema inmunológico o causar pérdida de memoria.

Una porción de 3 onzas de carne de res suministra más del 25% del valor diario de cinc (la pechuga de pollo provee solo el 6%). Nota: el exceso de cinc puede ser tan malo para el sistema inmunológico como su insuficiencia, así que debería mantenerse cercano al requisito diario de 15 miligramos para hombres y 12 miligramos para mujeres.

▶ **Selenio.** Una porción de carne de res suministra casi un tercio del requisito diario de selenio. Por ser un poderoso antioxidante, el selenio puede reducir el riesgo de padecer cáncer (especialmente, el de piel), combatir las enfermedades cardíacas y proteger contra infecciones.

▶ **Vitaminas del complejo B.** La carne de res contiene vitamina B6 (la deficiencia puede causar depresión), vitamina B12 (la deficiencia

(Continúa en la página 104)

SOLUCIONES PARA COMPRAR Y PREPARAR

A menos que su hermano sea carnicero, seleccionar la mejor carne de res por sabor y condiciones particulares puede ser complicado. ¡Aprendamos juntos!

CUANDO ELIJA CARNE DE RES:

■ Considere la frescura, en primer lugar. Elija la carne que tenga la fecha de vencimiento más prolongada en la etiqueta: una señal de que se ha colocado recientemente en la góndola.

■ Si no encuentra la fecha indicada con la expresión "vender antes del", examine el color de la grasa y de la carne. La grasa deberá verse siempre blanca; la grasa amarilla es señal de envejecimiento. La carne no empacada debería tener un tono rojo cereza. La carne empacada al vacío debe ser púrpura oscuro. ¿Observa áreas marrones o grises? Eso significa que la carne es vieja, pero no necesariamente significa que está echada a perder, sino que no es la más fresca que puede comprar.

■ Seleccione los cortes más magros. Compre la carne que solo tiene un poco de marmolado o grasa externa. Recuerde que puede pedirle al carnicero que recorte el exceso de grasa.

■ Una vez que encuentre el corte que le guste, revise qué tipos hay. La "selecta" ofrece la menor cantidad de grasa, seguida de la "preferente" y luego de la "superior".

PRESTE ATENCIÓN A LAS HAMBURGUESAS

¿Y la carne de res molida? Recomendamos que no la compre con mucha frecuencia. Hasta la carne de res molida más magra es bastante rica en grasas.

La mayoría de los supermercados ofrece carne de res molida que varía entre un 80% magra (es decir, 210 calorías y 14 gramos de grasa por cada 3 onzas) y un 93% magra (170 calorías y 9 gramos de grasa). Ocasionalmente verá carne de res molida 96% magra.

Recomendación: si compra carne de res molida, elija la más magra y mézclela con pavo molido sin piel.

PARA ALMACENARLA:

■ Una vez que encuentre el empaque de carne de res que desee, colóquelo en una bolsa plástica, de modo que ninguna bacteria del envoltorio contamine los demás alimentos del carrito de supermercado. Luego diríjase de inmediato a casa; especialmente, en el verano.

■ Almacene la carne de res en la parte más fría del refrigerador (usualmente, la gaveta para carnes). Puede comer la carne de res fresca hasta la fecha indicada con la expresión "vender antes del".

■ Como alternativa, puede congelarla. Los cortes para carne asada y filetes se conservan de 6 a 12 meses. La carne de res molida se mantiene en el congelador de 3 a 4 meses.

CUANDO ESTÉ LISTO PARA USARLA:

Descongele la carne correctamente. Descongele la carne en el refrigerador o en el microondas; nunca en la encimera de la cocina.

TRUCO PARA COCINAR

Mida el tiempo al cocinar. Lógicamente, la carne de res magra no perdona el exceso de cocción como los cortes con más grasa. Así que el truco es hervirla o ponerla en la parrilla el tiempo suficiente para evitar las enfermedades que transmiten los alimentos (en la carne de res poco cocinada pueden desarrollarse bacterias peligrosas, tales como la E. coli), pero no tanto tiempo como para que sepa a cuero de zapato. Cocine los cortes para carne asada y filetes hasta una temperatura interna de 145 °F (término medio-jugosa) y la carne de res molida, hasta una temperatura de 160 °F (término medio-bien asada).

CARNE DE RES: ¡ES LA CENA DE HOY!

Probablemente tenga miles de recetas con carne de res. Pero piense en las siguientes sugerencias, porque usan la carne de res como un toque de sabor en lugar de como plato principal.

◆ **En sopa.** Mezcle un poco de filete o asado que haya sobrado en una sopa de verduras para el almuerzo o la cena del día siguiente.

◆ **Con otras carnes.** Prepare un sándwich con una rodaja de carne de res y otra de pavo. O coloque un poco de carne de res, un poco de pollo y muchas verduras en tacos o fajitas.

◆ **Mar y tierra.** Si sale a comer y se muere por un filete, pida en su lugar un plato de mar y tierra. Obtendrá una mejor variedad de alimentos: una langosta beneficiosa y una pequeña porción de carne.

(Continuación de la página 101)

puede causar fatiga o daño a los nervios) y vitamina B3, o niacina, (la deficiencia grave puede causar problemas de piel y desorientación).

¿UN FILETE QUE ADELGAZA?

Además de vitaminas y minerales, la carne de res contiene un compuesto conocido como ácido linoleico conjugado (CLA). Los estudios hechos en animales han determinado que este ácido inhibe los tumores en de mamas, ovarios, pulmones y colon, disminuye los niveles de colesterol malo, normaliza los bajos niveles de glucosa en sangre y... ¡disminuye la grasa corporal!

Parece un comercial informativo, pero esta investigación es real. Los científicos están realizando estudios en humanos para determinar si los beneficios se mantienen. Mientras tanto, ¡cruce los dedos!

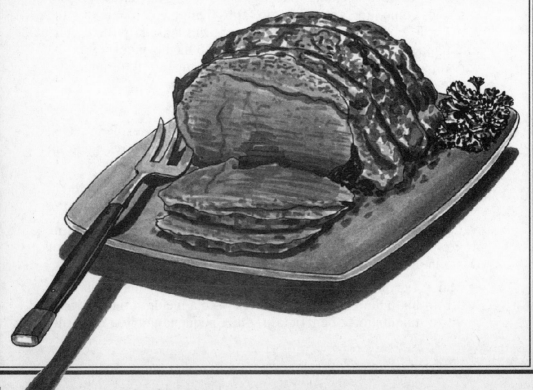

Sofrito de Carne de Res

Le encantará esta fabulosa y sencilla receta de sofrito que nos proporcionó la Asociación Nacional de Productores de Carne de Res.

1 libra de filete de falda (arrachera)
2 cucharadas de salsa de soya reducida en sodio
4 cucharaditas de aceite de ajonjolí oscuro divididas
1 ½ cucharadita de azúcar
1 cucharadita de almidón
2 dientes de ajo machacados
1 cucharada de jengibre fresco finamente picado
¼ cucharadita de chile rojo machacado
1 pimiento rojo pequeño cortado en trozos de 1 pulgada
1 lata (15 onzas) de elote miniatura escurrido
¼ libra de arvejas en vaina cortadas finas

Corte el filete a lo largo por la mitad y luego transversalmente en porciones de ¹/₈ pulgada de grosor. En un tazón mediano, mezcle la salsa de soya, 2 cucharadas de aceite, el azúcar y el almidón. Cubra el filete con esta preparación y resérvelo. Agregue las restantes 2 cucharaditas de aceite en una sartén grande a fuego medio-alto hasta que esté caliente. Incorpore el ajo, el jengibre y el chile rojo machacado, y cocine durante 30 segundos. Agregue el pimiento y el elote y sofría durante 1 ½ minuto. Agregue las arvejas en vaina y sofría durante 30 segundos. Retire las verduras de la sartén. Agregue el filete (una mitad a la vez) y sofría de 1 a 2 minutos o hasta que el exterior no esté rosado. Regrese las verduras a la sartén para que se sigan calentando.

Porciones: cuatro.

Datos nutricionales por porción: calorías, 337; proteínas, 28 g; carbohidratos, 27 g; fibra, 3 g; grasas, 14 g; grasas saturadas, 5 g; colesterol, 57 mg; sodio, 668 mg; calcio, 3% del valor diario; hierro, 21%.

Cebada:

Afables Perlas Saludables

EFICAZ CONTRA:

- la diabetes
- las enfermedades cardíacas
- la hipertensión
- el colesterol alto

REFUERZA:

- la regularidad

Cuando Karen sale a cenar (incluso en los días más calurosos), siempre pide la sopa del día y desea en secreto que sea de pollo, de res o la vegetariana de cebada. Desafortunadamente es muy raro que sea la que ella desea (suele ser una crema). Pero en las pocas ocasiones en que el mesero menciona la cebada, Karen se apresta a pedir un tazón.

CHARLA DE CORAZÓN A CORAZÓN

La información nutricional que se divulga en las advertencias es limitada. Probablemente haya escuchado todas: "Se requiere más investigación", "Estos son datos preliminares", etc. Bien, este es un dato comprobado: la cebada es beneficiosa para el corazón.

Los investigadores de la *Texas A&M University* en College Station sometieron a prueba el efecto de harina integral de cebada, cápsulas de aceite de cebada o harina de trigo en hombres y

---

RESUMEN DE INFORMACIÓN NUTRICIONAL

Cebada perlada cocida (1 taza)

Calorías: 193

Grasas: 1 g

Grasas saturadas: 0 g

Colesterol: 0 mg

Sodio: 5 mg

Carbohidratos totales: 44 g

Fibra dietética: 6 g

Proteínas: 4 g

Folato: 7% del valor diario

Vitamina B3 (niacina): 16%

Hierro: 11%

Magnesio: 9%

Fósforo: 9%

Cinc: 8%

mujeres con altos niveles de colesterol. Todos los participantes siguieron una dieta reducida en grasas durante
aproximadamente un mes. El resultado: quienes usaron
cualquier clase de cebada redujeron significativamente los
niveles de colesterol y presión arterial.

¿Cuál es el ingrediente mágico de la cebada? Los investigadores piensan que varios compuestos de la cebada
trabajan en equipo para mantener al corazón funcionando
sin problemas.

Primero, la cebada contiene betaglucano, un tipo de
fibra que en todos los estudios, ha demostrado reducir el
colesterol (también es lo que le da a la cebada su textura
cremosa). El betaglucano atrapa algo de la grasa y el colesterol de los alimentos y los saca del cuerpo antes de que
se absorban.

Además, la cebada presume de contener tocotrienol,
una sustancia que desactiva una enzima que le indica al
hígado que produzca el colesterol malo (lipoproteína de
baja densidad, LDL) que causa el taponamiento de las arterias. Los investigadores también están sometiendo a
prueba otras sustancias de la cebada difíciles de pronunciar, para verificar
si desempeñan algún papel. Manténgase informado.

SORPRESA CON EL AZÚCAR EN SANGRE

La cebada también ayuda a combatir problemas cardíacos de manera in-
directa, al controlar la diabetes tipo 2, que aumenta aún más el riesgo de
sufrir un ataque al corazón. Estas son las investigaciones más recientes:

▶ En la Universidad de California en Davis, los investigadores dieron a
los hombres comidas elaboradas con pasta regular o pasta con harina de
cebada. Los muchachos que degustaron la pasta de cebada no produjeron
tanta insulina (hormona que cumple una función en la diabetes) como
quienes comieron la pasta normal.

▶ Un estudio realizado en mujeres en la Universidad de Harvard sugiere
que comer granos integrales, tales como la cebada, reduce el riesgo de padecer diabetes tipo 2.

Alivio Rápido Para:

Estreñimiento

Si tiene problemas de estreñimiento, es posible que no reciba los 20 a 35 gramos diarios de fibra que necesita. Una taza de cebada cocida puede proporcionar de 6 a 14 gramos de fibra. Con eso, su organismo se pondrá en movimiento de inmediato.

SOLUCIONES PARA COMPRAR Y PREPARAR

La próxima vez que deambule por el pasillo del arroz en el supermercado, busque cebada. Este grano se vende en varias formas. Sin importar cuál elija, la cebada brinda un gran aporte de vitaminas, minerales y sabor. Estas son las variedades:

■ **Cebada perlada.** Con este tipo, se le retira la cascarilla y se pule la semilla. Este proceso desprende de la cebada, por lo menos, un tercio de la fibra, aunque la cebada perlada mantiene una porción considerable.

■ **Cebada descascarillada.** Con este otro tipo, obtiene el grano integral. En una taza de cebada descascarillada cocida, recibe 14 gramos de fibra (la mitad del requerimiento diario).

■ **Cebada de rápida cocción.** Esta variedad puede cocinarse totalmente de 10 a 12 minutos, en tanto que los tipos perlado y descascarillado generalmente demoran de 45 a 95 minutos, respectivamente.

UN NUEVO COLLAR DE PERLAS

Ahora que ha elegido la cebada, le sugerimos formas elegantes para servirla:

◆ **Con albaricoques.** En una sartén grande, mezcle 1 ¾ taza de caldo de pollo reducido en sodio, 1 taza de jugo de naranja, ¼ taza de vino blanco, 1 taza de cebada perlada, ¼ taza de albaricoques deshidratados y ¼ taza de pasas. Lleve a ebullición. Cubra y cocine a fuego lento durante 45 minutos o hasta que la cebada esté tierna y se haya absorbido el líquido. Espolvoree nueces tostadas antes de servir.

◆ **Con pollo.** Saltee ½ taza de hongos frescos picados en 2 cucharaditas de aceite de oliva. Agregue 1 taza de cebada perlada, 3 tazas de caldo de pollo o de vegetales reducido en sodio, ¼ cucharadita de romero deshidratado y 2 cucharadas de cebolla picada. Lleve a ebullición. Cubra y cocine durante 45 minutos o hasta que la cebada esté tierna y se haya absorbido el líquido.

◆ **A sorbos.** Si está demasiado ocupado para preparar su propia sopa, pruebe la *Fantastic Foods Vegetable Barley Soup.* ¡Mmmm!

Mezcla de Cebada y Feta

Hace algunos años, recibimos esta receta del National Barley Foods Council y ha sido una de las favoritas desde entonces.

1 taza de cebada perlada
3 tazas de agua
1 ¼ cucharadita de sal
⅓ taza de aceite de oliva
2 cucharadas de jugo de limón recién exprimido
2 cucharadas de vinagre de vino tinto
½ cucharadita de orégano seco
¼ taza de cebolla finamente picada
¼ taza de perejil picado
2 tomates medianos en cubos
1 pimiento pequeño rojo o verde en cubos
½ taza de queso feta desmenuzado
Hojas de lechuga lavadas y refrigeradas

En una sartén grande colocada a fuego alto, lleve a ebullición la cebada y agregue 1 cucharadita de sal. Cubra y cocine a fuego lento durante 45 minutos o hasta que la cebada esté tierna y se haya absorbido el líquido. En un tazón pequeño, mezcle el aceite, el jugo de limón, el vinagre, el orégano y el resto de sal. Agregue la cebada cocida. Enfrie a temperatura ambiente. Revuelva suavemente la cebolla, el perejil, los tomates, la pimienta y el queso. Sirva la ensalada refrigerada (la favorita de Karen) o a temperatura ambiente sobre platos revestidos con lechuga.

Porciones: seis.

Datos nutricionales por porción: calorías, 266; proteínas, 5 g; carbohidratos, 30 g; fibra, 6 g; grasas, 15 g; grasas saturadas, 3 g; colesterol, 8 mg; sodio, 558 mg; calcio, 10% del valor diario; hierro, 8%.

Cebolla:
Bulbo de Energía

EFICAZ CONTRA:

- las alergias
- las quemaduras
- el cáncer
- las cataratas
- la diabetes
- las enfermedades cardíacas
- las infecciones
- los accidentes cerebrovasculares

REFUERZA:

- los huesos
- la vista

Las cebollas aportan sabor, pero Colleen no pensaba así cuando era más joven. Como muchos niños, levantaba una barrera mental con un chirriante "¡Ptuaj!". Pero su astuto padre las rebautizó "rodillos" y logró que las comiera. Ahora las agrega a casi todos los platillos sabrosos y se mantiene saludable.— La modesta cebolla es una de las verduras ricas en energía de la Madre Naturaleza.

VERDURA AFABLE

Las cebollas son ricas en quercetina, un flavonoide que se encuentra también en el vino tinto, el té y las manzanas. ¿Cuál es su beneficio? La quercetina tiene un efecto antioxidante

RESUMEN DE INFORMACIÓN NUTRICIONAL

Cebolla cruda (½ taza, picada)

Calorías: 30

Grasas: 0 g

Grasas saturadas: 0 g

Colesterol: 0 mg

Sodio: 2 mg

Carbohidratos totales: 7 g

Fibra dietética: 1 g

Proteínas: 0 g

Vitamina C: 13% del valor diario

Calcio: 4%

Hierro: 2%

más eficaz que la vitamina E para evitar que el colesterol malo (lipoproteína de baja densidad, LDL) tapone las arterias.

Un estudio demostró que unas tazas de té al día (gran proveedor de quercetina) se asociaba a un menor riesgo de desarrollar cataratas. Debido a que se absorbe el doble de quercetina de las cebollas que del té, con frecuencia las cebollas también protegen contra la formación de cataratas. Y la quercetina sobrevive al calor, así que puede disfrutar de cebollas cocidas o crudas.

Los otros compuestos de las cebollas (la adenosina y los polisulfuros parafínicos) impiden que las plaquetas se agrupen: esto forma los coágulos que pueden desencadenar un ataque cardíaco o un accidente cerebrovascular. ¡Así que coma "rodillos"!

LA RODAJA DE VIDA

Las cebollas también ofrecen algunos compuestos con azufre que se liberan cuando corta el bulbo y rompe las paredes de las células, (también son las que hacen llorar; luego hablaremos de ello). Estos compuestos azufrados combaten los peligrosos coágulos sanguíneos, las alergias, las infecciones bacterianas y las inflamaciones.

Un estudio demostró que los estudiantes con una dieta rica en grasas habían experimentado un descenso de triglicéridos (pero no de colesterol) cuando agregaron una gran rodaja de cebolla a las hamburguesas. Así que no llore, ¡corte cebolla!

MANO DURA CONTRA EL CÁNCER

Muchos estudios indican que los componentes de la cebolla son importantes combatientes del cáncer. En un examen, quienes consumieron más quercetina tuvieron una reducción del 50% del riesgo de contraer cáncer de estómago y del tracto respiratorio.

Alivio Rápido Para:

Quemaduras

¿Se quemó en la cocina? Deje correr agua fría de la llave del grifo sobre la quemadura y luego aplique una rodaja de cebolla. Las mismas sustancias químicas naturales que lo hacen llorar también bloquean las sustancias que le provocan dolor. Y hay una bonificación especial: los jugos de la cebolla tienen propiedades antibacterianas que podrían prevenir las infecciones.

SOLUCIONES PARA COMPRAR Y PREPARAR

Hay dos clases de bulbos de cebolla. Una clase es la que se conoce como cebollas "frescas". Son el tipo dulce y suave que a la gente le encanta comer cruda. Están en el supermercado desde marzo hasta agosto. Entre estas cebollas, que crecen en climas más cálidos, se encuentran las Vidalia de Georgia, las Walla Walla de Washington, las Maui de Hawái y las Super Sweet de Texas.

Las cebollas frescas pueden ser moradas, blancas o doradas. Todas tienen la cáscara delgada y ligeramente de color, con un alto contenido de agua que las hace tiernas, y se magullan fácilmente. Así que manipúlelas con cuidado y úselas rápidamente.

La segunda clase de bulbo de cebolla es la cebolla para "almacenar". Las encontrará en el supermercado desde agosto hasta fines de abril. También hay moradas, blancas y doradas. Las cebollas para almacenar tienen varias capas de cáscara como papel, contienen menos agua que las cebollas frescas y el sabor es más intenso.

Son ideales para cocinar. Adquieren un glorioso tono amarronado cuando se las saltea (¡con o sin grasa!), ya que los componentes acre se convierten en azúcar y se caramelizan en un sabor único, dulce, de cebolla cocida.

PARA ALMACENAR CEBOLLAS:

■ Almacene los bulbos de cebolla en bolsas de malla o en una de esas lindas cestas colgantes de alambre con varios niveles. También funciona bien una linda caja de cartón seca. El almacenamiento debe permitir la circulación de aire entre los bulbos.

■ Evite el refrigerador a cualquier precio. Las cebollas frías, húmedas y apiladas se pudren o crean moho. Las cebollas almacenadas en seco se conservan todo el invierno.

Otros estudios sugieren que los compuestos azufrados de la cebolla frenan el cáncer de colon y de riñón al causar la muerte de las células cancerígenas. Investigaciones adicionales muestran que comer mucha cebolla puede reducir el riesgo de padecer de cáncer

BRILLANTES IDEAS EN FORMA DE BULBO

Estas son algunas ideas atractivas para cocinar bulbos de cebollas:

◆ **Sáqueles el jugo.** En lugar de saltear cebollas en una gotita de grasa, intente "sacarles el jugo". ¿Cómo? Rocíe ligeramente una sartén plana antiadherente con aceite comestible en aerosol. Agregue las cebollas (de la variedad para almacenar) en rodajas y cocine a fuego medio. Revuelva ocasionalmente hasta que adquieran un bello tono marrón. Baje el fuego y tápelas. Cocine las cebollas hasta sacarles el jugo y que se "desarmen". Si comienzan a pegarse o a quemarse, agregue un poquito de agua. Sírvalas sobre pollo o lomo de cerdo a la parrilla.

◆ **Una rodaja sabrosa.** Use un cuchillo serrado para rebanar finas rodajas de cebollas moradas frescas. Sírvalas para acompañar la ensalada de espinaca o colóquelas como relleno de un pan pita vegetariano.

◆ **Un trozo que deja satisfecho.** Corte rodajas gruesas de frescas Vidalias o Walla Wallas para sándwiches de verano. Agregue una rodaja gruesa sobre un sándwich de hongo portobello a la parrilla con coles de Bruselas, queso y pan integral multigrano.

◆ **En sopas.** Saltee cebollas doradas en rodajas con un poco de aceite de oliva hasta que estén blandas. Agregue una cucharada de harina y cocine durante 5 minutos. Vierta una lata de caldo de res para preparar una sopa de cebolla al instante. Cubra con biscotes con queso parmesano recién rallado. ¡Un manjar de los dioses!

de pulmón, de vejiga, de ovario y de cerebro.

DISUASOR DE LA DIABETES

En un estudio, ratas diabéticas con una dieta rica en cebollas controlaron el azúcar en sangre tan bien como las que tomaban insulina y otros medicamentos. ¡Y estas ratas recibieron un beneficio adicional! Generaron menos colesterol que las ratas que tomaban medicamentos (advertencia: no intente esto en casa, siempre consulte al médico antes de ajustar la dosis de los medicamentos).

Brotes de Cebolla con Mezquite

Evite los brotes de cebolla fritos de los restaurantes de parrilladas, ricos en calorías y grasas. En lugar de ello, consiéntase con esta aromática flor horneada en papel aluminio, gentileza de Idaho–Eastern Oregon Onions. ¡Es excelente para acompañar carne magra de res, cerdo, pollo o camarones a la parrilla! Es una tentación con frijoles y arroz.

1 cebolla grande
1 cucharada de mezcla en seco para marinada con sabor a mezquite
2 cucharaditas de cilantro picado
1 trozo de lima

Precaliente el horno a 425 °F. Corte ½ pulgada de la parte superior de la cebolla. Corte ligeramente el extremo de la raíz, sin cortar la base. Arme la "flor" de cebolla con el utensilio para moldear flores de cebolla (en la mayoría de las tiendas de utensilios de cocina). Coloque la cebolla en una hoja de papel aluminio de 10 pulgadas cuadradas. Salpique con la mezcla en seco de marinada. Envuelva la cebolla en el papel aluminio y selle herméticamente los bordes. Coloque en una bandeja para hornear o en un molde para tartas y hornee de 20 a 30 minutos. Destape la cebolla y colóquela en un plato para servirla en la cena. Decore con cilantro y jugo de lima.

Porción: una.

Datos nutricionales por porción: calorías, 84; proteínas, 2 g; carbohidratos, 20 g; fibra, 2 g; grasas, 0 g; grasas saturadas, 0 g; colesterol, 0 mg; sodio, 405 mg; magnesio, 5% del valor diario; manganeso, 13%; potasio, 8%.

Cebollino:
El Condimento de Una Sola Caloría

EFICAZ CONTRA:
- el cáncer
- las enfermedades cardíacas
- el colesterol alto

REFUERZA:
- la función inmunológica
- el control del peso

Hasta hace poco, Karen casi no comía cebollinos, excepto por los que ocasionalmente usaba para condimentar las papas al horno. Pero ahora es común verlos en su cocina. ¿Por qué cambió de postura? Descubrió que esta hierba, que muchas veces pasamos por alto, les da a los platos un increíble sabor. Y además tiene muchos beneficios para la salud.

Los genes de los cebollinos son sorprendentes. Según el tipo, están relacionados con las cebollas o el ajo. En cualquier caso, los cebollinos contienen compuestos que combaten el cáncer y previenen las enfermedades cardíacas, entre otros beneficios.

El compuesto más estudiado del cebollino se llama *allium*. El *allium* tendría propiedades antibacteriales y antifúngicas que prevendrían las infecciones. Es más, protegería contra los cánceres de estómago y colon, y también reduciría el colesterol.

RESUMEN DE INFORMACIÓN NUTRICIONAL

Cebollinos (1 cucharada)

Calorías: 1

Grasas: 0 g

Grasas saturadas: 0 g

Colesterol: 0 mg

Sodio: 0 mg

Carbohidratos totales: 0 g

Fibra dietética: 0 g

Proteínas: 0 g

Vitamina C: 3% del valor diario

SOLUCIONES PARA COMPRAR Y PREPARAR

Encontrará cebollinos frescos todo el año en la sección de productos perecederos del supermercado. Tendrá que decidir si desea comprar de la variedad de ajo o de cebolla. Los cebollinos del tipo cebolla (el más común) saben a una cebolla suave. Los cebollinos del tipo ajo tienen el aroma de la "rosa apestosa", pero no son tan fuertes. Elegir un manojo de cualquiera de los dos no es complicado.

CUANDO ELIJA CEBOLLINOS FRESCOS:

■ Compre los que tengan hojas de color verde uniforme.

■ Evite los marchitos.

PARA ALMACENARLOS:

Guarde los cebollinos frescos en el refrigerador, donde se mantendrán hasta una semana.

Cebollinos congelados. Si no encuentra cebollinos frescos en la sección de productos perecederos, diríjase al área de congelados.

REVITALICE LOS PLATOS CON CEBOLLINOS

¿Está listo para sazonar su vida? Pruebe estas sugerencias con cebollinos.

◆ **Avive la ensalada.** A Karen le gusta preparar un plato con hojas de lechuga romana y luego cubrirlas con uvas púrpuras, pacanas picadas, algo de queso azul, vinagreta de aceite de oliva y cebollinos frescos del tipo de ajo.

◆ **Prepare salsas divertidas.** Mezcle 1 cucharada de cebollinos del tipo cebolla con 1 taza de crema agria semidescremada o yogur natural semidescremado. Sírvala con nachos al horno en su próxima fiesta.

◆ **Sensación de camarones.** Para intensificar el sabor, agregue cebollinos de cualquier tipo a los camarones preparados.

◆ **Mejore el desayuno.** Agregue cebollinos del tipo cebolla en el *omelette* con claras de huevo. O mézclelos con queso semidescremado para untar sobre panecillos.

SABOR SIN CALORÍAS

Si intenta reducir las grasas de su dieta, como nosotros, las papilas gustativas se quejarán. Las nuestras se quejaron, pero solo hasta que se nos ocurrió agregar hierbas frescas a los platos.

Piénselo: una cucharada de mantequilla tiene aproximadamente 100 calorías; 1 cucharada de cebollinos tiene solo 1 caloría. Si todos los días reemplaza una cucharada de mantequilla por una de cebollinos, perderá aproximadamente una libra al mes y mantendrá el sabor.

Papas al Horno conCebollinos

Si nunca ha cocinado cebollinos, esta receta de la Comisión de Papas de Idaho será un excelente inicio.

¼ taza de yogur natural semidescremado
½ taza de queso cottage semidescremado
1½ cucharadita de perejil fresco picado
1½ cucharadita de cebollinos frescos picados
¼ cucharadita de sal
¼ cucharadita de pimienta negra molida
4 papas al horno

En un procesador de alimentos, mezcle el yogur, el queso cottage, el perejil, los cebollinos, la sal y la pimienta hasta integrar. Corte las papas a la mitad y, con una cuchara, coloque un cuarto de la mezcla sobre cada una.

Porciones: cuatro.

Datos nutricionales por porción: calorías, 251; proteínas, 9 g; carbohidratos, 53 g; fibra, 5 g; grasas, 1 g; grasas saturadas, 0 g; colesterol, 2 mg; sodio, 275 mg; calcio, 7% del valor diario; hierro, 16%.

Cerdo:

Devórelo

EFICAZ CONTRA:
- las enfermedades cardíacas
- la hipertensión
- el colesterol alto

REFUERZA:
- los huesos
- la función inmunológica

El verano pasado, hicimos un viaje de negocios al Valle de Napa, el área vinícola de California. Descubrimos que el Chardonnay no era lo único sabroso. En nuestra primera noche en el Valle de Napa, cenamos en una bodega de vinos que servía una chuleta de cerdo a la parrilla estilo mediterráneo. Fue el mejor cerdo que cualquiera de los dos había comido en mucho tiempo.

Esa cena de verano nos recordó (más que cualquier anuncio de "la otra carne blanca") que el cerdo, en la cocina indicada, puede competir con cualquier comida *gourmet*. Y si se elige el corte adecuado, puede ser tan magro como el pollo. (Consulte "Los Magníficos Ocho" en la página 121).

MÁS VITAMINAS DE LAS QUE IMAGINABA

Cuando se trata de vitaminas y minerales, el cerdo los tiene en abundancia. Ofrece grandes cantidades de 10 nutrientes en una porción de tan solo 3 onzas cocidas. Estos son algunos de los aspectos nutricionales importantes del cerdo:

SOLUCIONES PARA COMPRAR Y PREPARAR

Cuando se trata de cerdo, hay muchos cortes para elegir. Pero nosotros recomendamos que se quede con los "magníficos ocho" que se describen en la página 121. Estos cortes tienen de 4 a 9 gramos de grasa en una porción cocida de 3 onzas. La mejor carne de cerdo magra es de Smithfield Lean Generation Pork, compañía que cría especialmente a los cerdos para que tengan menos grasa.

CUANDO ELIJA CARNE DE CERDO:

■ Asegúrese de que la carne sea de rosada a gris rosáceo, excepto por el solomillo, que debe ser rojo profundo.

■ Compruebe la fecha de vencimiento.

PARA ALMACENARLA:

La carne de cerdo fresca se mantiene bien por unos días en el refrigerador.

CUANDO ESTÉ LISTO PARA USARLA:

■ Quite toda la grasa externa.

■ Use un termómetro para carne a fin de asegurarse de que la temperatura interna sea de 160 °F. Los expertos en seguridad de los alimentos solían recomendar que el cerdo se cocinara a 170 °F, pero ahora bajaron la temperatura recomendada a 160 °F. ¿Por qué? El parásito que causa la triquinosis (enfermedad que el cerdo podría transportar) se muere a 137 °F: cocinarlo a 160 °F le da un margen de error suficiente. A esa temperatura, el cerdo debería seguir jugoso y ligeramente rosado en el centro.

CENAREMOS CERDO

◆ **Agregue variedades de fajitas.** No tiene que limitarse a las fajitas de carne de res o pollo. Las fajitas de cerdo también son deliciosas.

◆ **Triplique la salsa.** Uno de los restaurantes favoritos de Karen, *The Apollo Grill* de Bethlehem, Pensilvania, sirve un plato de chuletas de cerdo con un trío de salsas barbacoa. A cada parte del cerdo la sazonan con un tipo de salsa distinto. Pruebe hacer lo mismo cuando cocine en su casa.

RESUMEN DE INFORMACIÓN NUTRICIONAL

Solomillo de cerdo (3 onzas, cocinado)

Calorías: 139

Grasas: 4 g

Grasas saturadas: 1 g

Colesterol: 67 mg

Sodio: 48 mg

Carbohidratos totales: 0 g

Fibra dietética: 0 g

Proteínas: 23 g

Vitamina B1 (tiamina): 53% del valor diario

Vitamina B2 (riboflavina): 19%

Vitamina B3 (niacina): 20%

Vitamina B6: 30%

Vitamina B12: 8%

Hierro: 7%

Magnesio: 6%

Fósforo: 22%

Potasio: 11%

Cinc: 15%

▶ **Vitamina B1 (tiamina).** El cerdo contiene el 53% del requerimiento diario de esta vitamina esencial para metabolizar carbohidratos, proteínas y grasas.

▶ **Vitamina B12.** Ayuda a formar glóbulos rojos. Usted ingiere hasta el 8% del requerimiento diario cuando come una porción de cerdo.

▶ **Fósforo.** El cerdo aporta aproximadamente un cuarto del requerimiento de este mineral que fortalece los huesos.

▶ **Potasio.** Probablemente piense que solo las frutas y los vegetales ofrecen potasio, un mineral que ayuda a mantener una presión arterial normal. El cerdo brinda el 11% del requerimiento diario.

CUIDE EL CORAZÓN

Sabemos lo que está pensando: "El cerdo tiene menos grasa de la que solía tener pero, ¿puedo sustituir el pollo por cerdo en mi dieta?". En una palabra: sí. Un estudio del Centro Médico de la Universidad de Duke en Durham, Carolina del Norte, determinó que sustituir carnes con grasa por carne magra de cerdo en las dietas de personas con niveles altos de colesterol disminuyó los niveles en aproximadamente un 7%, la misma cantidad que el grupo que comió pollo sin piel en lugar de cerdo.

Así que si su familia se queja de que otra vez come pollo, agregue cerdo al menú semanal. En resumidas cuentas, ambas son carnes saludables para el corazón. Mézclelas para combatir el aburrimiento.

Los Magníficos Ocho

Estos ocho cortes de carne de cerdo aportan menos de 190 calorías y de 4 a 9 gramos de grasa en una porción cocida de 3 onzas.

Corte de Cerdo	Calorías	Grasas (g)	Grasas Saturadas (g)
Solomillo	139	4	1
Chuleta de cinta de lomo sin hueso	164	6	2
Lomo sin hueso	165	6	2
Chuleta de lomo sin hueso	173	7	2
Chuleta de lomo	171	7	3
Cinta de lomo sin hueso	168	7	3
Chuleta de costilla	186	8	3
Costillar sin hueso	182	9	3

Marinada Tropical

Esta marinada hace que el cerdo tenga un sabor increíble.

½ taza de jugo de naranja
2 cucharadas de jugo de limón
2 dientes de ajo machacados
1 cucharadita de orégano seco

En un tazón grande, mezcle el jugo de naranja, el jugo de limón, el ajo y el orégano. Marine el cerdo, como mínimo 30 minutos antes de cocinarlo. Deseche la marinada después de usarla.

Chuletas de Cerdo con Manzana y Arándanos Rojos

Karen ha preparado estas chuletas de cerdo desde que hace un par de años representantes del Consejo Nacional de Productores de Cerdo pasaron por su oficina con la receta. ¡Un manjar!

Aceite de canola en aerosol para cocinar
4 chuletas de cinta de lomo sin hueso (¾ pulgada de grueso)
Sal al gusto
Pimienta negra molida al gusto
¼ taza de jugo o sidra de manzana
½ taza de salsa de arándanos rojos
2 cucharadas de miel
2 cucharadas de jugo concentrado de naranja congelado descongelado
¼ cucharadita de jengibre en polvo
⅛ cucharadita de nuez moscada en polvo

Cubra una sartén grande antiadherente con aceite en aerosol para cocinar. Caliente a fuego medio-alto. Agregue sal y pimienta a ambos lados de las chuletas de cerdo. Coloque las chuletas en la sartén y dore ambos lados. Añada la sidra de manzana. Cubra bien y cocine a fuego lento entre 5 y 6 minutos, o hasta que las chuletas alcancen una temperatura interna de 160 ºF. En un tazón pequeño, mezcle la salsa de arándanos rojos, la miel, el jugo concentrado de naranja, el jengibre y la nuez moscada. Vierta la mezcla sobre las chuletas. Cocine por 1 o 2 minutos o hasta que se caliente parejo.

Porciones: cuatro.

Datos nutricionales por porción: calorías, 278; proteínas, 26 g; carbohidratos, 28 g; fibra, 1 g; grasas, 7 g; grasas saturadas, 3 g; colesterol, 70 mg; sodio, 62 mg; calcio, 3% del valor diario; hierro, 5%.

Cereal:

Se Lleva el Colesterol

EFICAZ CONTRA:
- la diabetes
- las enfermedades cardíacas
- la hipertensión
- el colesterol alto

REFUERZA:
- la sensibilidad a la insulina
- la regularidad

¿Qué podría ser mejor en una mañana helada que un tazón humeante de cereal integral caliente para empezar el día? Y si es avena, el corazón y todos los vasos sanguíneos (desde las grandes arterias coronarias hasta los minúsculos capilares) querrán darle un gran abrazo por cuidar tan bien de su salud con un sabor tan delicioso.

REJUVENEZCA CON AVENA

La avena y los cereales de salvado con avena fueron los primeros alimentos que recibieron la autorización de la FDA para llevar en el paquete una mención de beneficios para la salud. ¿Por qué? Porque numerosos estudios demostraron que agregar avena a la dieta reduce el colesterol total y el malo (lipoproteína de baja densidad, LDL) sin reducir el colesterol bueno (lipoproteína de alta densidad,

RESUMEN DE INFORMACIÓN NUTRICIONAL

Avena seca de rápida cocción (½ taza)

Calorías: 155

Grasas: 3 g

Grasas saturadas: 0 g

Colesterol: 0 mg

Sodio: 2 mg

Carbohidratos totales: 27 g

Fibra dietética: 4 g

Proteínas: 6 g

Vitamina B1 (tiamina): 20% del valor diario

Magnesio: 15%

Manganeso: 74%

HDL). Y eso es justo lo que un corazón con problemas necesita.

A nivel nacional, los corazones empezaron a latir más fuerte porque las personas que más se benefician de la avena son aquellas en mayor riesgo. Si la medida de colesterol es 229 o menos, es común una reducción del 2% al 3%. Pero en los niveles de más de 229, una reducción del 4% al 7% premia a aquellos que se olvidan del desayuno pesado y, en cambio, empiezan el día con suficiente avena como para aportar 3 gramos de betaglucano, la fibra soluble de la avena. Esta cantidad equivale a ½ taza de avena seca (sin cocinar).

Alivio Rápido Para:

Urticaria

Para aliviar la picazón de la urticaria, sumérjase de 10 a 15 minutos en una bañera con agua tibia y avena coloidal molida muy fina. La avena coloidal es un polvo para baño de venta libre de la marca *Aveeno* que se mantiene suspendido en el agua. No tapa el desagüe y alivia la picazón.

DRAMÁTICA MEJORA SIN MEDICAMENTOS

Y la historia se pone mejor. En un estudio reciente con un grupo de 500,000 miembros de una organización para el mantenimiento de la salud, el 50% de los pacientes que tomaba medicamentos para la presión arterial pudo dejar de tomarlos después de consumir todos los días, durante 4 semanas, 5 gramos de fibra soluble de avena y cuadritos de avena. Otro 20% pudo reducir los medicamentos a la mitad. (Advertencia: no lo intente sin consultar a su médico antes de hacer cambios en los medicamentos).

Además bajaron los niveles de colesterol LDL y total de los pacientes. Y desaparecieron los efectos secundarios de tomar medicamentos para la presión arterial (como potasio bajo en sangre, calambres musculares, disfunción sexual y mal humor).

Los investigadores especulan que todo tiene que ver con complejas interacciones que afectan la resistencia a la insulina, pero los detalles no están claros. La fibra soluble desacelera los alimentos parcialmente digeridos en los intestinos. Atrapa el colesterol y la bilis para que el cuerpo no pueda reabsorberlos.

ES MARAVILLOSO

Mientras tanto, la mezcla digestiva que avanza lentamente libera gradualmente la energía de los alimentos para aumentar

SOLUCIONES PARA COMPRAR Y PREPARAR

Mantenga una variedad de cereales a la mano, y cámbielos todos los días. ¡Estará nutricionalmente enriquecido!

CUANDO ELIJA CEREALES:

■ Revise la fecha de vencimiento.

■ Busque paquetes bien sellados y sin daños.

PARA ALMACENARLOS:

■ Guarde los cereales sin abrir en un lugar fresco y seco.

■ Cuando los abra, guarde los cereales integrales en el refrigerador (¡hasta los bichos son lo suficientemente inteligentes como para ir tras lo bueno!).

BONDADES DE LOS GRANOS INTEGRALES

Aprenda a disfrutar del cereal integral con frecuencia.

◆ **Empiece el día con "afrecho".** Cocine en el microondas un tazón de salvado con avena, luego mezcle manzana cortada en trocitos, nuez de nogal y una pizca de nuez moscada molida.

◆ **Incluya miel en la dieta.** Caliente en el microondas un tazón de cereal integral, luego agregue 1 cucharada de mantequilla de maní y 2 cucharadas de miel. ¡Es delicioso!

◆ **Embanánese.** Prepare un tazón de crema de trigo, agregue un banano muy maduro y rocíe azúcar morena. Es ideal cuando no se siente bien del estómago.

◆ **Esconda un paquete.** Guarde paquetes de cereal instantáneo en la gaveta de su escritorio en el trabajo. Caliéntelos cuando necesite calor o un descanso.

poco a poco el nivel de azúcar en sangre, con lo que se requiere solo una cantidad mínima de insulina para ayudar a que la glucosa entre a las células (es lo opuesto de lo que ocurre con los alimentos altamente procesados que se digieren rápido y se descargan al torrente sanguíneo, por lo que causan un brusco aumento del nivel de azúcar en sangre y un súbito incremento de insulina).

¡ADIVINE EL NOMBRE DEL CEREAL!

Hay una variedad muy grande de cereales calientes, cada uno con sus propios beneficios. ¡Conózcalos!

■ **El salvado de avena** está hecho con la capa exterior de la avena finamente molida. Media taza de salvado de avena seco contiene 6 gramos de fibra: 3 gramos de fibra soluble y 3 de insoluble. El salvado de avena también es rico en vitamina B1 (tiamina), hierro, magnesio, fósforo y cinc. Es ideal para mantener bajo el colesterol.

■ **La avena** utiliza avena integral fina y contiene salvado, germen y endosperma. La velocidad de cocción depende del grosor. Una ½ taza de avena seca de rápida cocción contiene 4 gramos de fibra: 2 gramos de fibra soluble y 2 de insoluble.

■ **El cereal integral** (como *Wheateena*) se prepara con trigo integral molido. Aporta todas las bondades del trigo integral: salvado, germen y endosperma (lea "Germen de Trigo: ¡Coseche sus Bondades!" en la página 197 y "Pan de Trigo Integral: El Verdadero Sustento de la Vida" en la página 321). Media taza de cereal integral aporta 4 gramos de fibra: 1 gramo de fibra soluble y 3 de insoluble. Es excelente para la regularidad.

■ **Los cereales de la marca** *Harvest Mornings* son cereales multigrano a base de avena, trigo integral y cebada. Un paquete aporta 3 gramos de fibra.

La función básica de la insulina es coordinar la forma en que el cuerpo usa y almacena la energía de los alimentos que usted come. Es conveniente tener niveles bajos de insulina en circulación, porque la insulina se consume mientras cumple su función.

Sin embargo, el exceso de insulina causa problemas, como engañar al hígado para que produzca más colesterol. La resistencia a la insulina y la diabetes consiste en que las células se niegan a usar la insulina correctamente. Pero después de tres o cuatro semanas de una dieta rica en avena, la sensibilidad a la insulina mejora y se reduce el riesgo de desarrollar diabetes. Esta dieta también reduce la retención de sodio, que podría ser el mecanismo que reduce la presión arterial.

Desayuno para un Nuevo Comienzo

Cambie las frutas y nueces de este desayuno según la temporada, pero mantenga como ingrediente principal los granos ricos en energía. Este desayuno que lo dejará satisfecho aporta beneficios que durarán hasta el almuerzo.

½ taza de avena seca de rápida cocción
1 cucharada de germen de trigo tostado
½ taza de leche de soya fortificada con calcio
½ taza de leche descremada
1 cucharada de miel
1 cucharada de pacanas tostadas
½ taza de arándanos frescos
¼ cucharadita de canela en polvo

En un tazón de cereal para el microondas, mezcle la avena, el germen de trigo y las leches hasta integrar. Cocine en el microondas en la potencia alta por 2 minutos, o hasta que el cereal esté caliente y la avena cocida. Añada la miel, las pacanas, los arándanos y la canela.

Porción: una.

Datos nutricionales por porción: calorías, 415; proteínas, 16 g; carbohidratos, 71 g; fibra, 8 g; grasas, 11 g; grasas saturadas, 1 g; colesterol, 2 mg; sodio, 70 mg; folato, 15% del valor diario; vitamina B1 (tiamina), 35%; vitamina B2 (riboflavina), 32%; calcio, 35%; magnesio, 40%; manganeso, 108%; cinc, 23%.

Cereza:

La Salud a un Tazón de Distancia

EFICAZ CONTRA:
- el dolor por artritis
- el cáncer
- las enfermedades cardíacas

REFUERZA:
- los huesos

Siempre hemos pensado que la vida sin cerezas no tendría gracia. Ahora sabemos que es cierto. Aunque su perfil nutricional nunca fue sobresaliente en ninguna vitamina o mineral, hay una buena noticia sobre las cerezas: ¡son ricas en eficaces nutrientes que combaten las enfermedades!

NUTRIENTES RECIÉN DESCUBIERTOS

Las cerezas de color rojo oscuro (tanto las dulces como las ácidas) contienen flavonoides llamados antocianinas. Estos fitoquímicos naturales crean los colores azul, rosado, rojo, lila y violeta que ayudan a las flores a atraer insectos para la polinización. Las antocianinas defienden a las frutas y vegetales de los ataques de gérmenes invasores e insectos hambrientos.

RESUMEN DE INFORMACIÓN NUTRICIONAL

Cerezas frescas (10 unidades)

Calorías: 49

Grasas: 1 g

Grasas saturadas: 0 g

Colesterol: 0 mg

Sodio: 0 mg

Carbohidratos totales: 11 g

Fibra dietética: 2 g

Proteínas: 1 g

Vitamina C: 5% del valor diario

En el cuerpo, las antocianinas actuarían como antioxidantes que protegen contra el cáncer y las enfermedades cardíacas. Pero los estadounidenses consumen unos 200 miligramos de antocianinas diarios (ni siquiera está cerca de la cantidad necesaria); y nuestro récord para frutas y vegetales es muy malo.

Así que coma cerezas, y duplique el placer y la protección. Seis jugosas cerezas de color rojo oscuro aportan otros 200 miligramos de antocianinas.

LAS CEREZAS EQUIVALEN A LAS MANZANAS

Las cerezas son ricas en quercetina, otro flavonoide que combate el cáncer y las enfermedades del corazón. ¿Cuánta quercetina contienen? Tanta como las manzanas, que son las consentidas en beneficios. Y la mejor noticia es que las cerezas procesadas (tanto las de lata como las del relleno para tarta) aportan el doble de quercetina que las cerezas frescas. Eso significa que puede obtener la protección de las cerezas durante todo el año.

AÚN HAY MÁS

Las cerezas también son una buena fuente de alcohol perílico, que previene el desarrollo del cáncer de mama y pancreático en ratas, y del mineral boro, el cual es importante para los huesos.

Es más, las cerezas alivian el dolor por artritis. Recientes estudios de laboratorio de la Universidad Estatal de Michigan en East Lansing han demostrado que, al menos, en tubos de ensayo, el jugo de cereza ácida es 10 veces mejor que la aspirina para reducir el dolor y la inflamación, y no irrita los estómagos sensibles, como la aspirina.

Alivio Rápido Para:

Gota

Muchas personas creen que la cereza alivia la gota, aunque no existe una base científica que lo explique.

SOLUCIONES PARA COMPRAR Y PREPARAR

Las cerezas dulces frescas tienen una temporada muy corta, así que cómalas mientras pueda. ¡No durarán mucho!

CUANDO ELIJA CEREZAS:

■ Compre las brillantes, redondas y lo suficientemente firmes como para que exploten cuando las muerda.

■ Elija las que todavía tengan los tallos. Las cerezas sin tallo están por pudrirse y ¡es más divertido comerlas con el tallo!

■ Evite las cerezas que no se vean maduras, blandas, cortadas o mohosas.

PARA ALMACENARLAS:

Guarde las cerezas en un recipiente tapado, y no espere muchos días hasta comerlas (ya sabemos que no es necesario decírselo: en la casa de Colleen, las lavan y se las comen mientras guardan el resto de las compras).

COMA CEREZAS

Estas son algunas ideas para divertirse con cerezas.

◆ **Agréguelas a los panecillos.** Sustituya las pasas por cerezas liofilizadas en una receta de panecillos o pan rápido.

◆ **Bébalas.** Compre jugo natural de cereza ácida en la tienda de comida saludable local o por Internet. Bébalo sin agregarle nada o mézclelo con otros jugos de frutas. Por ejemplo, prepare su propia mezcla de naranja y cerezas, uvas y cerezas o arándanos rojos y cerezas. O reemplace el agua por jugo de cereza en la próxima taza de chocolate caliente.

◆ **Hágalas girar.** En la licuadora, agregue cerezas congeladas o enlatadas y un banano maduro con un poco de leche descremada y unos cuantos cubos de hielo para preparar una bebida helada de cereza.

Wrap de Cerdo y Cereza

8 tortillas de harina
3 tazas de cerezas oscuras dulces sin carozo
2 cucharadas de albahaca fresca picada
2 cucharaditas de jengibre fresco rallado
½ cucharadita de ajo en polvo
½ cucharadita de pimienta de cayena molida
¼ cucharadita de sal
⅛ cucharadita de pimienta negra recién molida
1 cucharada de aceite de canola
12 onzas de solomillo de cerdo magro sin hueso cortado en tiras de 2 x 2 x 4 pulgadas
2 tazas de arroz integral cocido
2 tazas de lechuga romana cortada en juliana

Caliente el horno a 350 °F. Envuelva las tortillas bien apretadas en papel aluminio y caliéntelas en el horno de 10 a 15 minutos. Mientras tanto, en un procesador de alimentos, pique 2 tazas de cerezas en trozos grandes. Agregue la albahaca, el jengibre, el ajo en polvo, la pimienta negra y la de cayena. Reserve.

Caliente el aceite en una sartén pesada. Agregue el cerdo y la taza de cerezas restante. Saltee hasta que el cerdo se haya cocido bien (unos 5 minutos). Añada el arroz cocido y deje que todo se caliente de manera uniforme. Cubra cada tortilla caliente con ¼ taza de la mezcla de cerdo y arroz, una cucharada de salsa de cereza y ¼ taza de lechuga. Doble los lados de cada tortilla y enróllelas.

Porciones: ocho.

Datos nutricionales por porción: calorías, 404; proteínas, 18 g; carbohidratos, 61 g; fibra, 5 g; grasas, 10 g; grasas saturadas, 2 g; colesterol, 28 mg; sodio, 438 mg; folato, 29% del valor diario; vitamina B3 (niacina), 54%; manganeso 52%.

Chile:

El Sabor que Cura el Moqueo

EFICAZ CONTRA:
- **las enfermedades cardíacas**
- **la nariz congestionada**
- **las úlceras**

REFUERZA:
- **el estado de ánimo**
- **el manejo del dolor**

Aprender a comer chiles es muy parecido a aprender a beber alcohol. Cuando prueba las bebidas alcohólicas por primera vez, queda desconcertado por la dificultad para respirar. Pero con la experiencia, distingue los diferentes sabores de los vinos blancos y tintos, la cerveza y el whisky. Ocurre lo mismo con los chiles.

Cada tipo ostenta un sabor único. Algunos tienen un sabor frutal suave con tonos de café, regaliz, ciruela seca y pasas. Y cada variedad cuenta con su propia potencia. Los chiles más grandes son bastante suaves. ¡Son los chiles más pequeños los que le volarán la cabeza!

Pero no se asuste. Cuando come chiles habitualmente, desarrolla una tolerancia al picor. Algunos afirman que uno se vuelve "adicto" a ellos. ¿Quiere saber por qué?

RESUMEN DE INFORMACIÓN NUTRICIONAL

Chile rojo (1 unidad)

Calorías: 18

Grasas: 0 g

Grasas saturadas: 0 g

Colesterol: 0 mg

Sodio: 0 mg

Carbohidratos totales: 4 g

Fibra dietética: 1 g

Proteínas: 1 g

Vitamina A: 97% del valor diario

Vitamina C: 121%

Calcio: 1%

Hierro: 3%

SOLUCIONES PARA COMPRAR Y PREPARAR

Hay chiles frescos, secos, congelados, enlatados y en polvo.

CUANDO ELIJA CHILES FRESCOS:

■ Compre chiles firmes y con colores brillantes.

■ Evite los golpeados o con señales de descomposición.

Advertencia: ¡no se toque los ojos ni la nariz después de manipular chiles frescos! Sin importar el nivel de tolerancia de sus papilas gustativas, las membranas mucosas nunca se acostumbran a la capsaicina.

¿Busca un chile suave? Los chiles banano, cereza y los jalapeños se venden cortados o enteros en frascos. No se arrepentirá. Y en la sección de especias, encontrará la paprika, el chile rojo machacado y la pimienta de cayena molida. Deben ser de un color rojo profundo y algo grumosos (por sus aceites frescos y naturales), y no deben estar polvorientos ni secos.

ENCIENDA EL FUEGO

Estas son algunas formas rápidas de darle emoción a su vida con chiles (si el fuego es demasiado intenso, tenga a la mano leche, yogur o helado de yogur para apagar las llamas).

◆ **Al estilo italiano.** Rocíe en la pizza chile rojo machacado y algunas semillas de anís para imitar el sabor de la salchicha italiana, sin grasas. Y agregue pepperoncini a la ensalada.

◆ **Al estilo mexicano.** Anime una lata de chile vegetariano con una pizca de pimienta de cayena molida, cebollas picadas y un poco de cilantro.

◆ **Al estilo tailandés.** Cubra el filete miñón finamente cortado y frío con una mezcla de ajo, jengibre, salsa de pescado y salsa de soya. Agregue cebolla morada en rodajas, jalapeños y un poco de jugo de lima. Sirva sobre una base de lechuga *butterhead*.

◆ **Al estilo húngaro.** Añada chiles cereza húngaros (dulces y suaves, por lo general) a la próxima bandeja de pepinillos y aceitunas.

SIÉNTASE MEJOR MÁS RÁPIDO

Las nervaduras y las semillas de los chiles están llenas de capsaicina, sustancia química que produce calor y posee abundantes beneficios. Mientras el cuerpo siente calor, el cerebro se relaja con un flujo de endorfinas, un analgésico natural que mejora el humor y le hace volar alto, con una sensación de bienestar (algo así como "drogarse con alimentos"). El plato tailandés Fideos Borrachos no contiene alcohol, pero contiene suficiente picante (de los chiles) como para sentirse mareado.

CALIDEZ PARA EL CORAZÓN

La capsaicina también es un antioxidante que disminuye el colesterol malo (lipoproteína de baja densidad, LDL) y reduce la pegajosidad de las plaquetas para que no se coagulen y causen un ataque al corazón o infarto. Y cada chile contiene también otros ingredientes saludables para el corazón. Un chile fresco aporta el 126% de la vitamina C y el 95% de la vitamina A que necesita a diario, y así crea un eficaz equipo de antioxidantes que combate el daño celular que lo predispone a enfermedades cardíacas, al cáncer y al envejecimiento prematuro.

La capsaicina es estable al calor, es decir, si no desea preparar chiles frescos, puede obtener los mismos beneficios de los secos o molidos.

Una noticia para divertirse: durante años, parte del tratamiento de las úlceras estomacales consistía en evitar alimentos picantes y condimentados. Ahora se investiga a los chiles como tratamiento para las úlceras por su capacidad de combatir bacterias.

Alivio Rápido Para:

Nariz Congestionada

¿El resfriado no lo deja respirar bien? Prepare sopa de pollo (puede ser de lata) y agréguele ajo fresco y bastante pimienta de cayena molida. Inhale los vapores mientras toma la sopa. Respirará normalmente en un abrir y cerrar de ojos. Pero tenga pañuelos cerca: ¡la nariz goteará libremente!

Ensalada de Melón y Camarones con Chile

¼ taza de aceite de oliva
1 cucharada de chile de cayena en polvo
½ cucharadita de sal
2 dientes de ajo picados o machacados
¼ taza de cilantro fresco picado
12 camarones bastante grandes con cabeza y cola
Ralladura de la cáscara de 1 lima
El jugo de 1 lima
1 taza de yogur descremado de vainilla
2 tazas de sandía en cubos
2 tazas de lechuga morada cortada en juliana lavada y seca

En un tazón mediano, mezcle el aceite, el chile en polvo, la sal, el ajo y el cilantro. Agregue los camarones, cubra y deje marinar en el refrigerador hasta el día siguiente. Cuando esté listo para comerla, caliente la parrilla. Saque los camarones del tazón y guarde la marinada. Ase los camarones a fuego alto de 3 a 5 minutos (según el tamaño). No los cocine demasiado. Deje que se enfríen a temperatura ambiente y pélelos. Hierva la marinada durante 5 minutos para matar las bacterias que los camarones crudos hayan dejado; así podrá utilizar la marinada como aderezo para ensaladas. Deje que se enfríe. En un tazón mediano, mezcle la ralladura y el jugo de lima con el yogur. Agregue la sandía y refrigere durante 30 minutos.

Para preparar la ensalada, mezcle la lechuga con 2 cucharadas de marinada fría y colóquela en dos platos de ensalada. Cubra cada uno con la mitad de la mezcla de sandía y la mitad de los camarones.

Porciones: dos.

Datos nutricionales por porción: calorías, 303; proteínas, 13 g; carbohidratos, 30 g; fibra, 4 g; grasas, 15 g; grasas saturadas, 2 g; colesterol, 67 mg; sodio, 747 mg; vitamina A, 48% del valor diario; vitamina B6, 16%; vitamina C, 33%; vitamina E, 14%; calcio, 24%; hierro, 10%.

Chocolate:

Una Variedad de Beneficios en Paquete de Regalo

EFICAZ CONTRA:
- las enfermedades cardíacas

REFUERZA:
- la longevidad
- el estado de ánimo

Cuando un grupo de dietistas certificados, investigadores en nutrición y escritores de temas de salud se sientan a cenar, la escena es lo que se esperaría. Todos quieren el aderezo para ensalada aparte. Nadie toca el salero. Todos llenan los platos con más brócoli del que la mayoría come en una semana.

Pero cuando ya comieron el plato principal, ocurre algo sorprendente: susurran sobre el postre y esperan que sea de chocolate. ¡Chocolate! No fruta, pastel de ángel o gelatina sin azúcar: cho-co-la-te.

Tanto los hombres como las mujeres (pero en su mayoría, las mujeres) que se saben de memoria las calorías, las grasas y los nutrientes de prácticamente cualquier alimento quieren chocolate.

¿Cuál es el punto para tener en cuenta? Si los nutricionistas no le temen al chocolate, no se sienta culpable por comerse un *Russell Stover*, disfrutar un *Dove* o desear un *Godiva*. Estudios recientes sugieren que el chocolate incluso podría ser saludable. No son fantasías. ¡Es en serio!

SALUD POR EL CHOCOLATE

Seguramente ha escuchado hablar sobre algunas frutas, como las fresas, que son excelentes fuentes de antioxidantes (compuestos que combaten el cáncer y las enfermedades cardíacas). Cinco fresas ofrecen unas 2,400 unidades antioxidantes.

Pues bien, ¡el chocolate ofrece más! El chocolate oscuro contiene 5,700 unidades antioxidantes en 1½ onza (una barra de chocolate estándar) y el chocolate de leche contiene casi 3,000.

"En una onza, el chocolate oscuro tiene 10 veces más antioxidantes que las fresas", destaca la Dra. Penny Kris-Etherton, R.D., profesora distinguida de nutrición de la Universidad Estatal de Pensilvania en State College. "Pero cuando observa las porciones, es más del doble".

¿Qué ofrecen estos antioxidantes? Nos ayudan a vivir más. Un estudio que realizó la Universidad de Harvard en casi 8,000 hombres determinó que quienes comían chocolate y otro dulce, independientemente de la cantidad, vivían un año más que quienes no se daban esos gustos.

La investigación de la Dra. Kris-Etherton sugiere que el tipo de grasas saturadas de la mantequilla de cacao, llamado ácido esteárico, no eleva el nivel de colesterol malo (lipoproteína de baja densidad, LDL). La doctora les dio a los hombres 1 1/3 onza de cacao en polvo (agregado en leche o pudín) y 2 cucharadas de chispas de chocolate. Como se preveía, los niveles de colesterol malo no variaron. Pero subieron los niveles de colesterol bueno (lipoproteína de alta densidad, HDL).

"Solíamos pensar que todas las grasas saturadas eran malas para el corazón", comenta. "Pero ahora sabemos que algunos tipos de grasas saturadas (como las del chocolate) tienen efectos neutros o beneficiosos".

Se han hecho investigaciones en laboratorio que han demostrado que el chocolate evita que el colesterol malo pase por un proceso que lo hace más dañino para el corazón. Los estudios con animales sugieren

Alivio Rápido Para:

Intolerancia a la Lactosa

Si tiene problemas para digerir la leche, unas cucharaditas de cacao pueden ayudar, según un estudio de la Universidad de Rhode Island en Kingston. ¿Cómo? El cacao estimula una enzima que descompone la lactosa, el compuesto de la leche que sería el responsable de la hinchazón y los gases.

RESUMEN DE INFORMACIÓN NUTRICIONAL

Chocolate oscuro *Dove Promises* (1 bombón)

Calorías: 31

Grasas: 2 g

Grasas saturadas: 1 g

Colesterol: 0 mg

Sodio: 5 mg

Carbohidratos totales: 4 g

Fibra dietética: 0 g

Proteínas: 0 g

que un antioxidante del cacao en polvo detiene el crecimiento de los tumores de la piel. Y desde hace mucho tiempo, los científicos saben que el chocolate contiene una sustancia química que mejora el estado de ánimo.

UN *KISS* PUEDE MEJORAR LAS COSAS

Si evaluamos todas las buenas noticias sobre el chocolate, ¿cada cuánto hay que comerlo? Nadie lo sabe con seguridad, pero el estudio de Harvard indicó que quienes comían dulces con moderación (de una a tres barras de chocolate al mes) obtenían los mejores resultados: reducían el riesgo de muerte en un 36% en comparación con quienes no comían chocolate.

"Las porciones son importantes", explica la Dra. Judith Stern, R.D., investigadora en nutrición de la Universidad de California en Davis. "Puede comer una barra de chocolate un par de veces al mes o un bombón por día". ¿Qué eligió la doctora? Adivinó: el bombón.

Los investigadores piensan que son mejores las barras de chocolate sólido o las que tienen fruta seca, en lugar de las que tienen rellenos cremosos que suman calorías con muy pocos antioxidantes. Tenga cuidado con los postres de chocolate como pasteles, galletas y helado. Aunque obtenga los beneficios del chocolate, vienen con muchas calorías y otros ingredientes peligrosos para el corazón.

En resumen: confórmese con un *Kiss*.

SOLUCIONES PARA COMPRAR Y PREPARAR

¡Comprar chocolate es casi siempre divertido! Compre chocolate de mantequilla de cacao y no de aceite de semillas de palma. La mantequilla de cacao no eleva el nivel de colesterol, comenta la Dra. Margo Denke, profesora de medicina interna en el University of Texas Southwestern Medical Center de Dallas y una de las primeras investigadoras en divulgar los beneficios del chocolate. Deje que sus papilas gustativas decidan el resto.

La Dra. Denke prefiere un maravilloso bombón de chocolate antes que una barra de sabor regular. Esto también se aplica a las chispas de chocolate. Cuanto más sabor tengan, menos necesitará para sentirse satisfecho.

CHOCOLATE POR LA MAÑANA, AL MEDIODÍA Y POR LA NOCHE

Ya es un profesional usando chocolate en los postres, por ello imaginamos que le gustarán estas opciones más saludables.

◆ **Como salsa.** Para hacer un postre fácil, derrita chispas de chocolate en el microondas en la potencia media, revolviendo una o dos veces. Sumerja los extremos de fresas, gajos de naranja, anillos de piña o ciruelas pasas en el chocolate derretido.

◆ **Endulce las manzanas.** Saque el centro de una manzana y córtela en rodajas. Cubra las rodajas con una delgada capa de mantequilla de maní y luego agregue unas cuantas chispas de chocolate. Es un bocadillo irresistible.

◆ **Con cereal.** ¿Le encantan los cereales para niños cargados de azúcar? Guardaremos el secreto, pero a cambio, tiene que probar esto. ¿Trato hecho? Prepare un tazón de cereal rico en fibra y reducido en calorías, con la leche semidescremada agregue una cucharada de minichispas de chocolate y una cucharada de minimalvaviscos.

◆ **Estilice el sorbete.** Reemplace el helado por un sorbete o un helado de yogur semidescremado y rocíelo con jarabe de chocolate. El favorito de Karen: sorbete de frambuesa con una cucharada de salsa de chocolate y bayas frescas.

Granizada de Chocolate y Cerezas

Una alternativa veraniega para el chocolate caliente es esta fácil bebida con mucho calcio.

2 tazas de leche chocolatada semidescremada
2 cucharadas de café expreso instantáneo en polvo
3 cucharadas de cacao sin azúcar
¼ taza de azúcar
¾ cucharadita de extracto de almendra
2 tazas de cubos de hielo
¼ taza de crema batida semidescremada

En una licuadora, mezcle la leche, el café, el cacao, el azúcar y el extracto de almendras hasta que el azúcar se disuelva. Agregue los cubos de hielo y licúe hasta integrar. Vierta la preparación en cuatro vasos. Decore cada porción con 1 cucharada de crema batida.

Porciones: cuatro.

Datos nutricionales por porción: calorías, 153; proteínas, 5 g; carbohidratos, 29 g; fibra, 3 g; grasas, 3 g; grasas saturadas, 2 g; colesterol, 4 mg; sodio, 78 mg; calcio, 15% del valor diario; hierro, 6%.

Ciruela Pasa:

Simplemente Deliciosa

EFICAZ CONTRA:
- el cáncer
- las enfermedades cardíacas
- el colesterol alto

REFUERZA:
- la energía
- el estado de ánimo
- la regularidad

No hay duda alguna: las ciruelas son el patito feo de la familia de las frutas deshidratadas. Para mejorar la imagen de las ciruelas pasas, la Administración de Medicamentos y Alimentos (FDA, por su sigla en inglés) recientemente acordó que el nombre podía cambiarse a "ciruelas secas". Pero en palabras de Shakespeare: ¿Cuál es el problema con el nombre? El interior es lo que cuenta, y ahí, las ciruelas pasas son preciosas.

PEQUEÑOS PAQUETES DE ANTIOXIDANTES

Por onza, las ciruelas pasas contienen más del doble de antioxidantes que las pasas de uva, de acuerdo con un reciente estudio de la Universidad Tufts en Boston (¡y las pasas de uva son grandiosas!). Los antioxidantes son compuestos valiosos, porque ayudan a combatir el cáncer y las enfermedades cardíacas.

Estudios adicionales en la Universidad de California en Davis sugieren que un antioxi-

Alivio Rápido Para:

Melancolía

¿Se siente triste? Beba un vaso de jugo de ciruela. Es rico en vitamina B6, la cual podría mejorar el estado de ánimo de algunas personas.

SOLUCIONES PARA COMPRAR Y PREPARAR

Cuando elija ciruelas pasas, hay algo nuevo a tener en cuenta: ahora se les llama "ciruelas secas". A pesar del nuevo nombre, lo que debe buscar sigue siendo lo mismo.

CUANDO ELIJA CIRUELAS PASAS:

■ Busque los paquetes bien sellados. Si están bien protegidas, las ciruelas estarán hidratadas y limpias.

■ Si a su dieta le hace falta un poco de hierro, las vitaminas del complejo B y la vitamina E, compre ciruelas pasas *Mariani Prunes Plus*, que ofrecen el 20% del valor diario de cada uno de estos nutrientes.

■ ¿Su presupuesto es bajo? Cómprelas con semillas y saque las semillas usted mismo con un cuchillo pequeño.

PARA ALMACENARLAS:

Una vez que abra el paquete, ciérrelo bien y guárdelo en el refrigerador, o pase las ciruelas a un recipiente hermético y guárdelas en un lugar fresco y seco. Durarán hasta 6 meses.

CIRUELAS PASAS PERFECTAS

Vea todas las formas en las que puede reanimar las comidas con ciruelas pasas:

◆ **Úntelas.** Agregue ciruelas pasas sin semilla y picadas a la mantequilla de maní para aumentar la fibra.

◆ **Anime al cerdo.** Saltee ciruelas pasas sin semilla con peras y cebolla morada. Sirva esta curiosa combinación como acompañamiento de la carne de cerdo.

◆ **Escriba finales felices.** Deje en remojo ciruelas pasas sin semilla en jugo de naranja durante la noche. Sírvalas sobre un sorbete o helado de yogur reducido en grasas si desea comer un postre saludable.

◆ **En la masa.** Avive los manjares horneados con un puré de ciruelas pasas ya preparado. Use la mitad del aceite o mantequilla que indica la receta. Reemplace la mitad de la cantidad eliminada con puré de ciruelas pasas.

dante específico de las ciruelas pasas, llamado ácido neoclorogénico, protege al cuerpo por medio del control del colesterol malo (lipoproteína de baja densidad, LDL). Evita que el colesterol LDL pase por un proceso que, con el tiempo, causa que las arterias se tapen. En una prueba, por ejemplo, hombres con un nivel de colesterol ligeramente alto que comieron más o menos una docena de ciruelas pasas al día redujeron significativamente los niveles de colesterol malo.

COMBATIENTES DEL ESTREÑIMIENTO

Aparte de los antioxidantes, las ciruelas pasas tienen buena fama (o mala) por algo con lo que probablemente esté familiarizado: el efecto laxante. Los investigadores todavía no están seguros de por qué las ciruelas pasas pueden aliviar el estreñimiento, pero sospechan que es la combinación inusual de fibra insoluble y azúcar sorbitol, cada uno de los cuales hace que aumente el volumen de las heces.

Mientras que la mayoría de las frutas contiene muy poco sorbitol, las ciruelas pasas contienen aproximadamente un 15% de sorbitol. Comer unas cinco ciruelas pasas o beber una taza del jugo puede aliviar el estreñimiento, aunque la fruta probablemente funcione un poco mejor que el jugo porque contiene más fibra.

Pero el jugo de ciruela pasa tiene una ventaja sobre la fruta: una taza aporta aproximadamente el 17% del hierro cargado de energía que necesita para el día. Cinco ciruelas pasas aportan cerca del 4%.

Si prefiere beber jugo en lugar de comer fruta deshidratada, compre las marcas que no tienen azúcar adicionada, para evitar subir de peso. Una taza de jugo de ciruela pasa sin azúcar tiene 70 calorías más que la misma cantidad de jugo de naranja.

RESUMEN DE INFORMACIÓN NUTRICIONAL

Ciruelas Pasas (aproximadamente 5 unidades)

Calorías: 109

Grasas: 0 g

Grasas saturadas: 0 g

Colesterol: 0 mg

Sodio: 5 mg

Carbohidratos totales: 26 g

Fibra dietética: 2 g

Proteínas: 1 g

Vitamina A: 17% del valor diario

Hierro: 4%

Ensalada de Pollo Oriental

Las ciruelas pasas son el ingrediente perfecto para esta ensalada sensacio-
nal que crearon las personas de la Junta de Ciruelas Pasas de California.

⅓ taza de vinagre de arroz
¼ taza de salsa de soya reducida en sodio
2 cucharadas de azúcar
2 cucharadas de cilantro fresco picado
1 cucharada de jengibre fresco picado
1 diente de ajo picado
½ cucharadita de aceite de ajonjolí
½ cucharadita de chile rojo machacado
4 mitades de pechugas de pollo deshuesadas y sin piel (3 onzas cada una)
2 tazas de floretes de brócoli
2 zanahorias cortadas en palitos de 1 ½ pulgada de largo
1 pimiento rojo cortado en palitos de 1 ½ pulgada de largo
1 taza (6 onzas) de ciruelas pasas sin semilla cortadas en mitades
3 cebollas verdes picadas
4 hojas de lechuga

En un tazón mediano, bata el vinagre, la salsa de soya, el azúcar, el cilantro, el jengibre, el ajo, el aceite y el chile. Pase ¼ taza del aderezo a una
bandeja para hornear de 8 x 8 pulgadas. Coloque el pollo en la bandeja.
Delo vuelta para cubrir ambos lados. Marine por 30 minutos. Coloque en
el tazón con el aderezo, el brócoli, las zanahorias, el pimiento, las ciruelas
y las cebollas. Revuelva hasta que todo quede bien cubierto: deje reposar
por 30 minutos.

Caliente la parrilla o el asador. Cocine el pollo cubriéndolo con la marinada por unos 10 minutos, o hasta que los jugos de la carne salgan transparentes. Voltéelo una vez. Corte cada pechuga en porciones de ¼ pulgada
perpendicular a la fibra. Coloque 1 hoja de lechuga en cada uno de los
cuatro platos. Agregue un cuarto de la mezcla de vegetales. Coloque en
cada plato, 1 porción de la pechuga de pollo apoyándola en los vegetales.

Porciones: cuatro.

Datos nutricionales por porción: calorías, 293; proteínas, 25 g; carbohidratos, 46 g;
fibra, 7 g; grasas, 2 g; grasas saturadas, 0 g; colesterol, 49 mg; sodio, 590 mg; calcio,
8% del valor diario; hierro, 21%.

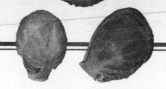

Col de Bruselas:
Una Idea Capital

EFICAZ CONTRA:
- los defectos de nacimiento
- el cáncer
- las enfermedades cardíacas
- los accidentes cerebrovasculares

REFUERZA:
- los huesos
- la función inmunológica

Es un mito popular que las coles de Bruselas tienen mal sabor. Sazónelas con un poco de aceite o mantequilla y miga de pan, y disfrútelas. Probablemente muchos de ustedes no compartan nuestro entusiasmo. Pero si alguna vez hubo un vegetal difamado, esa es la col de Bruselas. Es una pena, porque ofrece abundante protección contra enfermedades muy importantes, entre ellas, el cáncer, la osteoporosis y las afecciones cardíacas.

PROTECCIÓN DEL ADN

Considere las coles de Bruselas como guardias de seguridad que protegen al ADN del cáncer. Cuando las personas que participaron en un estudio consumieron 10½ onzas de coles de Bruselas al día por tres semanas (no fue una tortura), observaron una caída del 28% en el daño al ADN, según lo medido por un compuesto de la orina de los participantes.

RESUMEN DE INFORMACIÓN NUTRICIONAL

Coles de Bruselas cocidas (½ taza)

Calorías: 30

Grasas: 0 g

Grasas saturadas: 0 g

Colesterol: 0 mg

Sodio: 16 mg

Carbohidratos totales: 7 g

Fibra dietética: 4 g

Proteínas: 2 g

Folato: 12% del valor diario

Vitamina A: 11%

Vitamina C: 80%

Hierro: 5%

SOLUCIONES PARA COMPRAR Y PREPARAR

Encontrará coles de Bruselas en el supermercado todo el año, aunque son más abundantes en noviembre y diciembre. Si nunca ha comprado coles de Bruselas, no se preocupe, es muy fácil seleccionarlas.

CUANDO ELIJA COLES DE BRUSELAS:

■ Examine el color y la textura. Las coles firmes y de color verde brillante son las mejores.

■ Evite las amarillas, marchitas o blandas.

■ Elija las coles que se venden sueltas y no las que vienen empacadas, para seleccionar coles del mismo tamaño. Se cocinarán de manera más uniforme.

PARA ALMACENARLAS:

Coloque las coles de Bruselas en una bolsa plástica en el refrigerador de inmediato. Se mantendrán frescas de tres a cinco días. A temperatura ambiente, se pondrán amarillas rápido.

CUANDO ESTÉ LISTO PARA USARLAS:

■ Coloque las coles en una olla con agua tibia por unos 10 minutos para asegurarse de que no haya insectos escondidos en las hojas.

■ Corte los extremos del tallo; pero no a ras con la parte inferior, o las hojas exteriores se caerán cuando las cocine.

■ Use un cuchillo filoso para cortar una X poco profunda en la base para que el centro se cocine igual de rápido que las hojas.

CLASES DE GASTRONOMÍA

Puede cocerlas al vapor, hervirlas o cocinarlas en el microondas: con cualquier método, la cocción toma entre 6 y 10 minutos. Déjelas ligeramente firmes, como la pasta *al dente*. Para probar si ya están listas, pinche las bases con la punta de un cuchillo. Las coles están listas cuando las bases están ligeramente blandas.

Luego profundizaron un poco más y examinaron el efecto de las coles en las enzimas que combaten el cáncer en el área colorrectal. Resultado: las coles aumentaron los niveles de estas enzimas, lo que indica que podrían prevenir el cáncer de colon.

Otros estudios sugieren que las coles de Bruselas también podrían prevenir el cáncer de vejiga y de próstata.

▶ Los investigadores de la Universidad de Harvard estudiaron a cerca de 48,000 hombres y determinaron que quienes consumieron cinco porciones de crucíferas a la semana (es decir, coles de Bruselas, brócoli, repollo y coliflor) redujeron a la mitad las probabilidades de desarrollar cáncer de vejiga en comparación con quienes comieron solo una porción o menos a la semana. El resultado no se vio afectado por los otros vegetales que comieron los hombres, en general.

▶ En el Centro de Investigación del Cáncer Fred Hutchinson de Seattle, los investigadores demostraron que los hombres que consumieron tres o más porciones diarias de vegetales (especialmente crucíferas) redujeron casi a la mitad el riesgo de desarrollar cáncer de próstata.

COLES DE BRUSELAS PARA LOS HUESOS

Si se siente afuera de esta charla sobre cáncer en hombres, esto va para usted: las coles de Bruselas protegen a las mujeres de la osteoporosis, una enfermedad ósea que afecta tres veces más a las mujeres que a los hombres.

Alivio Rápido Para:

Riesgo de Ataque al Corazón

Si su médico le dice que tiene un alto riesgo de sufrir un ataque al corazón (o si tiene hipertensión, lo cual aumenta sus probabilidades), empiece a incorporar crucíferas, incluidas las coles de Bruselas. Un estudio reciente demostró que comer, al menos, cinco porciones de frutas y vegetales al día, especialmente frutas cítricas y miembros de la familia del repollo (incluidas, sí, las coles de Bruselas), reduce las probabilidades de sufrir un ataque al corazón aproximadamente en un 30%.

Pero las coles de Bruselas no la ayudan como usted se imagina: no aportan calcio, ofrecen vitamina K.

Un estudio de la Universidad de Harvard sugiere que las mujeres que consumen, al menos, 109 microgramos de vitamina K al día (menos de una porción de 3 onzas de coles de Bruselas) reducen las probabilidades de fracturarse la cadera en un 30%.

ASISTENTE DEL CORAZÓN

Las coles de Bruselas también aportan otras vitaminas esenciales. Media taza de coles de Bruselas cocidas contiene casi toda la vitamina C (excelente para el corazón y el sistema inmunológico) que necesita diariamente y aproximadamente el 12% del requerimiento diario de folato (otro ayudante del corazón que también es esencial para prevenir defectos de nacimiento).

¡Así que coma coles de Bruselas!

Coles de Bruselas al Horno

Sirva este delicioso acompañamiento con pollo, carne de res magra o pescado.

1 libra de coles de Bruselas
2 cucharadas de aceite de oliva
¼ taza de migas de pan
2 cucharadas de queso parmesano rallado
2 cucharadas de piñones (pignoli) tostados

Caliente el horno a 350 °F. Prepare las coles de Bruselas para cocinarlas como se indica en "Soluciones para Comprar y Preparar" en la página 146. En una sartén grande, hierva las coles hasta que estén blandas. Escúrralas y mézclelas con 1 cucharada del aceite. Páselas a un molde para horno. En un tazón pequeño, combine la miga de pan, el queso, los piñones y la otra cucharada de aceite. Vierta la mezcla sobre las coles. Hornee de 5 a 7 minutos o hasta que la miga de pan se dore ligeramente.

Porciones: cuatro.

Datos nutricionales por porción: calorías, 156; proteínas, 6 g; carbohidratos, 15 g; fibra, 6 g; grasas, 9 g; grasas saturadas, 2 g; colesterol, 2 mg; sodio, 140 mg; calcio, 11%; hierro, 12%.

Col Rizada:

Sus Ojos Verán la Gloria

EFICAZ CONTRA:
- las alergias
- el cáncer
- las enfermedades cardíacas
- la degeneración macular relacionada con la edad

REFUERZA:
- los huesos
- la vista

Alivio Rápido Para:

Estornudos y Dificultad para Respirar

Cuando comiencen las alergias por el polen transportado por el aire, coma un poco de col rizada. Contiene abundante quercetina (antihistamínico natural) y no cuesta tanto como los antihistamínicos de venta en farmacias.

L a col rizada es la verdura favorita de Colleen (una predilección que heredó de su mamá) y que Colleen, a su vez, le transmitió a su hija Bobbi. Colleen siempre se sorprende cuando el cajero de la tienda de comestibles le pregunta "¿Qué es esto?".

Bueno, a menos que sea del Deep South, es probable que usted no lo sepa. Porque la col rizada es la mejor opción cuando se trata de proporcionar carotenoides, que son sustancias que protegen los ojos contra las cataratas y la degeneración macular por la edad (ARMD). La ARMD es la principal causa de ceguera en los estadounidenses mayores.

PROTECTOR DE LA VISTA

Los ojos pueden ser las ventanas del alma, pero también son importantes para ver la luz. Desafortunadamente, ver la luz tiene sus desventajas. El solo acto de "ver" produce peligroso oxígeno con radicales libres sin aparear. Mientras buscan un oxígeno compañero, estos radicales libres pueden dañar la mácula del ojo.

La mácula (pequeño punto en el centro de la retina) es vital para ver hacia delante. Está cargada con los pigmentos antioxidantes luteína y zeaxantina, que limpian los radicales libres antes de que dañen la vista.

Estudios anteriores sugieren que comer alimentos como la col rizada y la espinaca, que tienen alto contenido de estos carotenoides, vuelve más densos los pigmentos maculares, proporcionando protección contra la ARMD, la cual, afortunadamente, tarda décadas en desarrollarse. Así que empiece ahora a encariñarse con la col rizada.

Pero tápese la nariz cuando cocine col rizada y encienda el ventilador del escape antes de que la olla empiece a hervir. De lo contrario, su olor similar al del repollo puede apagar el entusiasmo por esta poderosa verdura dulce y tierna.

RESUMEN DE INFORMACIÓN NUTRICIONAL
Col rizada cocida (½ taza)
Calorías: 17
Grasas: 0 g
Grasas saturadas: 0 g
Colesterol: 0 mg
Sodio: 15 mg
Carbohidratos totales: 4 g
Fibra dietética: 1 g
Proteínas: 1 g
Vitamina A: 120% del valor diario
Vitamina C: 44%
Vitamina K: 400%
Calcio: 5%
Hierro: 4%

COMBATIENTE DEL CÁNCER

Se ha sabido desde hace mucho tiempo que las verduras crucíferas (de la familia del repollo) reducen el riesgo de padecer cáncer; y recién ahora los científicos entienden un poco el "porqué". La col rizada tiene gran cantidad de fitoquímicos, elementos naturales de las plantas que combaten enfermedades e infecciones.

ASISTENTE DEL CORAZÓN

A pesar de todo el progreso que se ha hecho para reducir las muertes por enfermedades cardíacas, continúa siendo la causa número uno de muerte de mujeres y hombres en los Estados Unidos. El gran problema surge del exceso de colesterol en la sangre. Se adhiere a las paredes de las arterias y bloquea la circulación de la sangre.

SOLUCIONES PARA COMPRAR Y PREPARAR

Puede comprar col rizada congelada en bloques o suelta en bolsas, pero definitivamente es mejor fresca.

CUANDO ELIJA COL RIZADA FRESCA:

■ Busque hojas pequeñas y muy rizadas que sean de una tonalidad verde entre intermedia y oscura. Serán mucho más tiernas y suaves que las hojas grandes, duras y correosas.

■ Evite las hojas que luzcan mohosas o tengan manchas amarillentas.

PARA ALMACENARLA:

Enjuáguela, sacúdala para quitar el exceso de agua, envuélvala en toallas de papel, y luego guárdela en una bolsa plástica una parte del refrigerador que sea fría y oscura, para proteger sus frágiles vitaminas. Cocine la col rizada en un plazo de tres a cuatro días, porque puede volverse amarga si se guarda por más tiempo.

NUEVAS FORMAS DE COCINAR COL RIZADA

Puede reemplazar la col rizada por espinaca siempre que lo desee. O pruebe esto:

◆ **Como base.** Use col rizada, por ejemplo, como base para el pollo a la parrilla con salsa de mango.

◆ **Sopa para la cena.** Mezcle los restos de col rizada cocida y fría con sopa de frijoles, lentejas o verduras.

◆ **Al estilo italiano.** Desmenuce la col rizada y agréguela a la lasaña horneada.

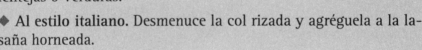

Pero el colesterol no puede fijarse, a menos que se combine con el peligroso oxígeno con radicales libres que se forma en un proceso llamado oxidación, y es aquí donde la col rizada sale al rescate. En pruebas de laboratorio, la col rizada desplazó a todas las demás verduras por su capacidad para impedir este proceso.

¿TIENE COL RIZADA?

Usted ya sabe que necesita leche para fortalecer los huesos pero, ¿y la col rizada? ¡Conózcala! Una investigación reciente de la Universidad Tufts en Boston sugiere que se pueden necesitar 110 microgramos de vitamina K por día para activar una proteína del hueso que se llama osteocalcina, necesaria para fortalecer los huesos. Una porción (½ taza) de col rizada cruda contiene más del doble de esa dosis, y proporciona 274 microgramos de vitamina K.

Una advertencia: si toma Coumadin (warfarina sódica) o cualquier otro medicamento para diluir la sangre, consulte a su médico antes de comer más col rizada y otras verduras de hoja verde. Su medicamento y estos alimentos podrían interactuar entre sí, porque la vitamina K que contienen estas verduras favorece la coagulación de la sangre.

La Col Rizada No Falla

El método típico sureño para cocinar la col rizada es hervirla con corvejón de jamón. El sentido común sugiere que debe eliminar el corvejón de jamón, porque la mayor parte es grasa. Pero si le gusta el sabor de la carne ahumada que agrega el jamón, puede reemplazarlo por un poco de jamón magro picado, tocino canadiense picado o un poco de condimento de ahumado líquido.

1 libra de col rizada fresca
1 taza de agua
¼ cucharadita de sal
Pimienta negra recién molida (cantidad a gusto)
2 onzas de jamón magro o tocino canadiense picado (opcional)

Retire y descarte el tallo central grueso de cada hoja de col rizada. Rasgue las hojas en trozos del tamaño de un bocado (obtendrá aproximadamente 16 tazas). Para quitar la suciedad y la arena, lave varias veces en agua tibia las hojas rasgadas hasta que el agua salga limpia. Coloque las hojas en una olla grande o en un cocedor de pasta. Agregue la taza de agua. Espolvoree la sal y la pimienta. Agregue el jamón o tocino canadiense, si lo desea. Cubra y cocine a fuego alto sólo hasta que hierva el agua. Reduzca el calor a medio-alto y cocine de 5 a 8 minutos, o hasta que la col rizada quede suave y de color verde brillante.

Sirva con un chorro de su vinagre favorito o agregue un poco de pimienta molida salteada en una cucharada de aceite de oliva.

Porciones: 12.

Datos nutricionales por porción (si usa tocino canadiense): calorías, 26; proteínas, 2 g; carbohidratos, 4 g; fibra, 1 g; grasas, 1 g; grasas saturadas, 0 g; colesterol, 0 mg; sodio, 131 mg; vitamina A, 67% del valor diario; vitamina C, 75%; calcio, 5%; hierro, 3%.

Coliflor:

Una Flor Anticáncer

EFICAZ CONTRA:
- los defectos de nacimiento
- el cáncer
- las enfermedades cardíacas
- el accidente cerebrovascular

REFUERZA:
- la función inmunológica

¿Ha notado que si hay una bandeja de vegetales en una fiesta, la coliflor pasa desapercibida? Los invitados comen el brócoli y los pimientos, e ignoran la coliflor. Le preguntamos a una amiga por qué come el brócoli pero no la coliflor. Su motivo: se supone que el brócoli es saludable, mientras que la coliflor no es especial.

Nuestra amiga tiene razón a medias. El brócoli es increíblemente eficaz para combatir enfermedades, pero la coliflor también. Ambos son crucíferas: defensores del cáncer que comparten muchas características.

EL EQUIPO MÁS VIGOROSO

Muchos vegetales contienen compuestos para combatir el cáncer con nombres difíciles de pronunciar. Pero los estudios sugieren que los compuestos de las crucíferas tienen los niveles más altos. Estos son algunos de los estudios científicos:

▶ Al estudiar el cáncer de próstata, los investigadores del Centro de Investigación del Cáncer Fred Hutchinson de Seattle determinaron que los hombres que comieron tres o más porciones de vegetales al día (especialmente crucíferas) tuvieron aproximadamente la mitad del riesgo de desarrollar cáncer de próstata que quienes no comieron vegetales.

▶ Al investigar el cáncer de vejiga, los científicos de la Universidad de Harvard no pudieron relacionar el consumo de vegetales en términos generales con una reducción en las probabilidades de desarrollar cáncer de vejiga, pero sí relacionaron las crucíferas con esa probabilidad.

▶ Los autores del estudio determinaron que los hombres no fumadores que consumieron cinco o más porciones de crucíferas a la semana tuvieron una reducción del 51% en el riesgo de desarrollar cáncer de vejiga, en comparación con quienes comieron solo una porción semanal.

▶ Nuevos resultados en la prevención del cáncer de mama demuestran que las crucíferas no solo son buenas para los hombres. Los investigadores de la Universidad de Búfalo piensan que la coliflor, el brócoli y el resto de la familia podrían reducir el riesgo de desarrollar cáncer de mama, especialmente antes de llegar a la menopausia.

Intentaremos explicar cómo estos vegetales hacen su magia para prevenir el cáncer de mama. El cuerpo puede descomponer la hormona estrógeno de diferentes formas. Si el cuerpo produce subproductos del estrógeno con poca actividad biológica, los investigadores descubrieron que el riesgo de desarrollar cáncer de mama puede reducirse en un 40%. Las crucíferas hacen que los subproductos del estrógeno sean menos activos.

PROTECTORES CONTRA ATAQUES AL CORAZÓN

Las investigaciones más recientes demuestran

RESUMEN DE INFORMACIÓN NUTRICIONAL

Coliflor cocida
(½ taza)

Calorías: 14

Grasas: 0 g

Grasas saturadas: 0 g

Colesterol: 0 mg

Sodio: 9 mg

Carbohidratos totales: 3 g

Fibra dietética: 1 g

Proteínas: 1 g

Folato: 7% del valor diario

Vitamina C: 46%

SOLUCIONES PARA COMPRAR Y PREPARAR

Puede comprar coliflor todo el año, aunque abunda en primavera y otoño.

CUANDO ELIJA COLIFLOR:

■ Compre cabezas firmes, pesadas, blancas o de color crema.

■ Busque hojas frescas y verdes.

■ Evite las cabezas con manchas café.

PARA ALMACENARLA:

Cuando lleve la coliflor a casa, guárdela en una bolsa plástica en la gaveta del refrigerador, donde se mantendrá por una semana. Lávela cuando vaya a usarla.

CREACIONES CON COLIFLOR

La coliflor sabe muy bien cruda y cocida. Para obtener más folato, le recomendamos comerla cruda, por lo menos algunas veces. Cuando cocine coliflor, exprima un poco de jugo de limón en el agua para que la coliflor retenga el color blanco.

¿ESTÁ LISTO PARA RECIBIR ALGUNAS IDEAS PARA SERVIRLA? PRUEBE ESTAS.

◆ **Con salsa.** El suave sabor de la coliflor combina muy bien con hummus, esa maravillosa pasta de garbanzos.

◆ **En puré.** Mezcle floretes de coliflor picados en el puré de papas de su familia. Con el camuflaje perfecto, los niños (grandes o pequeños) no sabrán que la coliflor está ahí.

◆ **Con pan.** Revuelva coliflor cocida en un poco de aceite de oliva, agregue migas de pan y hornee hasta que las migas estén ligeramente doradas.

◆ **En sopa.** Agregue trozos de coliflor a la sopa de tomate enlatada y cree la dupla perfecta contra el cáncer de próstata.

◆ **Como decoración.** Reemplace el pepperoni de la pizza por floretes de coliflor y brócoli.

CONSEJO PARA UN RÁPIDO ALIVIO:

Resfriados

¿Tiene un resfriado tras otro? Probablemente no esté consumiendo suficiente vitamina C. Pero no corra a comprar un suplemento, coma más alimentos ricos en este nutriente. La coliflor es rica en vitamina C.

que las crucíferas también reducen las probabilidades de sufrir un ataque al corazón. En un estudio con más de 75,000 mujeres, los investigadores concluyeron que quienes comieron más productos frescos, especialmente crucíferas, tuvieron una probabilidad un 30% menor de sufrir un ataque al corazón que quienes consumieron menos productos frescos.

APORTES DE LA COLIFLOR

Además de ser parte de una familia rica en compuestos que combaten el cáncer y los ataques al corazón, la coliflor también aporta grandes porciones de vitamina C y folato. La vitamina C protege al corazón mediante la eliminación de los radicales libres, compuestos que juegan un papel en el desarrollo de las enfermedades cardíacas. El folato también protege al corazón al reducir el nivel del aminoácido homocisteína, el cual aumenta el riesgo de sufrir problemas de corazón.

Además, una dieta rica en folato (y su versión sintética, el ácido fólico) evita que los bebés no natos desarrollen defectos de nacimiento del tubo neural, como espina bífida.

Pero no espere hasta estar embarazada para asegurarse de obtener suficiente folato. Estos defectos de nacimiento se producen en las primeras etapas del embarazo, muchas veces antes de que una mujer sepa que está embarazada. En consecuencia, los investigadores sugieren que todas las mujeres en edad fértil, independientemente de si desean quedar embarazadas o no, coman una dieta rica en esta vitamina B. Debido a que la coliflor pierde mucho folato cuando se hierve, cómala cruda a veces.

Corona de Brócoli y Coliflor

Los nutricionistas creativos del Centro Integral del Cáncer de la Universidad de Michigan en Ann Arbor compartieron esta receta justo a tiempo para una gran fiesta en la casa de Karen. La receta en una presentación festiva incluye dos eficaces alimentos que luchan contra el cáncer. Además es fácil de preparar.

½ taza de caldo de pollo reducido en grasas y en sodio
1 cucharada de perejil fresco picado
1 cucharada de cebolla verde en rodajas
1 cucharadita de albahaca seca
½ cucharadita de orégano seco
¼ cucharadita de tomillo deshidratado
2 tazas de floretes de coliflor
2 tazas de floretes de brócoli
¼ taza de pimiento rojo cortado en juliana

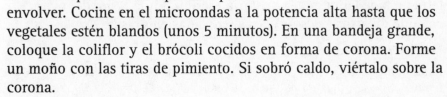

En un recipiente grande para microondas, mezcle el caldo, el perejil, la cebolla, la albahaca, el orégano y el tomillo. Agregue la coliflor y el brócoli, y cubra con una tapadera o con plástico para envolver. Cocine en el microondas a la potencia alta hasta que los vegetales estén blandos (unos 5 minutos). En una bandeja grande, coloque la coliflor y el brócoli cocidos en forma de corona. Forme un moño con las tiras de pimiento. Si sobró caldo, viértalo sobre la corona.

Porciones: cuatro.

Datos nutricionales por porción: calorías, 33; proteínas, 3 g; carbohidratos, 6 g; fibra, 3 g; grasas, 1 g; grasas saturadas, 0 g; colesterol, 1 mg; sodio, 42 mg; calcio, 4% del valor diario; hierro, 5%.

Vegetales para Cualquier Ocasión

A Karen le gusta que los platos de vegetales de sus fiestas sean el centro de atención para que los invitados se agrupen alrededor de ellos y no coman las papas fritas que sirve su esposo. ¿Cómo lo logra? Escribiendo palabras cortas con los vegetales. Por ejemplo, en la época Navideña, los coloca de modo que se lea: "Santa". Para las barbacoas, escribe: "primavera", "verano", "picnic" o "caliente". En los cumpleaños, escribe el nombre del invitado de honor. Con un poco de imaginación, las posibilidades son infinitas. Esta receta incluye suficientes vegetales para escribir una palabra de cinco letras. Puede agregar otros como rábanos o tomates uva, si necesita escribir una palabra más larga.

2 tazas de floretes de coliflor
2 tazas de floretes de brócoli
10–15 palitos de zanahorias partidas
10–15 tiras de pimiento rojo
10–15 tiras de apio
Distintas salsas reducidas en grasas

En un plato grande de colores, use cada vegetal para crear una letra de la palabra que le gustaría escribir. En la orilla del plato, coloque diversos tipos de salsas reducidas en grasas.

Porciones: ocho.

Datos nutricionales por porción: calorías, 26; proteínas, 2 g; carbohidratos, 6 g; fibra, 2 g; grasas, 0 g; grasas saturadas, 0 g; colesterol, 0 mg; sodio, 29 mg; calcio, 3% del valor diario; hierro, 4%.

Curry en Polvo:

La Especia de la Vida

EFICAZ CONTRA:
- el cáncer
- la diabetes
- la acidez
- la congestión nasal

REFUERZA:
- la digestión
- la función inmunológica

A nosotros nos encanta comer en un restaurante hindú local. ¿Para no tener que lavar los platos? No, es por el curry en polvo. Este condimento hindú, preparado con 20 especias diferentes, entre ellas canela, cilantro, nuez moscada y cúrcuma, desempeña un papel estelar en el menú de comida hindú.

EVITE EL CÁNCER

La cúrcuma, la especia que le da ese color dorado distintivo al curry, probablemente sea eficaz contra el cáncer. Estudios preliminares de la India sugieren que dos compuestos de la especia (curcumina I y II) contarían con propiedades para combatir el cáncer y mejorar el sistema inmunológico.

Hay investigadores alrededor del mundo que están intentando comprender los detalles. Esto es lo que han descubierto hasta ahora:

▶ Un estudio británico determinó que la cúrcuma inhibiría la producción de una enzima que abunda en ciertos tipos de cáncer, incluido el de intestino y el de colon.

▶ Una investigación de la Facultad de Médicos y Cirujanos de la Universidad de Columbia, en la Ciudad de Nueva York, sugiere que la cúrcuma sería eficaz contra el cáncer de próstata, también.

Manténgase informado: probablemente pronto reciba más noticias.

DESAFÍE A LA DIABETES

No queremos asustarlo, pero la diabetes tipo 2 se presenta a una edad cada vez menor. Conocemos a personas de entre 20 y 30 años que la padecen. Este tipo de diabetes puede ser el resultado de los malos hábitos: demasiada comida rica en calorías y grasas, y falta de ejercicio físico. Pero con una dieta más saludable, ejercicio regular y algunas especias podría evitar esta enfermedad o reducir su gravedad.

Cuando tiene diabetes, el cuerpo no produce suficiente insulina, la hormona encargada de llevar la glucosa a las células. La cúrcuma, junto con las hojas de laurel, la canela y los clavos de olor, regulan el nivel de insulina del cuerpo. En estudios de laboratorio, este equipo de especias triplicó la capacidad de la insulina para metabolizar la glucosa, el azúcar en sangre que nos brinda energía. Hay más investigaciones en curso, pero mientras tanto, condimente su vida con estas especias.

Alivio Rápido Para:

Acidez

Si la acidez lo está molestando, espolvoree un poco de curry en polvo en la comida. La cúrcuma, ingrediente clave del curry en polvo, estimula el flujo de los jugos digestivos, lo cual evita la acumulación de los ácidos que provocan la acidez.

RESUMEN DE INFORMACIÓN NUTRICIONAL

Curry en polvo
(1 cucharadita)

Calorías: 7

Grasas: 0 g

Grasas saturadas: 0 g

Colesterol: 0 mg

Sodio: 1 mg

Carbohidratos totales: 1 g

Fibra dietética: 1 g

Proteínas: 0 g

SOLUCIONES PARA COMPRAR Y PREPARAR

El curry en polvo tradicional contiene hasta 20 especias diferentes, así que a menos que tenga un abultado presupuesto y mucho tiempo (algo con lo que nosotros no contamos), le sugerimos que compre el condimento en lugar de preparar el propio.

Encontrará curry en polvo fácilmente en el supermercado. Casi todos los fabricantes de especias lo preparan (algunos con más éxito que otros). Recientemente el periódico Seattle Times probó varias marcas de curry en polvo y concluyó que estos dos eran los mejores.

■ *Spice Islands Curry Powder.* Descrito como de "calidad refinada y color dorado suave".

■ *Trikona Mild Curry Powder.* Descrito como de "color dorado profundo, y sabor intenso y condimentado".

Independientemente de cuál elija, guarde el curry en polvo en un lugar fresco, seco y oscuro. Si lo sella bien después de usarlo, le durará unos meses antes de que pierda intensidad.

DISFRUTE EL SABOR DEL TAJ MAHAL

Estas son algunas sugerencias estadounidenses tradicionales para usar este exótico sabor hindú.

◆ **¡Salsa!** Agregue una cucharadita o dos de curry en polvo al yogur natural semidescremado. Sirva con nachos horneados o pan pita caliente.

◆ **Avive los garbanzos.** Agregue un par de cucharaditas de curry en polvo a una lata de garbanzos lavados y escurridos. Lleve al horno a 375 °F de 12 a 15 minutos.

◆ **Mejore las palomitas de maíz.** Espolvoree curry en polvo en las palomitas de maíz preparadas en la olla o en nachos reducidos en grasas. ¡Será el condimento ideal para estos alimentos!

Arroz Pilaf al Curry

Tomamos esta receta (una fiesta para los ojos y las papilas gustativas) de la Federación de Arroz de los Estados Unidos.

1 taza de arroz blanco de grano largo crudo
⅓ taza de pasas de uva sin semilla
⅓ taza de manzana deshidratada picada
2 cucharadas de caldo de pollo granulado
2 cucharaditas de curry en polvo
1 cucharada de mantequilla
1¾ taza de agua

En un tazón grande, mezcle hasta integrar el arroz, las pasas, la manzana, el caldo y el curry en polvo. En una sartén de 2 a 3 cuartos, agregue a la mezcla de arroz la mantequilla y el agua. Deje hervir, y revuelva una o dos veces. Baje el fuego, cubra y hierva por unos 15 minutos o hasta que se haya absorbido el agua. Revuelva el arroz con un tenedor y sirva.

Porciones: seis.

Datos nutricionales por porción: calorías, 167; proteínas, 3 g; carbohidratos, 34 g; fibra, 1 g; grasas, 2 g; grasas saturadas, 1 g; colesterol, 5 mg; sodio, 22 mg; calcio, 2% del valor diario; hierro, 10%.

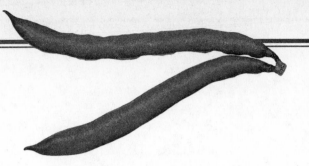

Ejote:

Salud sin Ataduras

EFICAZ CONTRA:
- el cáncer
- las enfermedades cardíacas

REFUERZA:
- el control de peso

Los ejotes siempre han formado parte de la vida de Karen. Recuerda que cuando era niña quitaba los extremos de los ejotes en la casa de sus abuelos (su abuela prepara una excelente sopa de ejotes con jamón). En la escuela secundaria, a menudo Karen cocinaba ejotes al estilo de Lyon, utilizando una receta de su maestra de francés. Actualmente cocina al vapor y sazona los ejotes para preparar rápidamente un acompañamiento o pide pollo con ejotes al restaurante chino de su zona.

A pesar de que los ejotes no contienen un nutriente sobresaliente, contienen un poco de muchas bondades. A continuación le contamos lo que pueden ofrecer

LA GENEROSIDAD DE LOS EJOTES

Los ejotes proporcionan fibra, potasio, folato

RESUMEN DE INFORMACIÓN NUTRICIONAL

Ejotes cocidos
(1/2 taza)

Calorías: 22

Grasas: 0 g

Grasas saturadas: 0 g

Colesterol: 0 mg

Sodio: 2 mg

Carbohidratos totales: 5 g

Fibra dietética: 2 g

Proteínas: 1 g

Folato: 5% del valor diario

Vitamina A: 7%

Vitamina C: 10%

SOLUCIONES PARA COMPRAR Y PREPARAR

Encontrará ejotes frescos durante todo el año en el sector de frutas y verduras del supermercado. Elegir excelentes ejotes frescos es pan comido.

CUANDO ELIJA EJOTES FRESCOS:

■ Para comprar los mejores, asegúrese de que las vainas sean de un verde brillante, que estén firmes y lisas.

■ Si las vainas están llenas de bultos, probablemente se deba a que los ejotes se recolectaron pasado su tiempo óptimo y las semillas crecieron mucho. No los compre.

PARA ALMACENARLOS:

Una vez que compre los ejotes, refrigérelos bien. Se conservarán aproximadamente por tres días.

CUANDO ESTÉ LISTO PARA USARLOS:

Antes de cocinarlos, lave los ejotes, restriéguelos con un cepillo para verduras para quitarles toda la suciedad y retire los extremos del tallo.

Ejotes congelados y enlatados. Si no los encuentra frescos, siempre abundan los ejotes congelados y enlatados. No son una mala opción. A pesar de los mitos, los estudios demuestran que contienen casi la misma cantidad de nutrientes que los ejotes frescos (en caso de que le surja la duda: esto es válido para todas las verduras que hemos sometido a prueba). Solo tenga cuidado con el contenido de sodio de las verduras enlatadas, si sigue una dieta reducida en sal.

SUGERENCIAS DE COMIDAS RÁPIDAS

Algunas formas deliciosas de consumir verduras de hoja verde:

◆ **Al estilo francés.** Cocine los ejotes, aderécelos con aceite de oliva y cúbralos con un poquito de queso de cabra.

◆ **Refrésquese.** Prepare una ensalada fría de ejotes para un día de campo. Marine los ejotes cocidos en una vinagreta (a nosotros nos gusta *Ken's Basil and Balsamic Vinaigrette*, a base de albahaca y vinagre balsámico), luego agregue un pequeño diente de ajo finamente picado y tomates frescos de jardín cortados en rodajas.

y vitaminas A y C. Muchos de estos nutrientes funcionan con el mismo propósito: proteger el corazón. Así es cómo lo hacen:

▶ La fibra ayuda a reducir el nivel de colesterol.

▶ El potasio reduce la presión arterial.

▶ El folato reduce el nivel de un aminoácido que los investigadores sospechan que contribuye a reducir los problemas del corazón.

▶ Las vitaminas A y C también contribuyen a la captura de los radicales libres, los chicos malos que pueden desencadenar tanto las enfermedades cardíacas como el cáncer.

En conclusión: con los ejotes, el corazón está en buenas manos.

Los científicos también han identificado dos compuestos adicionales que combaten el cáncer y están presentes en los ejotes: la cumarina y la quercetina. Los investigadores todavía no están seguros de la cantidad exacta que contienen los ejotes y cómo funcionan específicamente los compuestos. ¡Pero saben que la cumarina y la quercetina sí funcionan!

Alivio Rápido Para:

Exceso de Apetito

¿Siempre pide pollo agridulce en un restaurante chino, o algún otro plato que no contenga verduras? Tiene que consumir muchas verduras. Las verduras, incluidos los ejotes, lo ayudan a sentirse satisfecho: así no le quedarán deseos de devorar esa gran pinta de pollo Kung Pao.

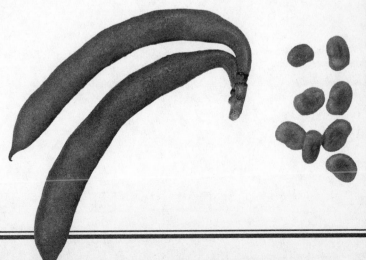

Ejotes para los Días Festivos:

Nos encanta preparar este platillo de acompañamiento de color verde y rojo para las fiestas. Pero es tan sencillo que puede prepararlo para cualquier cena de la semana.

¾ libra de ejotes frescos, limpios y sin tallos
2 cucharadas de aceite de oliva extravirgen
2 dientes de ajo picado
½ taza de pimientos rojos asados
2 cucharadas de jugo de limón

En una olla grande, hierva los ejotes durante 4 a 7 minutos o hasta que estén suaves, pero no pastosos. Mientras, caliente el aceite en una cacerola grande a fuego medio. Agregue el ajo y saltee entre 1 y 2 minutos. Agregue los ejotes y los pimientos, y caliente durante 2 minutos, mezclando con frecuencia. Traslade la mezcla a un tazón y agregue el jugo de limón. Sirva de inmediato.

Porciones: cuatro.

Datos nutricionales por porción: calorías, 98; proteínas, 2 g; carbohidratos, 8 g; fibra, 3 g; grasas, 7 g; grasas saturadas, 1 g; colesterol, 0 mg; sodio, 51 mg; calcio, 3% del valor diario; hierro, 8%.

Elote:

Un Bocado para la Vista

EFICAZ CONTRA:
◼ el cáncer

Refuerza:
◼ la vista

Aceptémoslo: a muchos hombres no les gustan los vegetales; el elote y las papas son prácticamente los únicos vegetales que comen. Por eso, muchos cocineros terminan preparando demasiado elote, a pesar de que no ofrezca muchas vitaminas y minerales tradicionales. Afortunadamente, los estudios recientes demuestran que el elote contiene un puñado de antioxidantes esenciales. ¡Y todos nos alegramos con estas buenas noticias!

PRESTE ATENCIÓN

El elote amarillo fresco contiene luteína y zeaxantina, antioxidantes sobre los cuales los oftalmólogos hablan muy bien. Y contiene una cantidad considerable. El elote es una de las mejores fuentes no verdes de estos compuestos vegetales. Incluso el elote enlatado contiene luteína y zeaxantina,

RESUMEN DE INFORMACIÓN NUTRICIONAL

Elote (1 mediano)

Calorías: 75

Grasas: 1 g

Grasas saturadas: 0 g

Colesterol: 0 mg

Sodio: 15 mg

Carbohidratos totales: 17 g

Fibra dietética: 1 g

Proteínas: 3 g

Folato: 9% del valor diario

Vitamina A: 5%

Vitamina C: 10%

Hierro: 3%

SOLUCIONES PARA COMPRAR Y PREPARAR

¿Quiere comer el maíz más dulce y fresco? Sea exigente con lo que compre: olvídese del supermercado y cómpreselo directamente a un granjero. Debido a que el elote pierde la dulzura después de cortarlo, lo que encuentra en el supermercado ya no está en su mejor momento. Vaya a las granjas o al mercado agrícola local. Y lleve una hielera.

CUANDO ELIJA ELOTE:

■ Compre el de hojas apretadas de color verde brillante.

■ Jale una parte de las hojas para ver los granos. Asegúrese de que los granos de la punta sean más pequeños que los del centro. Si no es así, es una señal de que el elote no está tan dulce como le gustaría.

■ Una vez que compre los elotes, guárdelos en una hielera si el viaje a casa es largo. El calor también le hace perder al elote la dulzura.

PARA ALMACENARLO:

Idealmente debe cocinar el elote el mismo día que lo compre. Pero puede guardar las mazorcas con las hojas en una bolsa plástica en el refrigerador hasta por tres días.

ELOTE PARA TODOS

Estas son algunas ideas para prepararlo.

◆ **Con vinagreta.** En lugar de sobrecargar el elote con mantequilla, la cual no es buena para el corazón, sazónelo con una vinagreta de hierbas.

◆ **Con salsa gourmet.** Podría pagar $5 por un frasco de salsa gourmet, pero no es necesario. Compre una salsa gourmet por $1 y agréguele maíz recién desgranado o enlatado. Será nuestro secreto.

aunque solo la mitad de lo que ofrecen los granos amarillos frescos.

¿Cuáles son los beneficios? Esto es lo que estos nutrientes pueden hacer por la vista.

▶ **Mantener a raya la degeneración macular.** Los investigadores han concluido que las personas con bajos niveles de luteína y zeaxantina en sus dietas tienen más probabilidades de sufrir de degeneración macular por edad (la principal causa de ceguera en adultos mayores estadounidenses). Un estudio de la Universidad de Harvard determinó que consumir 6 miligramos de luteína al día redujo el riesgo de sufrir de degeneración macular por edad en un 43% de los casos (un elote aporta aproximadamente 1 miligramo de luteína).

▶ **Prevenir las cataratas.** El elote también previene las cataratas. Otro estudio de Harvard concluyó que quienes comieron muchos alimentos ricos en luteína redujeron el riesgo de desarrollar cataratas en aproximadamente un 20%.

LAS INVESTIGACIONES MÁS RECIENTES

Los científicos de distintas áreas están explorando los beneficios de estos antioxidantes. Y los resultados son sorprendentes. Fíjese:

▶ Estudios preliminares sugieren que la luteína y la zeaxantina protegerían del daño solar que puede provocar cáncer de piel.

▶ Otro estudio reciente determinó que las personas con los niveles más altos de luteína en sus dietas tenían un riesgo 17% menor de sufrir cáncer de colon.

En resumen: ¡el secreto está en la mazorca!

Superquesadillas de Verano

*Haga un buen uso del elote con esta versión saludable de un fa-
vorito mexicano. ¿Cómo es el sabor? En una palabra: ¡inde-
scriptible!*

Aceite de canola en aerosol para cocinar
1 cucharada de aceite de canola
½ taza de cebolla morada picada
2 dientes de ajo picados
½ taza de pimiento rojo picado
**1½ taza de maíz amarillo dulce recién
desgranado(unas 2 mazorcas)**
¼ taza de albahaca fresca picada
⅓ taza de queso cheddar ahumado rallado
4 tortillas de harina (8 pulgadas de diámetro)
½ taza de salsa (decoración)

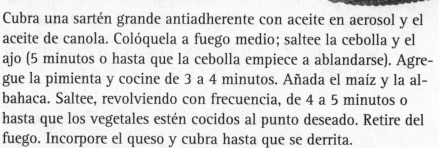

Cubra una sartén grande antiadherente con aceite en aerosol y el
aceite de canola. Colóquela a fuego medio; saltee la cebolla y el
ajo (5 minutos o hasta que la cebolla empiece a ablandarse). Agregue la pimienta y cocine de 3 a 4 minutos. Añada el maíz y la albahaca. Saltee, revolviendo con frecuencia, de 4 a 5 minutos o
hasta que los vegetales estén cocidos al punto deseado. Retire del
fuego. Incorpore el queso y cubra hasta que se derrita.

Mientras tanto, rocíe otra sartén antiadherente con aceite en
aerosol. En la sartén a fuego medio, dore las tortillas de 20 a 30
segundos por cada lado o hasta que estén crujientes. Unte el relleno en 2 tortillas. Repita con las tortillas restantes. Corte cada
quesadilla en cuartos. Decore con la salsa.

Porciones: cuatro de 2 unidades cada una.

*Datos nutricionales por porción: calorías, 244; proteínas, 7 g; carbohidratos, 33
g; fibra, 4 g; grasas, 10 g; grasas saturadas, 3 g; colesterol, 10 mg; sodio, 554
mg; calcio, 13% del valor diario; hierro, 14%.*

Espárrago:

Rey del Folato

EFICAZ CONTRA:
- los defectos de nacimiento
- las enfermedades cardíacas

REFUERZA:
- la función inmunológica

Los espárragos son la verdura favorita de Colleen. A su esposo, Ted, no le gustan, así que come coliflor. ¡Bravo! ¡Así se queda ella con más espárragos!

Colleen está feliz no solo porque piensa que los espárragos son lo máximo en sabor, sino también porque son los reyes de las verduras en el suministro de folato, la vitamina B que ahora se sabe que desempeña una función importante en la prevención de ataques cardíacos.

RICO EN VITAMINAS ESENCIALES

Durante muchos años, las investigaciones se centraron en un enfoque casi miope del colesterol como el culpable de las enfermedades cardíacas. Pero esas investigaciones dejaron al descubierto solo una parte del problema. Así que los detectives especializados en nutrición tuvieron que comenzar a buscar otras pistas.

Lo que los detectives de la nutrición deter-

RESUMEN DE INFORMACIÓN NUTRICIONAL

Espárragos cocidos
(5 unidades)

Calorías: 18

Grasas: 0 g

Grasas saturadas: 0 g

Colesterol: 0 mg

Sodio: 8 mg

Carbohidratos totales: 3 g

Fibra dietética: 1 g

Proteínas: 2 g

Folato: 27% del valor diario

Vitamina A: 8%

Vitamina C: 9%

SOLUCIONES PARA COMPRAR Y PREPARAR

Si desea espárragos frescos, a principio de enero se cortan a mano los primeros brotes en California. Los cultivadores del Medio Oeste y del este mantienen el envío de espárragos frescos hasta julio.

CUANDO ELIJA ESPÁRRAGOS FRESCOS:

■ El tamaño no es importante. Elija espárragos de diámetro similar, de modo que puedan cocinarse en el mismo tiempo.

■ Busque tallos limpios, redondos y mayormente verdes.

■ Busque puntas bien cerradas y de color púrpura.

■ Evite los espárragos deshidratados o secos, cafés o de puntas con "brotes". Estas son señales de envejecimiento y de disminución de la calidad.

■ No compre los arenosos. Son difíciles de limpiar y la arenilla termina en los dientes, lo que arruina el placer de comer una verdura que debería ser elegante.

PARA ALMACENARLOS:

■ Envuelva los tallos en toallas de papel húmedo o póngalos verticalmente en agua. Luego cubra los espárragos con una bolsa plástica para evitar que se deshidraten. Guárdelos en el refrigerador.

■ Consuma los espárragos lo antes posible, porque cada día que pase desperdiciará algo del folato y la vitamina C, además de ese sabor fresco del campo.

CUANDO ESTÉ LISTO PARA USARLOS:

■ Lave los espárragos.

■ Corte la parte dura de cada tallo.

■ Cocínelos al vapor, hiérvalos o prepárelos a la parrilla hasta que estén tiernos y crujientes.

Espárragos congelados. Cuando no sea la temporada de espárragos frescos, confórmese con espárragos congelados, que son sabrosos y nutritivos. No hay nada que pueda hacer con espárragos frescos que no pueda hacer también con los congelados.

¡NO MEZCLE MANZANAS CON ESPÁRRAGOS!

Probablemente sepa que colocar una manzana en una bolsa de papel marrón con frutas sin madurar (como melocotones) acelera su maduración. Eso se debe a que las manzanas producen gas etileno, el principal sincronizador de los cambios químicos que causan que las frutas se vuelvan blandas y dulces, cambien de color y exhalen esa fragancia que lo tienta a dar una gran mordida jugosa. Pero separe las manzanas de los espárragos. El gas etileno transforma los tallos suculentos en duros y fibrosos.

minaron fue que muchos ataques al corazón se desencadenan por tener altos niveles en sangre del aminoácido homocisteína. Coincidentemente observaron que las personas con altos niveles de homocisteína también tenían la tendencia a padecer bajos niveles de folato y ácido fólico, otra forma de vitamina B. Los ensayos clínicos han demostrado que comer más alimentos ricos en folato y suplementos con ácido fólico puede reducir los niveles de homocisteína en sangre. Actualmente los científicos intentan probar que la reducción de homocisteína reduce el riesgo de padecer enfermedades cardíacas.

El folato y el ácido fólico también son esenciales para prevenir ciertos defectos de nacimiento. Una taza de espárragos cocidos proporciona dos tercios del valor diario de folato.

Los espárragos también son una buena fuente de vitamina C, parte del arsenal nutricional que estimula al sistema inmunológico. Diez espárragos ofrecen cerca del 20% de la nueva recomendación diaria (más alta) de vitamina C: 75 miligramos para las mujeres y 90 miligramos para los hombres.

Ensalada de Espárragos con Avellanas

No hay verdura más elegante que los espárragos. Con un sabor tan inconfundible como peculiar, resplandecen cuando se los prepara de forma sencilla, como en esta receta.

2 libras de espárragos frescos cortados en trozos de 1 ½ pulgada
3 cucharaditas de salsa de soya dietética
2 cucharaditas de aceite de nuez de nogal
1 cucharadita de miel
2 cucharadas de avellanas tostadas picadas (tipo Lambert)
Lechuga morada
Tomates cherry (decoración)

Coloque los espárragos en una sartén sólida con solo el agua suficiente para cubrirlos. Lleve el agua a ebullición, baje el fuego y cocine los espárragos hasta que estén tiernos: de 4 a 5 minutos. Vierta el agua caliente y deje los espárragos en el recipiente para enjuagarlos en agua fría y así detener la cocción. Séquelos con cuidado. Colóquelos en un tazón de vidrio o plástico para refrigerarlos. En un tazón pequeño, mezcle la salsa de soya, el aceite, la miel y las avellanas. Coloque los espárragos encima. Cubra y refrigere durante 30 minutos. Sirva sobre una base de lechuga morada. Decore con los tomates.

Porciones: seis.

Datos nutricionales por porción: calorías, 61; proteínas, 3 g; carbohidratos, 6 g; fibra, 2 g; grasas, 3 g; grasas saturadas, 0 g; colesterol, 0 mg; sodio, 140 mg; folato, 45% del valor diario; vitamina A, 13%; vitamina C, 15%; calcio, 3%; hierro, 5%.

Espinaca:
Amiga de la Vista

EFICAZ CONTRA:
- la degeneración macular relacionada con la edad
- el cáncer
- las cataratas
- los fibroides
- la ceguera nocturna

REFUERZA:
- la memoria
- la vista

La espinaca es una verdura muy visionaria. Es la mejor para combatir tres problemas graves de la vista: las cataratas, la degeneración macular relacionada con la edad (ARMD, por su sigla en inglés) y la ceguera nocturna. Cierto, las zanahorias contienen un poco más de betacaroteno. Y sí, la col rizada aporta más luteína y zeaxantina. Y seguramente las naranjas le ganan en aporte de vitamina C. Pero solo la espinaca aporta grandes cantidades de estos cuatro.

UN REGALO PARA LA VISTA

La degeneración macular relacionada con la edad afecta la vista, y es la principal causa de ceguera incurable en personas de 65 años y más. ¿Cuál es el motivo? La mácula del ojo (un pequeño punto en la retina) empieza a fallar. Y también desaparece la visión central, la

RESUMEN DE INFORMACIÓN NUTRICIONAL

Espinaca congelada (1 taza)

Calorías: 53

Grasas: 0 g

Grasas saturadas: 0 g

Colesterol: 0 mg

Sodio: 163 mg

Carbohidratos totales: 10 g

Fibra dietética: 6 g

Proteínas: 6 g

Folato: 51% del valor diario

Vitamina A: 296%

Vitamina C: 26%

Cobre: 13%

Magnesio: 16%

Manganeso: 89%

SOLUCIONES PARA COMPRAR Y PREPARAR

La espinaca fresca se consigue todo el año y viene en tres estilos. Encontrará la variedad Savoy de color verde oscuro y rizada que se vende suelta y en bolsas de 10 onzas. La espinaca de hoja plana y lisa, que viene congelada y enlatada, también se encuentra ahora en manojos frescos en las tiendas de alimentos naturales. También está la espinaca semi Savoy, que es entre rizada y plana.

CUANDO ELIJA ESPINACA FRESCA:

▧ Busque espinaca fresca de color verde oscuro sin manchas amarillas.

▧ Compre la de hojas medianas con tallos delgados.

▧ Evite la espinaca blanda o pálida.

PARA ALMACENARLA:

▧ Si compra espinaca en bolsa, métala en la gaveta de vegetales del refrigerador hasta que la consuma.

▧ No lave la espinaca hasta que esté por consumirla. La espinaca mojada se desintegra más rápido que la seca, la cual debería mantenerse bien por tres o cuatro días cuando se guarda en el refrigerador.

CUANDO ESTÉ LISTO PARA USARLA:

▧ Pásela por abundante agua hasta que el agua salga sin arena superfina, sin importar si la bolsa dice que la espinaca ya está prelavada. Cuanto más rizada, más difícil será quitarle la arena.

▧ Luego quite los tallos, incluida la vena central que va por la parte trasera de las hojas, para que estén suaves y deliciosas cuando se las consuma crudas, o para que se cocinen rápido y de manera uniforme.

que necesita para leer o ver hacia delante.

Hasta hace poco, ningún tratamiento parecía funcionar. Pero ahora, hay una enorme esperanza: la verde espinaca. La mácula está llena de dos carotenoides que protegen la vista: luteína y zeaxantina. Y la espinaca también.

En un pequeño estudio piloto realizado a 14 hombres con degeneración macular relacionada con la edad que comieron ½ taza de espi-

Espinaca congelada y enlatada. Siéntase libre de usar la práctica espinaca congelada siempre que lo desee. Un investigador de la química de los alimentos determinó que después de un año, la espinaca congelada retenía más de la mitad de la vitamina C que la espinaca fresca que había pasado solo 7 días en refrigeración. ¿Y la espinaca enlatada? Es igual o mejor que la congelada en casi todas las vitaminas y minerales. ¿Qué podría ser más fácil?

CÓMO CONSUMIR LA ESPINACA

Ahora está listo para que la espinaca protagonice su día. Pruebe estas ideas:

◆ **Saltéela con el aceite de Olivia.** A Popeye le encanta la espinaca y el aceite de Olivia. Y a usted también le gustará. Saltee hojas de espinaca fresca en un poco de aceite de oliva y ajo finamente picado. Sirva como guarnición o como una cama para pollo o pescado a la parrilla. Quedará locamente enamorado.

◆ **Sea abundante con las sopas.** Agregue espinaca fresca o cocida que le haya sobrado a cualquier sopa enlatada o casera para tener una explosión gigante de nutrición.

◆ **Rellena.** Use espinaca cocida como relleno para pechugas de pollo o aperitivos enrollados. Rellene un pan pita con espinaca fresca y queso feta para servir un almuerzo maravilloso y delicioso.

◆ **Consiéntase como a un bebé.** Compre una bolsa de espinaca "baby". Es la novedosa versión a la que no hay que quitarle el tallo: lávela y cómala. Tenga cuidado con la bolsa de celofán para el microondas: córtela para que pueda escapar el vapor y métala entera en el microondas. ¡No necesita platos!

naca cocida de cuatro a siete veces a la semana, 13 tuvieron mejoras en la visión nocturna, el contraste y el ajuste a la luz fuerte. Siete de ocho con visión deformada tuvieron mejoras o una remisión completa de los síntomas.

Aunque nadie está completamente seguro de cómo funciona, los investigadores creen que la luteína protege la mácula al absorber la luz azul dañina y defender la mácula contra la luz que sí logra entrar.

Otras verduras con alto contenido de luteína son la col rizada, la berza y las hojas de los nabos.

IDEAL PARA LOS OJOS

Y en cuanto a las cataratas, un estudio de la Universidad de Harvard con 36,000 hombres profesionales de la salud determinó que los que comieron más alimentos ricos en luteína y zeaxantina tenían un riesgo 19% menor de desarrollar cataratas lo suficientemente graves como para requerir extirpación quirúrgica. Las principales elecciones de los hombres: espinaca y brócoli.

En un estudio paralelo con 50,000 enfermeras, las que comieron con más frecuencia alimentos altos en luteína y zeaxantina tuvieron un riesgo 22% menor de desarrollar cataratas graves. Las principales elecciones de las mujeres: espinaca y col rizada. ¿Le suena familiar?

LAZOS DE UNIÓN

En el análisis nutricional, la espinaca tiene abundante calcio y hierro. Y así es. Desafortunadamente, la espinaca también tiene oxalatos que unen esos minerales, de modo que su cuerpo no puede absorberlos. Pero no hay problema, porque la espinaca está repleta de muchos otros nutrientes como para recomendarla.

UNA VERDURA MEMORABLE

Cuando la espinaca no está trabajando horas extras para la salud de los ojos, está ocupada arreglando otras partes del cuerpo. ¿Recuerda que los arándanos eran buenos para estimular la memoria en ratas viejas? (consulte "Arándanos: Lo Mantendrán Fresco como una Lechuga" en la página 49). Pues bien, una dieta rica en espinaca funciona igual de bien para la memoria. Y lo que es más, mejora el aprendizaje motriz; una destreza especialmente importante para la recuperación después de un accidente cerebrovascular.

Mujeres, ahora que recuerdan comer espinaca, estos son otros beneficios que obtendrán:

▶ Investigadores de la Universidad de Minnesota determinaron que las mujeres que comían la mayor cantidad de verduras de hoja verde tenían el menor riesgo de desarrollar cáncer de ovario. ¿Por qué? En estudios alemanes, la espinaca resultó ser una de las mejores verduras por su capacidad para evitar que las células se vuelvan cancerosas.

▶ Por el lado de la calidad de vida, los investigadores italianos determinaron que las mujeres que comían menos carne y más verduras de hoja verde eran las que tenían la menor probabilidad de producir dolorosos fibroides uterinos benignos.

Espinaca con Pignoli

¿Es posible que a un vegetal se lo considere el "néctar de los dioses"? Esta ambrosía de espinaca es la versión de Colleen de una guarnición muy celebrada del mejor restaurante de comida española que hay en Baltimore. Después de probar esto, la espinaca nunca volverá a ser igual.

1 bolsa (10 onzas) de espinaca fresca lavada y sin los tallos gruesos
½ taza de uvas Thompson sin semilla y cortadas a la mitad a lo largo
1 cucharadita de mantequilla
Una pizca de nuez moscada molida
1 cucharada de piñones (pignoli) ligeramente tostados (decoración)

Coloque la espinaca en una vaporera y cocínela 5 minutos o hasta que se marchite. Escúrrala bien y colóquela en una olla seca. Añada las uvas, la mantequilla y la nuez moscada, y mezcle bien. Divídala en dos platos. Decore con los piñones.

Porciones: dos.

Datos nutricionales por porción: calorías, 101; proteínas, 5 g; carbohidratos, 13 g; fibra, 4 g; grasas, 5 g; grasas saturadas, 2 g; colesterol, 5 mg; sodio, 133 mg; folato, 70% del valor diario; vitamina A, 192%; vitamina C, 49%; vitamina E, 16%; magnesio, 31%; manganeso, 74%.

Frambuesa:
Un Ramillete de Beneficios para la Salud

EFICAZ CONTRA:
- las alergias
- el cáncer
- las enfermedades cardíacas
- el colesterol alto

REFUERZA:
- la regularidad

A Karen le encantan las frambuesas. Su esposo cree que está loca cuando gasta $5 para comprar media pinta de frambuesas en invierno. Pero Karen piensa que las frambuesas son gemas nutricionales (rubíes, en realidad). Tienen el brillo de los compuestos que los científicos creen que pueden combatir el cáncer, prevenir las enfermedades cardíacas e incluso aliviar las alergias. ¿Quién habría pensado que frutas tan pequeñas pudieran contener tanto?

ENEMIGO N.° 1 DEL CÁNCER

Las frambuesas, específicamente las semillas, están repletas de un compuesto llamado ácido elágico. La mayoría de las frutas y verduras contiene este compuesto, pero las frambuesas os-

---

RESUMEN DE INFORMACIÓN NUTRICIONAL

Frambuesas (1 taza)

Calorías: 60

Grasas: 0.5 g

Grasas saturadas: 0 g

Colesterol: 0 mg

Sodio: 0 mg

Carbohidratos totales: 14 g

Fibra dietética: 6 g

Proteínas: 1 g

Vitamina C: 50% del valor diario

tentan niveles cinco o seis veces más altos que los que se encuentran en otras frutas como las ciruelas y las manzanas.

El ácido elágico hace algo increíble: encuentra las sustancias químicas que causan el cáncer, las vuelve inactivas y las destruye. La mayoría de los estudios sobre el ácido elágico se han hecho en tubos de ensayo o en animales de laboratorio, y han tenido resultados muy prometedores. En estos estudios, los investigadores descubrieron que el ácido elágico detuvo la división de las células cancerosas en 48 horas e hizo que las células de cáncer de mama, próstata, piel, esófago, páncreas y colon se murieran en 72 horas.

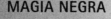

Alivio Rápido Para:

ntestino erezoso

lgunas personas ayores sienten que medida que se uelven más lentas, tracto intestinal arece volverse erezoso junto con resto del cuerpo. Cuál es la solución? odas las mañanas gregue ½ taza o ás de frambuesas un cereal con ucha fibra. Si lo actica todas las añanas, este truco ncillo ayudará a ue todo salga bien.

MAGIA NEGRA

No hay duda alguna: es difícil encontrar frambuesas negras. Pero si las encuentra, ¡cómprelas! Las frambuesas negras contienen de 10 a 20 veces más antocianinas que las rojas. Las antocianinas son antioxidantes poderosos que pueden prevenir las enfermedades cardíacas y el cáncer.

Para verificar si el ácido elágico tendrá estos mismos efectos asombrosos en las personas, los investigadores de la *American Health Foundation* de la Ciudad de Nueva York realizan dos estudios importantes:

▶ Un ensayo clínico evalúa si comer frambuesas reduce la cantidad de pólipos de colon en las personas con riesgo de desarrollar cáncer de colon.

▶ Otro determinará si las frambuesas pueden evitar el cáncer cervical en mujeres con un mayor riesgo de sufrir la enfermedad.

No se espera tener resultados sino hasta dentro de varios años. Mientras tanto, el investigador principal, Dr. Daniel Nixon, señala que él y su familia comen frambuesas siempre que pueden.

ENEMIGO N.º 2 DEL CÁNCER

Y como si esto no fuera suficiente, las frambuesas son ricas en

SOLUCIONES PARA COMPRAR Y PREPARAR

El esposo de Karen es de Nueva Jersey, donde se cultivan bastantes frambuesas. Un día, cuando todavía eran novios, Karen le pidió que pasara por media docena de puestos de fruta (él todavía quería impresionarla) hasta que finalmente encontró una pinta de frambuesas recién cortadas para un postre. Pero los planes cambian y Karen devoró las frambuesas en menos de una hora. Moraleja: siempre compre una pinta para comer y otra para cocinar.

CUANDO ELIJA FRAMBUESAS FRESCAS:

Elija las que estén en envases sin manchas y secos, porque la humedad acelera la descomposición.

PARA ALMACENARLAS:

■ Refrigere las frambuesas lo antes posible. Idealmente, debe usarlas en los 3 días posteriores a la compra.

■ Si tiene la suerte de conseguirlas en abundancia, congélelas. Lávelas (como se describe más adelante), colóquelas cuidadosamente en bandejas para hornear y guárdelas en el congelador. Al día siguiente, pase las frambuesas a un envase plástico y vuelva a meterlas en el congelador (sepárelas en las bandejas para hornear y luego vuélvalas a congelar para evitar que se peguen entre sí).

CUANDO ESTÉ LISTO PARA CONSUMIRLAS:

■ Antes de usar sus joyas frescas, colóquelas en un molde poco profundo y lávelas con cuidado. Séquelas con toallas de papel.

■ Si congeló las frambuesas, descongélelas: déjelas en el refrigerador por un día o páselas por agua fría.

quercetina, un antioxidante. Al igual que el ácido elágico, la quercetina protege contra el cáncer. Además:

▶ Evita que el colesterol de lipoproteínas de baja densidad (LDL) cause daño a los vasos sanguíneos, lo cual contribuye al desarrollo de enfermedades cardíacas.

Frambuesas congeladas. ¿No encuentra frambuesas frescas? ¿Son demasiado caras? Cómprelas congeladas en el supermercado. Pero primero, toque la bolsa o la caja para ver si tiene cristales de hielo. Los cristales son una señal de que las frambuesas se descongelaron y se volvieron a congelar. En este estado, no tendrán tanto sabor ni durarán mucho tiempo.

Otros productos con frambuesa. Y siguiendo con el mismo tema, busque en el supermercado productos preparados con frambuesas, como sorbete, jalea (con semillas, para consumir más ácido elágico) y vinagreta.

QUE NO FALTE UNA FRAMBUESA EN SU MESA

Cuando tenga su provisión de esta fruta bastantes, pruebe estas deliciosas ideas:

◆ **Endulce la ensalada.** Casi todas las noches, Karen añade un puñado de frambuesas frescas a una ensalada preparada con lechugas "baby", queso Asiago o feta, zanahorias ralladas y vinagreta balsámica. ¡Es tan linda que no dan ganas de comérsela!

◆ **Unte el pan.** Puede untar jalea o mermelada de frambuesa. Pero si le preocupa demasiado la cantidad de azúcar, aplaste frambuesas muy maduras para untarlas en pan tostado, galletas de soda y bagels.

◆ **Sazone el pollo.** Marine pechugas de pollo en vinagreta de frambuesa reducida en grasas. Luego áselas a la parrilla.

◆ **Satisfaga su gusto por lo dulce.** Relájese después de un largo día con un tazón de frambuesas cubiertas con una cucharada o dos de *Cool Whip* bajo en calorías y un poco de jarabe de chocolate.

▶ Bloquea la producción de histamina, la sustancia que hace que la nariz moquee, que los ojos piquen y que estornudemos durante los ataques alérgicos.

FIBRA FRUCTÍFERA

Una taza de frambuesas contiene cerca de 6 gramos de fibra: ¡del 20% al 25% de lo que necesita por día! Eso es más de lo que muchas frutas pueden proporcionar, pero no tanto como lo que proporciona la prima de la frambuesa, la mora. Mejor aún, las frambuesas tienen una mezcla de fibra soluble e insoluble. El tipo soluble reduce el colesterol, especialmente el malo, mientras que la versión insoluble previene el estreñimiento.

Desayuno Frío Patriótico

No tiene que ser 4 de julio para que disfrute de este cremoso desayuno rojo, blanco y azul. De hecho, a Karen le gusta prepararlo en un frío día de invierno y luego comerlo junto a la chimenea y soñar con el clima del verano.

3 tazas de yogur de vainilla reducido en grasas
⅔ taza de moras frescas o congeladas ya descongeladas
½ taza de cereal de grano integral como Grape-Nuts
⅔ taza de frambuesas frescas o congeladas ya descongeladas
2 cucharadas de nueces picadas

En cada uno de los dos platos hondos o vasos para leche, sirva en capas ½ taza de yogur, ⅓ taza de moras, 2 cucharadas de cereal, otra ½ taza de yogur, ⅓ taza de frambuesas, otras 2 cucharadas de cereal, otra ½ taza de yogur y 1 cucharada de nueces.

Porciones: dos.

Datos nutricionales por porción: calorías, 425; proteínas, 24 g; carbohidratos, 61 g; fibra, 6 g; grasas, 11 g; grasas saturadas, 4 g; colesterol, 22 mg; sodio, 451 mg; calcio, 70% del valor diario; hierro, 13%.

Fresa:

Abundancia de Antioxidantes

EFICAZ CONTRA:
- los defectos de nacimiento
- el cáncer
- el estreñimiento
- las enfermedades cardíacas

REFUERZA:
- la memoria
- la regularidad
- la cicatrización de las heridas

Las fresas son semifinalistas con las frambuesas para el premio de Mejor Fruta del Planeta. Eso es porque están repletas de antioxidantes, sustancias sorprendentemente poderosas que destruyen a los radicales libres, esas especies químicas malvadas que atacan las células y generan enfermedades cardíacas y cáncer, entre otras afecciones.

ANTIOXIDANTES FENOMENALES

Sin duda, el antioxidante más famoso de las fresas no es otro que la vitamina C. Analice esto: una sola fresa mediana contiene 19 miligramos de vitamina C: aproximadamente el 25% de la ingesta diaria recomendada para

RESUMEN DE INFORMACIÓN NUTRICIONAL

Fresas (8 medianas)

Calorías: 50

Grasas: 0 g

Grasas saturadas: 0 g

Colesterol: 0 mg

Sodio: 0 mg

Carbohidratos totales: 15 g

Fibra dietética: 4 g

Proteínas: 1 g

Folato: 20% del valor diario

Vitamina C: 140%

SOLUCIONES
PARA COMPRAR
Y PREPARAR

¡Escoger fresas es muy fácil!

CUANDO ELIJA FRESAS:

■ Compre fresas secas, de color rojo brillante y maduras.

■ Elija las que exhiben lindos gorros verdes. (quitar las hojas activa la enzima que destruye la vitamina C de la fresa).

PARA ALMACENARLAS:

■ En su casa, inspeccione detenidamente las fresas y deseche las aplastadas o mohosas. Puede colocarlas nuevamente en el empaque original, pero la Comisión de Fresas de California sugiere que las pase a un recipiente grande recubierto con una toalla de papel. Coloque las fresas en capas dentro del recipiente, con más toallas de papel entre las capas.

■ Guarde de inmediato las fresas en el refrigerador, y úselas en los siguientes dos a tres días.

CUANDO ESTÉ LISTO PARA USARLAS:

Lave las fresas con las hojas, para que no absorban mucha agua. Luego quite las hojas con un cuchillo para pelar.

¡QUE TENGA UN FRECIOSO DÍA!

Disfrute de la abundancia de fresas en estas formas deliciosas:

◆ **Revitalice la ensalada.** Agregue rebanadas de fresa a la ensalada de espinaca para endulzarla. Un beneficio adicional: la vitamina C de las fresas le ayudará a absorber mejor el energético hierro de la espinaca.

◆ **Al estilo europeo.** En Italia, los cocineros suelen rociar vinagreta balsámica de alta calidad en un tazón de fresas rebanadas.

◆ **Al estilo tropical.** Incluso en invierno, puede preparar esta bebida refrescante, colocarle una sombrilla en miniatura e imaginarse que está en una playa soleada. En una licuadora, mezcle 1 taza de fresas en rebanadas, 1 taza de piña en rebanadas, 1 taza de jugo de piña y 1 taza de yogur descremado de fresa. Beba todo lo que guste.

las mujeres y el 17% de la ingesta diaria recomendada para los hombres. ¿Y quién puede comer solo una? ¡Nosotros, no!

Se promociona la vitamina C porque aumenta la inmunidad, acelera la cicatrización de heridas (algunos dentistas se la recomiendan a los pacientes antes de someterse a una cirugía de encía), y combate las enfermedades cardíacas y el cáncer.

Y la vitamina C no es el único buen antioxidante de las fresas. También contienen ácido elágico ("Frambuesas: Un Ramillete de Beneficios de Salud" en la página 182) y antocianina, el pigmento que les da a las bayas el bello tono rojo.

Cuando los investigadores de la Tufts University en Boston midieron el total de antioxidantes en más de 50 frutas y verduras frescas, las fresas obtuvieron el sexto lugar, superadas únicamente por los arándanos, las moras, la col rizada, el ajo y los arándanos rojos. ¿Cuál es el punto? De estos 6 alimentos, las fresas son las más fáciles de comer todos los días.

TRABAJO EN EQUIPO

Comer un alimento rico en antioxidantes es una cosa pero, ¿cómo trabaja en equipo? Mejor que una empresa de la lista Fortune 500. Estos son algunos de los últimos hallazgos científicos:

▶ Un estudio reciente de la Universidad Estatal de Ohio en Columbus determinó que los antioxidantes de las fresas podrían inhibir el cáncer de esófago.

▶ Un estudio de la Universidad de Harvard en el que participaron más de 1,200 personas concluyó que los amantes de las fresas tenían un 70% menos de probabilidades de desarrollar cáncer que aquellas personas que rara vez comían la fruta.

▶ Un proyecto en Tufts sugiere que comer fresas puede detener la pérdida de la memoria a medida que pasan los años.

LAS FRESAS Y LA CIGÜEÑA

Si está embarazada o tratando de quedar embarazada, ¡tenga en mente a las fresas! Una porción (aproximadamente ocho fresas) aporta cerca del

20% del folato que las mujeres embarazadas necesitan para evitar defectos de nacimiento del tubo neural, tales como la espina bífida.

Debido a que estos defectos de nacimiento ocurren en el primer trimestre, la Academia Nacional de Ciencias en Washington D. C., recomienda que las mujeres capaces de quedar embarazadas consuman folato y tomen un suplemento de ácido fólico de 400 microgramos al día.

¿Pero por qué querría llenarse de folato si no piensa quedar embarazada? Más de la mitad de los embarazos son... no planificados.

Después del primer trimestre, no deseche las fresas. Ofrecen 4 gramos de fibra por porción, suficiente para combatir el estreñimiento que tantas veces acompaña al embarazo.

Ensalada de Fresas y Espinaca

Cuando combina fresas ricas en vitamina C con espinaca, se libera parte del hierro de las hojas verdes.

4 tazas de espinaca sin tallos, lavadas y partidas
8 fresas rebanadas
1 cebolla morada picada
⅓ taza de queso feta desmenuzado
¼ taza de vinagreta de frambuesa reducida en grasas

En un tazón grande, mezcle la espinaca, las fresas, la cebolla y el queso con la vinagreta. Divida la preparación en dos platos y sírvala.

Porciones: dos.

Datos nutricionales por porción: calorías, 164; proteínas, 7 g; carbohidratos, 21 g; fibra, 6 g; grasas, 7 g; grasas saturadas, 3 g; colesterol, 13 mg; sodio, 576 mg; calcio, 22% del valor diario; hierro, 22%.

Frijol:

Cocina Magra

EFICAZ CONTRA:
- el asma
- los defectos de nacimiento
- el cáncer
- la diabetes
- las enfermedades cardíacas
- el colesterol alto

REFUERZA:
- la energía
- la memoria
- el control del peso

Cuando Karen era niña, su familia preparaba con frecuencia sopa minestrone. Aunque todos se sumergían con afán en la sopa, Karen navegaba cuidadosamente alrededor del tazón de sopa y separaba los frijoles con forma de riñón hasta que el fondo del tazón quedaba cubierto de ellos. En la actualidad, la familia de Karen aún prepara una sopa minestrone suprema, pero ahora sí come los frijoles. ¿Por qué? Porque los investigadores le han enseñado que estas exquisitas legumbres son ricas en fibra y otros nutrientes que mantienen al cuerpo funcionando en excelente forma.

RESUMEN DE INFORMACIÓN NUTRICIONAL

Frijoles rojos deshidratados y cocidos (½ taza)

Calorías: 110

Grasas: 0 g

Grasas saturadas: 0 g

Colesterol: 0 mg

Sodio: 4 mg

Carbohidratos totales: 20 g

Fibra dietética: 4 g

Proteínas: 8 g

Folato: 16% del valor diario

Calcio: 5%

Hierro: 14%

SOLUCIONES PARA COMPRAR Y PREPARAR

Muchos buenos cocineros prefieren usar frijoles deshidratados. Pero si es novato con los frijoles, comience con los enlatados. No hay duda al respecto: son más prácticos que los deshidratados. Estos son algunos consejos para tener un comienzo exitoso con los frijoles enlatados:

■ Pruebe varias marcas. Los sabores varían ligeramente de una marca a otra, así que experimente para ver cuál prefiere.

■ Revise el contenido de sal. Compre marcas que contengan 350 miligramos de sodio o menos por porción.

■ Enjuague los frijoles. Las pruebas del grupo defensor de la nutrición, El Centro para la Ciencia en Interés del Público de Washington D. C. han demostrado que puede eliminar de un cuarto a un tercio del sodio de los frijoles enlatados si los enjuaga en agua fría por aproximadamente un minuto.

EL ARTE DE COCINAR FRIJOLES

Ahora está listo para degustar estos saludables y bellos platillos con frijoles.

◆ **Con nachos.** En un restaurante, las calorías y las grasas de los nachos se acumulan rápidamente. En casa, deléitese con esta receta reducida en grasas. Cubra tortillas fritas y tostadas al horno con frijoles negros, queso cheddar reducido en grasas, lechuga, tomates picados, pimientos dulces o chiles picantes picados y crema agria reducida en grasas.

◆ **Con hummus.** Puede comprar esta crema para untar que es ideal para galletas de soda y una excelente alternativa para la mayonesa

COMBATEN EL CÁNCER Y EL COLESTEROL

Media taza de frijoles cocidos aporta de 3 a 6 gramos de fibra, tanto del tipo insoluble (para combatir el cáncer de colon) como del tipo soluble (un controlador del colesterol). Un estudio de la Universidad de

sobre pan. Pero sabe mejor cuando es casera. Pruebe esto: en un tazón grande, triture una lata de 15 ½ onzas de garbanzos o 1 ½ taza de garbanzos deshidratados cocidos. Agregue 2 cucharadas de jugo de limón, 1 cucharada de aceite de oliva, 1 cucharadita de ajo finamente picado, 1 cucharadita de hojas de orégano deshidratado, sal y pimienta negra molida al gusto.

◆ **Enlatados.** Abra una lata de frijoles, escúrrala, enjuáguela y agréguela a ensaladas o sopas (como la de tomate o verduras). O caliéntelos y luego mézclelos con arroz integral cocido. O bien, inclúyalos en una cacerola de chile.

◆ **En un bocadillo.** Los garbanzos asados son una crujiente alternativa a las nueces. Escurra, enjuague y seque con cuidado el contenido de una lata de 15 ½ onzas de garbanzos. Colóquelos en una bandeja para hornear. En un tazón pequeño, mezcle 1 cucharada de aceite de canola o de oliva y 1 cucharadita de chile en polvo. Salpique los frijoles con la mezcla de aceite. Hornee a 400 °F de 35 a 40 minutos, o hasta que esté crujiente.

Kentucky en Lexington determinó que comer a diario 1 taza de frijoles enlatados en salsa de tomate durante tres semanas redujo el colesterol en hombres de edad media en aproximadamente un 10%. Y cuando el colesterol es más bajo, es menor el riesgo de padecer enfermedades cardíacas.

PROTEJA EL CORAZÓN

Primero, los frijoles están repletos de vitamina B, folato, que reduce los niveles de homocisteína en sangre, un aminoácido que participa en las enfermedades cardíacas (el folato es la misma vitamina que previene los defectos de nacimiento). Segundo, un estudio reciente con 111 mujeres sugiere que quienes comen frijoles tienen arterias más flexibles que quienes aborrecen las legumbres. Investigadores del Centro Médico Cedars-Sinaí de Los Ángeles están planificando informes de seguimiento, pero mientras tanto, recomiendan consumir, por lo menos, ½ taza de frijoles al día.

CONTROLE EL AZÚCAR EN LA SANGRE

Las personas con diabetes tipo 2 también pueden beneficiarse de la fibra saludable de los frijoles, debido a que hace más lento el paso de los carbohidratos de los alimentos al torrente sanguíneo. Como resultado, se necesita menos insulina para controlar los niveles de azúcar en

EL CONTADOR DE FRIJOLES

Calcule las diferencias nutricionales entre sus frijoles favoritos. Los valores nutricionales consideran ½ taza de frijoles cocidos.

Frijoles	Calorías	Grasas (g)	Fibra (g)	Folato (% del VD)	Calcio (% del VD)
Negros	114	0.5	4	32	2
Garbanzos (chícharos)	135	2	3	35	3
Great Northern	105	0.5	5	22	6
De Lima	115	0.5	6	34	2
Navy	130	0.5	5	32	6
Pintos	118	0.5	6	36	4
Rojos	110	0	4	16	5

la sangre. Con una dieta rica en frijoles y otras legumbres, tales como lentejas, es posible que los diabéticos prescindan de algunos medicamentos para controlar los niveles de azúcar en sangre. Consulte a su médico antes de modificar la dosis de medicamentos.

AUMENTE LA RESISTENCIA

Vías Respiratorias Oprimidas

Quien padezca asma conoce la terrible sensación que causan las vías respiratorias contraídas. Pero científicos británicos han descubierto ahora que los asmáticos reducen a la mitad las probabilidades de que se contraigan sus vías respiratorias si consumen regularmente alimentos ricos en magnesio. ¿Alguna recomendación? Los frijoles de carita.

La lenta liberación de carbohidratos al torrente sanguíneo ofrece otra ventaja: energía de larga duración. "Los frijoles le darán energía por más tiempo que un alimento como la papa, que libera rápidamente los carbohidratos", indica la nutricionista Kim Galeaz, Dietista Registrada.

COMA HASTA SENTIRSE SATISFECHO

Como si no fuera suficiente, los frijoles también libran la batalla contra el abultamiento. Los estudios de la Universidad Estatal de Pennsylvania en State College sugieren que los alimentos reducidos en calorías pero ricos en volumen y fibra (tales como los frijoles) controlan el apetito al ocupar un gran espacio del estómago.

Memoria

¿Pierde las llaves? ¿Se olvidó dónde anotó ese importante número de teléfono? Los estudios han demostrado que las deficiencias en hierro y cinc pueden interferir en la concentración. Coma una porción de frijoles varias veces por semana para mejorar la eficiencia del cerebro ¡son ricos en ambos minerales!

Ensalada de la Tía Shirley con Tres Clases de Frijoles

Cuando Karen le dijo a su abuela que estaba escribiendo este libro, la abuela le pidió que incluyera esta receta, que es un éxito en las reuniones familiares. Curiosamente la receta no es de la abuela, sino de la tía de Karen, Shirley.

2 latas (15 onzas cada una) de frijoles rojos
2 latas (15 onzas cada una) de frijoles amarillos
2 latas (15 onzas cada una) de ejotes
1 cebolla pequeña picada
1 pimiento rojo o verde picado
⅔ taza de vinagre de vino blanco
½ taza de azúcar
⅓ taza de aceite de oliva

En un colador grande, escurra todos los frijoles y luego enjuáguelos bajo agua fría durante 1 minuto. Pase la mezcla a un tazón grande y agregue la cebolla y el pimiento. Reserve. En una sartén a fuego medio, cocine el vinagre y el azúcar hasta que se derrita el azúcar. Retire del fuego y agregue el aceite. Vierta la mezcla de aceite sobre los frijoles y mezcle hasta integrar. Refrigere de 3 a 24 horas para combinar los sabores.

Porciones: doce.

Datos nutricionales por porción: calorías, 328; proteínas, 13 g; carbohidratos, 57 g; fibra, 9 g; grasas, 7 g; grasas saturadas, 1 g; colesterol, 0 g; sodio, 193 mg; calcio, 7% del valor diario; hierro, 17%.

Germen de Trigo:

Coseche Bondades

EFICAZ CONTRA:
- el Alzheimer
- los defectos de nacimiento
- las enfermedades cardíacas
- el colesterol alto
- los accidentes cerebrovasculares

REFUERZA:
- los huesos

En su familia, la mamá de Colleen fue la que marcó el camino hacia la alimentación saludable. Uno de los secretos mejor guardados fue agregar germen de trigo en donde nadie lo notara, como en el pastel de carne. Ahora el germen de trigo podría ser el niño mimado de la Madre Naturaleza. El germen de trigo es el embrión del trigo que queda rezagado cuando se elabora la harina blanca para el esponjoso pan "inflado" que ha copado casi todo Estados Unidos. Y le falta a todos los demás productos blancos a los que somos adictos, tales como la pasta, la mayoría de los cereales en hojuelas, los pasteles y las galletas.

Pero el germen se encuentra en el recinto de las delicias. Y esto demuestra la inteligencia de la Madre Naturaleza (¡o de la madre de Colleen!).

ASPECTOS BÁSICOS DEL TRIGO

El grano de trigo tiene tres partes básicas.

▶ **El endospermo.** Es la parte esponjosa y blanca del núcleo, la parte que se muele para elaborar harina blanca. Es rica en carbohidratos y

SOLUCIONES PARA COMPRAR Y PREPARAR

Las recomendaciones para comprar germen de trigo son sencillas.

CUANDO ELIJA GERMEN DE TRIGO:

■ Lo más probable es que compre germen de trigo en un frasco sellado al vacío. Busque la fecha de vencimiento para asegurarse de que esté fresco.

■ Si compra germen de trigo a granel, sienta el aroma que despide el barril. El centro del grano debe tener un aroma fresco. Si tiene un olor ácido o a moho, no lo compre.

PARA ALMACENARLO:

■ Guarde el germen de trigo en la despensa, alejado del calor; allí se conservará durante casi un año.

■ Una vez que haya abierto el frasco, guárdelo en el refrigerador, ya que el aceite se pone rancio fácilmente cuando se lo expone al aire.

ESPOLVORÉELO POR TODOS LADOS

¿Qué hará con el germen de trigo? Estas son algunas ideas:

◆ **En ensaladas.** Después de haber mezclado las verduras de hoja verde hasta cubrirlas de aderezo, espolvoree una cucharada de germen de trigo. Se adherirá a las hojas en lugar de caer al fondo del tazón.

◆ **En alimentos horneados.** Siga su receta favorita de panecillos o pan rápido, pero reemplace hasta ½ taza de harina por germen de trigo. También agregue germen de trigo a la masa para tartas.

◆ **En cereal.** Espolvoree germen de trigo a su cereal favorito (frío o caliente) para obtener un sabor tostado y un refuerzo de los minerales menores.

◆ **En la fruta.** Para obtener una fuerte dosis de vitaminas, mezcle fruta fresca en yogur de arándanos, con una cucharada de germen de trigo.

◆ **Cambie.** ¡Sea fiel a las arterias! Reemplace la harina blanca por germen de trigo cuando recubre el pollo o el pescado para freírlos al horno. Pruebe nuestra receta de "Pollo en Salsa Crujiente" de la página 201.

contiene gluten, la proteína que permite que la masa se estire y que sea lo suficientemente elástica para capturar y conservar el aire mientras se hornea el pan.

▶ **El salvado.** Es el recubrimiento exterior sumamente "áspero". Es la parte fibrosa insoluble que mantiene su regularidad intestinal. Dos cucharadas ofrecen el 10% de la fibra que necesita para todo el día, sin calorías. ¡Qué buena noticia!

▶ **El germen.** Contiene algunas grasas no saturadas, vitamina E, las vitaminas del complejo B, niacina y tiamina, y los minerales cobre, hierro, magnesio, manganeso y cinc. Imagine todo eso en un paquete diminuto. Es prácticamente un milagro.

Si les tiene fobia a las grasas, probablemente sienta un poco de temor al aceite del germen de trigo. Pero relájese. Es esencial transportar la vitamina E soluble en grasas para que su cuerpo pueda absorberla. La mayoría de nosotros obtiene una ración ínfima de vitamina E de los alimentos.

A menos que haya vivido en otro planeta, probablemente sepa algo de la vitamina E. Es eficaz contra las enfermedades cardíacas, los accidentes cerebrovasculares y el Alzheimer. El aceite es una buena fuente de fitoesteroles. Esta versión vegetal del colesterol ha demostrado que reduce los niveles de colesterol en seres humanos y, por lo menos, en los tubos de ensayo y en animales de laboratorio, combate el cáncer.

RESUMEN DE INFORMACIÓN NUTRICIONAL

Germen de trigo
(2 cucharadas)

Calorías: 50

Grasas: 1 g

Grasas saturadas: 0 g

Colesterol: 0 mg

Sodio: 0 mg

Carbohidratos totales: 6 g

Fibra dietética: 2 g

Proteínas: 4 g

Folato: 20% del valor diario

Vitamina E: 20%

Magnesio: 10%

Manganeso: 140%

FOLATO FORTIFICADO

El germen de trigo fortificado también es una excelente fuente de ácido fólico, un protector eficaz contra los defectos de nacimiento del tubo neural. Los expertos de los Centros Nacionales para el Control y la Prevención de Enfermedades estiman que la mitad de los defectos del tubo neural se evitarían si las mujeres consumieran suficiente ácido fólico antes de quedar embarazadas. El ácido fólico también se conoce por manejar los niveles de homocisteína en sangre que están fuera de control y que pueden desencadenar un ataque cardíaco.

SINERGIA PARA LOS HUESOS

El germen de trigo aporta numerosos minerales menores que serían críticos para los huesos. No hay mucho calcio en ellos. Y tiene razón: el calcio proporciona abundante materia ósea. Pero factores secundarios como el cobre, el hierro, el magnesio, el manganeso y el cinc desempeñan papeles esenciales para que el calcio luzca como una estrella. Su interacción parece crear una clase de sinergia, en donde el trabajo en equipo aporta un resultado mayor que la suma de las partes, es decir, algo así como "uno más uno es igual a tres".

Pollo en Salsa Crujiente

Esta es una forma increíblemente energizante de preparar un pollo "frito" tan bueno para el cuerpo como para las papilas gustativas.

Aceite de canola o de oliva en aerosol

1 taza de germen de trigo tostado Kretschmer Toasted Wheat Germ

1 cucharada de condimento para tarta de calabaza

1 cucharada de comino molido

¼ cucharadita de pimienta de Cayena molida

¾ cucharadita de sal (opcional)

2 claras de huevo

1 cucharada de agua

4 mitades de pechuga de pollo sin hueso ni piel (de aproximadamente

4 onzas cada una)

1 naranja grande pelada y en cubos

¾ taza de salsa suave o intermedia

1 cucharada de cilantro fresco picado (opcional)

Precaliente el horno a 400 ºF. Recubra una bandeja para hornear con aceite en aerosol. En una fuente poco profunda, mezcle el germen de trigo, el condimento para tarta de calabaza, el comino, la pimienta y la sal (opcional). En una segunda fuente poco profunda, bata las claras de huevo y el agua hasta formar espuma. Sumerja las pechugas de pollo en la mezcla de claras de huevo y luego en la mezcla de germen de trigo. Sumerja nuevamente y recubra toda la superficie. Dispóngalas sobre la bandeja para hornear. Rocíe un poco de aceite en aerosol sobre la parte superior de las pechugas de pollo. Hornee de 18 a 20 minutos o hasta que el pollo ya no esté rosado en el centro.

Mientras se cocina el pollo, mezcle la naranja, la salsa y el cilantro (opcional) en un tazón pequeño. Sirva con el pollo.

Porciones: cuatro.

*Datos nutricionales por porción: calorías, 290; proteínas, 36 g; carbohidratos, 22 g; fibra, 5 g; grasas, 7 g; grasas saturadas, 1 g; sodio, 430 mg; folato, 35% del valor diario. * Felicitaciones por la receta a Kretschmer y The Quaker Oats Company.*

Granada:
Amiga
del Corazón

EFICAZ CONTRA:
- el envejecimiento
- el cáncer
- las enfermedades cardíacas

REFUERZA:
- la actividad enzimática

Uno de los mejores beneficios del otoño es la llegada de las granadas, esas "joyas de otoño" que nos recuerdan la niñez, cuando compartíamos las brillantes semillas con nuestros amigos. En aquel entonces, una granada era una comida "divertida". Ahora resulta que la granada también es una comida saludable.

Comer una granada al día podría reducir la cantidad de visitas al cardiólogo. Y al oncólogo, también. Los investigadores de Israel han explorado la eficacia antioxidante de la granada, con resultados sorprendentes. Su curiosidad provino de la medicina tradicional del Medio Oriente, en la cual se ha usado por siglos

RESUMEN DE INFORMACIÓN NUTRICIONAL

Granada (1 unidad o ½ taza de jugo)

Calorías: 105

Grasas: 0 g

Grasas saturadas: 0 g

Colesterol: 0 mg

Sodio: 4 mg

Carbohidratos totales: 1 g

Fibra dietética: 1 g

Proteínas: 1 g

Vitamina C: 10% del valor diario

Manganeso: 44%

la granada para curar enfermedades e infecciones.

En el laboratorio, los investigadores fermentaron el jugo para convertirlo en vino y extrajeron en frío el aceite de las semillas. Luego extrajeron compuestos llamados flavonoides de estos dos líquidos y probaron su eficacia con la de otros alimentos protectores.

Los investigadores aprendieron que los flavonoides de la granada eran iguales a los del té verde e incluso mejores que los del vino tinto para prevenir la oxidación del colesterol de lipoproteína de baja densidad (LDL), el cambio químico que permite que la placa obstruya y endurezca las arterias. También descubrieron que el jugo de granada puro es más eficaz que el vino tinto, lo que significa que no tiene que embriagarse para estar saludable. Otro posible beneficio de los flavonoides de la granada es la reducción del envejecimiento de las células.

DE RATONES Y HOMBRES

Los investigadores determinaron que el jugo de granada previene la acumulación de placa en ratones. Y en un grupo de hombres saludables, beber jugo de granada agridulce y chispeante todos los días durante dos semanas, aumentó la producción de una enzima que puede proteger contra cambios cancerosos en las células.

Resulta que las granadas están repletas de ácido elágico, un compuesto polifenólico que evita el inicio de cánceres. Se ha demostrado que inhibe el inicio del cáncer en los pulmones, el hígado, la piel y el esófago de los ratones.

SOLUCIONES PARA COMPRAR Y PREPARAR

Las granadas se venden solo de septiembre a diciembre, y la temporada alta va de octubre a noviembre. Durante estos meses, las granadas llegarán a la tienda de abarrotes maduras y listas para comer.

CUANDO ELIJA GRANADAS:

■ Elija las que tengan la piel delgada, fuerte y entera.

■ Seleccione las que sean pesadas para su tamaño; una señal de que son jugosas.

PARA ALMACENARLAS:

■ Incluso cuando están bien maduras, las granadas se mantienen bien a temperatura ambiente hasta por un mes. Así que puede usar algunas para su centro de mesa del Día de Acción de Gracias y comérselas después.

■ Para que se mantengan bien por más tiempo (hasta dos meses), guárdelas en el refrigerador.

VAMOS A LO BUENO

Una granada es una especie de bolsa roja parecida al cuero, del tamaño de una manzana, llena de semillas brillantes que parecen joyas. Estas semillas están contenidas dentro de una membrana blanca que actúa como envoltorio plástico con burbujas. No se puede comer el recubrimiento exterior (el envoltorio plástico con burbujas), así que haga lo siguiente para llegar a lo bueno:

■ Corte la corona.

■ Con un cuchillo filoso, perfore la cáscara coriácea de arriba hacia abajo, teniendo cuidado de no cortar demasiado profundo y romper las semillas.

■ Sumerja toda la fruta en un tazón con agua y deje remojar por 5 minutos.

■ Sostenga la fruta debajo del agua y separe las secciones, retirando las semillas de las membranas. Las semillas se hundirán al fondo del tazón y la cáscara y las membranas flotarán.

▪ Saque la cáscara y las membranas y tírelas a la basura.

▪ Escurra las semillas en un escurridor y séquelas con golpes suaves. ¡Ya está!

CÓMO USAR LAS SEMILLAS DE LA GRANADA

Estos son algunos consejos para usar las semillas de la granada:

◆ **Congélelas para usarlas después.** Las granadas solo se venden en el otoño. Pero cuando se dé cuenta de lo buenas que son, con su sabor chispeante y agridulce, querrá comerlas todo el año. Así que disperse las semillas en una sola capa sobre una bandeja para hornear y congélelas hasta que estén sólidas. Luego guárdelas en recipientes para el congelador y se mantendrán bien hasta por seis meses (no le durará el año entero, pero medio año es mejor que nada).

◆ **Sáqueles el jugo.** Coloque de 1 ½ a 2 tazas de semillas en una licuadora o procesador de alimentos y hágalas girar. Vierta el jugo en un recipiente pasándolo por un colador de metal forrado con manta de cielo. Si no se lo toma todo de inmediato, el jugo se mantendrá bien en el refrigerador hasta por cinco días o en el congelador, por seis meses. Puede usar el jugo para preparar limonada, para colorear peras y manzanas en rodajas para ensaladas, o como base para sopas y guisos. ¡Ingenioso!

◆ **Decore con joyas.** Rocie semillas frescas o congeladas en cualquier lugar donde necesite una decoración rojo brillante: en ensaladas y postres de fruta, incluso pasteles y pudines. Agréguelas a ensaladas con semillas de trigo o arroz, o revuélvalas con el puré de manzana. O úselas para comer con waffles, panqueques o helado de yogur. ¡Preciosas!

◆ **Apriételas.** Empaque una granada en la lonchera. En su escritorio, haga rodar la fruta con la palma de la mano para reventar los sacos de las semillas. Corte la parte superior y exprima el jugo. ¡Estupendo!

◆ **Lo más fácil de todo:** cómalas por puñados. ¡Un dulce placer!

Ensalada de Granada, Mandarina Clementina y Kiwi

Si está buscando un toque de color y un sabor chispeante y fresco, agregue esta ensalada espectacular al próximo festín de lujo.

6 tazas de verduras de hoja verde miniatura (espinaca *baby*, lechuga hoja de roble y endivias)

⅛ cucharadita de chile rojo machacado

4 cucharadas de vinagreta de frambuesa

3 mandarinas clementinas peladas y separadas, o

1 taza de gajos de mandarina llenos de jugo y bien escurridos

4 kiwis pelados en rodajas finas

Semillas de 1 granada mediana (aproximadamente ¾ taza)

En un tazón grande, mezcle las verduras de hoja verde, el chile y 2 cucharadas de la vinagreta hasta integrar. Distribuya la mezcla en seis platos de ensalada. Como decoración, coloque sobre las hojas verdes los gajos de mandarina clementina o común y las rodajas de kiwi. Rocíe las 2 cucharadas restantes de la vinagreta y las semillas de granada.

Porciones: seis.

Datos nutricionales por porción: calorías, 89; proteínas, 2 g; carbohidratos, 21 g; fibra, 4 g; grasas, 0.5 g; grasas saturadas, 0 g; colesterol, 0 mg; sodio, 29 mg; vitamina A, 39% del valor diario; vitamina C, 68%; manganeso, 26%.

Granos de Trigo:
Saludables Hasta el Último Grano

EFICAZ CONTRA:

- el estreñimiento
- la diabetes
- la diverticulosis
- las enfermedades cardíacas
- las hemorroides

REFUERZA:

- la regularidad
- el control del peso

Durante largo tiempo, Colleen intentó comer granos de trigo. No era que no le gustaran. Le encantaban. Cada vez que los encontraba en un bar de ensaladas, se servía un cucharón saludable. Pero nunca encontraba granos de trigo para cocinar en casa.

En cada tienda de comestibles, buscaba cerca del arroz, la cebada y la pasta algún empaque rotulado "granos de trigo", pero sus esfuerzos eran en vano. Finalmente la informó el empleado de una tienda de alimentos naturales. Necesitaba comprar "trigo rojo duro de invierno".

Los granos de trigo son pequeños receptáculos de trigo integral. Cuando los cocina durante una hora en abundante agua, se convierten en pequeños granos orondos masticables de color marrón oscuro y sabor a nuez. Son deliciosos aun cuando se les cocine sin sal.

RESUMEN DE INFORMACIÓN NUTRICIONAL

Granos de trigo (½ taza, cocidos)

Calorías: 158

Grasas: 1 g

Grasas saturadas: 0 g

Colesterol: 0 mg

Sodio: 1 mg

Carbohidratos totales: 33 g

Fibra dietética: 6 g

Proteínas: 7 g

Cobre: 10% del valor diario

Hierro: 10%

Magnesio: 15%

Manganeso: 97%

Cinc: 9%

SOLUCIONES PARA COMPRAR Y PREPARAR

Los granos de trigo no son muy comunes aún, así que no los encontrará en la mayoría de los supermercados locales. Probablemente tendrá que comprar el trigo rojo duro de invierno en una tienda de alimentos saludables o naturales.

CUANDO ELIJA GRANOS DE TRIGO:

Probablemente los encontrará en un empaque transparente: inspecciónelos por si tienen bichos.

PARA ALMACENARLOS:

■ Si no cocinará en ese mismo momento los granos de trigo, colóquelos en un recipiente hermético y guárdelos en la despensa para usarlos en un par de semanas.

■ Para almacenarlos por más tiempo, manténgalos en el refrigerador para evitar que los aceites se pongan rancios. Durarán hasta un año.

CUANDO ESTÉ LISTO PARA USARLOS:

■ Ponga el contenido de una taza en un colador y enjuáguelo en agua fría para eliminar el polvo y la suciedad.

■ Tómese ese tiempo para separar el trigo de la cascarilla y otros residuos menores.

■ Coloque los granos de trigo en una olla grande, agregue 4 tazas de agua y tápela. Cocínelos a fuego alto hasta que hierva el agua. Baje el fuego y cocine durante aproximadamente una hora, mientras hace otra cosa.

■ Cuando crea que estén listos, saque algunos, déjelos enfriar y

LA HISTORIA INTEGRAL

Desde los inicios de la Pirámide de Alimentos, los granos están en la base. Pero a medida que continúan las investigaciones para develar la mayor eficacia de los granos integrales sobre los granos blancos procesados, se recomiendan los productos integrales.

¿Por qué? La vasta gama de vitaminas, minerales y fitoquímicos de los granos integrales trabajaría en forma sinérgica para prevenir la mayoría de las enfermedades derivadas del estilo de vida.

luego deles la "mordida" de prueba. Continúe cocinándolos a fuego lento hasta que alcancen la consistencia deseada.

■ Retire el exceso de agua.

■ Use los granos en ese momento o bien guárdelos en el refrigerador.

LA RESPUESTA ESTÁ EN LOS GRANOS

Si no ha probado los granos de trigo, estas son algunas ideas sobre cómo usarlos (prepare los granos y manténgalos cocidos en el refrigerador).

◆ **Para el desayuno.** Si los cereales son el desayuno de los campeones, los granos de trigo podrían hacerlo ganar la medalla olímpica. Caliéntelos en el microondas con un poco de miel, frutas deshidratadas, nueces y leche.

◆ **Para una ensalada.** Mezcle granos de trigo cocidos y refrigerados con verduras crudas picadas (apio, rábanos, pepinos y zanahorias) condimentadas con su aderezo favorito para ensaladas.

◆ **Para una sopa.** Agregue una gran cucharada en una sopa enlatada de frijoles, arvejas o lentejas para aportar las proteínas que se consideran tan completas como las de la carne.

◆ **Para la cena.** Reemplace la pasta, el arroz o las papas por granos de trigo calientes aderezados con aceite de oliva, vinagre balsámico y hierbas italianas tales como albahaca, orégano y tomillo.

◆ **Para fiestas.** Para preparar un plato sofisticado, mezcle los granos de trigo cocidos con aceitunas maduras picadas y piñones tostados.

Los granos integrales, por ejemplo, contie nen lo siguiente:

▶ **Fibra insoluble.** Se trata del tipo de fibra conocida por evitar todas las dificultades digestivas tales como el estreñimiento, la diverticulosis y las consiguientes hemorroides.

▶ **Antioxidantes (específicamente, ácidos fenólicos, lignanos y ácido fítico).** Los antioxidantes destruyen los radicales libres, peligrosas partículas que se forman cuando las células del cuerpo queman oxí-

Estreñimiento

¿Sufre de estreñimiento? Agregue a su dieta una porción de granos de trigo y un par de vasos de agua adicionales. Media taza de granos de trigo cocidos aporta un cuarto de la ración diaria de fibra, casi totalmente insoluble, que mantiene los intestinos en movimiento. La fibra insoluble absorbe gran cantidad de agua en el tracto digestivo, así que aprovisiónese de abundante agua.

geno para obtener energía (precaución: ¡Vivir es peligroso para la salud!).

▶ **Vitamina E.** Los granos de trigo son una fuente concentrada de vitamina E, especialmente el isómero tocotrienol (una de las numerosas subpartes de la vitamina E), que en opinión de los investigadores, contiene la mayoría de los beneficios de los antioxidantes.

INTEGRAL PARA EL CORAZÓN Y LA DIABETES

Los estudios científicos a gran escala de numerosas poblaciones han determinado que los granos integrales ofrecen una excelente protección para el corazón. Por ejemplo, el estudio con mujeres de Iowa determinó que las mujeres saludables en edad posmenopáusica que comieron una porción diaria de granos integrales tuvieron un 30% menos de probabilidades de tener un ataque cardíaco que las mujeres que los consumían una vez por semana o menos.

Y dos estudios adicionales, uno con 43,000 hombres y el otro con 65,000 mujeres de entre 40 y 65 años, demostraron que quienes consumían más cereal con fibra (como el grano de trigo) eran los que tenían menos probabilidades de desarrollar diabetes tipo 2, la clase de diabetes que padece la mayoría de los adultos.

EL PROBLEMA INTEGRAL DEL PESO

En los Estados Unidos, el peso parece estar fuera de control, ya que se considera que un tercio de los adultos tiene sobrepeso o es obeso. Pero los granos de trigo y los otros granos integrales pueden ayudarnos a quienes necesitamos bajar unas cuantas libras. Aunque los granos de trigo no son *light*, no contienen grasas. Y al comerlos, se siente satisfecho. Algunas investigaciones sugieren que los alimentos con granos integrales le ayudarían a permanecer satisfecho por más tiempo.

Desayuno con Granos de Trigo

Los deliciosos granos de trigo mezclados con frutas, nueces y leche le aportarán la energía necesaria para iniciar el día, al proporcionarle un tercio de la ración diaria de fibra, abundantes vitaminas B y numerosos minerales.

1 taza de granos de trigo (trigo rojo duro de invierno)
4 tazas de agua
2 dátiles enteros cortados
2 cucharadas de pacanas tostadas y picadas
Una pizca de pimienta dulce
½ taza de leche descremada evaporada

La noche anterior, coloque los granos de trigo en una olla resistente y cúbralos con agua. Cubra y lleve a ebullición a alta temperatura. Baje el fuego y cocine a fuego lento hasta que los granos estén masticables (aproximadamente 1 hora). Escurra el exceso de agua y enfríe los granos de trigo en el refrigerador durante la noche. Por la mañana, ponga en un tazón para microondas ½ taza de los granos de trigo. Cubra y cocine en el microondas a temperatura media hasta que esté sumamente caliente. Agregue los dátiles, las pacanas, la pimienta y la leche. ¡Comenzará el día con energía!

Porción: una.

Datos nutricionales por porción: calorías, 407; proteínas, 19 g; carbohidratos, 62 g; fibra, 9 g; grasas, 12 g; grasas saturadas, 1 g; colesterol, 5 mg; sodio, 150 mg; vitamina A, 19% del valor diario; vitamina B1 (tiamina), 28%; vitamina B2 (riboflavina), 28%; vitamina B3 (niacina), 18%; vitamina B6, 15%; calcio, 40%; cobre, 22%; hierro, 15%; cinc, 21%.

Verduras con Granos de Trigo

Cuando se aburra de los mariscos y esté listo para algo que encienda sus papilas gustativas, prepare esta receta.

1 taza de granos de trigo (trigo rojo duro de invierno)
¼ taza de apio en cubos
¼ taza de pepino pelado en cubos
¼ taza de pimiento rojo picado
¼ taza de aceitunas maduras picadas
2 cucharadas de aderezo *Ken's Light Caesar*
4 hojas de lechuga

Cocine los granos de trigo el día antes de usarlos (lea la receta en la otra página). A la noche siguiente, cuando prepare la cena, coloque en un tazón mediano 2 tazas de granos de trigo cocinados. Agregue el apio, el pepino, el pimiento, las aceitunas y el aderezo. Revuelva bien. Divida la lechuga entre dos platos para ensalada; luego coloque la misma cantidad de la mezcla con un cucharón.

Porciones: dos.

Datos nutricionales por porción: calorías, 221; proteínas, 8 g; carbohidratos, 37 g; fibra, 7 g; grasas, 6 g; grasas saturadas, 1 g; colesterol, 3 mg; sodio, 461 mg; vitamina A, 14% del valor diario; vitamina C, 41%, vitamina E, 9%; calcio, 5%; hierro, 14%.

Higo:
Alimento Ancestral Saludable

EFICAZ CONTRA:
- el cáncer
- las enfermedades cardíacas
- la hipertensión
- el colesterol alto
- los accidentes cerebrovasculares

REFUERZA:
- la regularidad
- el control del peso

Cuando Karen trabajaba en el periódico de la universidad, el personal tenía una galleta oficial: Fig Newtons (galletas rellenas de higo). Cada lunes se podía encontrar una bolsa abierta en la oficina, cuando el equipo de chicos armaba frenéticamente la edición semanal. En esa época, Karen respingaba la nariz por los higos y con frecuencia horneaba pastelitos para las sesiones maratónicas. Hoy en día, una década más tarde, a Karen todavía le gustan los pastelitos (y los sigue horneando). Pero también le enloquecen los higos. ¡Se dio cuenta de que esta fruta ancestral tiene un sabor fabuloso ¡y no solo en galletas!

¡CUIDE SU FIGURA CON HIGOS!

¿Nunca ha probado higos? No sabe lo que se pierde. Los higos proporcionan numerosos nutrientes que benefician su cuerpo de diferentes maneras:

▶ **Fibra.** Cada porción de higos secos (tres higos Calimyrna o cuatro o cinco higos Mission) proporciona aproximadamente 5 g de fibra. Alrededor de un cuarto de esa fibra es del tipo soluble que reduce los ni-

SOLUCIONES PARA COMPRAR Y PREPARAR

Durante el verano y al principio del otoño podrá comprar higos frescos o secos. Y debe comprarlos, porque el sabor de los higos frescos es increíble.

CUANDO ELIJA HIGOS FRESCOS:

■ Busque higos orondos y sin manchas.

■ Compre los que estén suaves al tacto, pero no blandos.

■ Huela los higos, porque un olor ácido indica descomposición.

PARA ALMACENARLOS:

Una desventaja de los higos frescos es que tienen la vida en góndola más corta del planeta. Una vez cosechados, no duran más que una semana. Cuando los elige, es posible que solo aguanten bien un par de días. Así que manipúlelos con cuidado: para evitar magulladuras, coloque los higos frescos en un recipiente forrado con toallas de papel y refrigérelos de inmediato.

DIVERSIÓN CON HIGOS

Ahora está listo para agregar higos al menú. Pruebe estas técnicas:

◆ **Endulce la avena.** Agregue higos frescos o secos picados a la avena matutina para obtener un toque de dulzura natural. Si no refrigeró los higos, refrigérelos durante una hora para que sea más fácil cortarlos.

◆ **Anime las verduras.** Agregue nueces picadas e higos rebanados a una base de verduras de hoja verde. Sazone con aderezo de vinagreta, como la "Vinagreta Balsámica con Albahaca" de la página 6.

◆ **Agréguele volumen al pan.** Incorpore higos picados con un poco de harina a la masa para hacer pan o panecillos, como lo haría con albaricoques o bayas. ¿Por qué con harina? Evita que los higos se asienten en el fondo de los productos horneados.

◆ **Ensártelos.** Ensarte higos junto con trozos de banano y otras frutas favoritas. Sirva las brochetas como acompañamiento con el pollo o el cerdo a la parrilla.

veles de colesterol. Un estudio reciente determinó que además la fibra soluble puede ayudarle a perder peso. Cuando se les dio un suplemento de fibra soluble a las mujeres con sobrepeso, empezaron a comer menos calorías e informaron que se sentían más llenas.

El otro tipo de fibra que contienen los higos es insoluble, evita el estreñimiento y puede reducir el riesgo de tener cáncer de colon.

▶ **Potasio.** Una porción de higos proporciona más potasio que un banano. Este mineral reduce la presión arterial, reduciendo el riesgo de desarrollar enfermedades cardíacas y accidentes cerebrovasculares.

▶ **Fenoles.** Pero probablemente los nutrientes que más nos entusiasma que se encuentren en los higos son los polifenoles. Estos compuestos pueden frenar el cáncer, alejar los problemas del corazón y más. Una sola porción de higos deshidratados contiene 444 miligramos de este ejército que combate enfermedades. ¡Esto equivale al doble de lo que un estadounidense promedio adquiere de las verduras en todo el día!

A eso hay que agregar el hecho de que los higos contienen cumarina y benzaldehído, que son otros dos compuestos potentes para combatir el cáncer. Sería una pena no comer higos, por lo menos, un par de veces a la semana.

RESUMEN DE INFORMACIÓN NUTRICIONAL

Higos secos (aproximadamente 4)

Calorías: 120

Grasas: 0 g

Grasas saturadas: 0 g

Colesterol: 0 mg

Sodio: 5 mg

Carbohidratos totales: 28 g

Fibra dietética: 5 g

Proteínas: 1 g

Calcio: 6% del valor diario

Hierro: 8%

Higos Rellenos
con Queso Brie

Si los higos son ideales para comer con los dedos, ¿por qué no servirlos como aperitivo? Esta receta que nos pasaron de los productores de higos de Valley Fig Growers fue un verdadero éxito en nuestra última fiesta familiar. ¡Y eso que tenemos parientes muy quisquillosos!

16 higos deshidratados Calimyrna o Mission
6 onzas de queso Brie en trozos pequeños
⅓ taza de romero fresco picado

Precaliente el horno a 350 °F. Quite los tallos de los higos. Si usa higos Calimyrna, pélelos. Con la punta hacia arriba, rebane verticalmente cada higo, pero no haga el corte hasta abajo. Rellene los higos con un pedazo de queso. Espolvoree el romero. Coloque los higos en una cazuela grande con el queso hacia arriba. Hornee durante 7 minutos o hasta que estén calientes.

Porciones: ocho.

Datos nutricionales por porción: calorías, 193; proteínas, 6 g; carbohidratos, 30 g; fibra, 6 g; grasas, 7 g; grasas saturadas, 4 g; colesterol, 21 mg; sodio, 139 mg; calcio, 15% del valor diario; hierro, 13%.

Hinojo:

Semilla para la Destrucción del Cáncer

EFICAZ CONTRA:
- el cáncer
- las inflamaciones

REFUERZA:
- el control del peso

Hace algunos años, mientras vacacionaba en Sonoma Valley, al norte de California, Colleen encontró hinojo silvestre. Recogió algunas semillas y las sembró en su jardín en Maryland. Las semillas se convirtieron en altas plantas con copa frondosa que producen semillas todos los años, por lo que siempre tiene hinojo fresco para agregar a los platillos de cerdo. Con el tiempo, le regaló algunas semillas a su hija Bobbi ¡y ahora tiene nuevos brotes de hinojo!

Cada otoño, después de que Colleen cosecha las semillas, poda las plantas hasta el suelo, las recoge en ramos y luego las planta en una maceta grande que Bobbi hizo en la clase de cerámica. Con casi 6 pies de altura, el arreglo es impresionante. ¡Perfuma la casa! Para acentuar la frescura natural de los ambientes, durante el invierno Colleen agrega el hinojo del año anterior a la leña y lo va quemando poco a poco en la chimenea.

MEDICINA MODERNA CON SEMILLAS ANCESTRALES

Las semillas de hinojo han existido prácticamente desde siempre. Los antiguos egipcios llamaban a la planta de hinojo "heno aromático", pero forma parte de la familia de las zanahorias. Los parientes cercanos son el anís (salchichas italianas), el comino (pan de centeno), el ci-

**SOLUCIONES
PARA COMPRAR
Y PREPARAR**

El bulbo de hinojo se puede conseguir en las grandes tiendas de abarrotes, principalmente en invierno. Es bonito, limpio, firme y tiene tallos rectos y hojas con forma de plumas verdes de aspecto fresco. Corte los tallos del bulbo, envuélvalos en una bolsa de plástico y luego almacene el hinojo en el refrigerador, en donde se mantendrá bien durante cuatro o cinco días.

Encontrará semillas de hinojo en la sección de especias de la tienda de abarrotes. Deben tener aspecto fresco y color intenso, no reseco ni pálido.

DIVERSIÓN CON HINOJO

Las siguientes son algunas formas excelentes de agregar un sabor diferente a los platos de cada día:

◆ **En cubos.** En lugar de apio, corte en cubos un bulbo de hinojo para la ensalada de pollo o atún.

◆ **En rebanadas.** Corte un bulbo de hinojo en rebanadas delgadas, mézclelo con cebolla y ajo picados y luego hierva a fuego lento con caldo de pollo durante aproximadamente 15 minutos. Escurra y sírvalo con jugo de limón. ¡Es excelente para combinar con pollo o carne magra de cerdo!

◆ **En virutas.** Mezcle virutas de bulbo de hinojo con virutas de cebolla morada y hojas de lechuga verde. Aderece con aceite y vinagre balsámico y decore con queso parmesano recién rallado.

◆ **Agréguelo.** Agregue hojas de hinojo cortadas a la ensalada.

◆ **Mézclelo.** Agregue algunas semillas de hinojo a la masa de pan justo antes de darle forma y hornearla.

lantro (semilla de cilantro), el comino (esencial para los platillos típicos de México y la India), el perejil (condimento mundial) y el eneldo (lo mejor para la ensalada con papa de cáscara morada). Cuando se reúnen, ¡qué familia sabrosa forman!

Pero, a pesar de que las semillas de hinojo son ancestrales, los científicos con tubos de ensayo y ratones de laboratorio recién empezaron a descubrir los ingredientes naturales de las semillas, que pueden brindarnos una vida prolongada y hacernos sentir bien para disfrutar plenamente su delicioso sabor.

Uno de los descubrimientos recientes es el anetol, que se ha demostrado que bloquea las inflamaciones y previene la formación del cáncer. Las semillas de hinojo también proporcionan modestas cantidades de flavonoles, incluida la quercetina, un antioxidante más poderoso que la vitamina E, lo que sugiere que estas semillas pueden contribuir con el ejército protector de frutas y verduras (tal como manzana, cebolla y té), que nos defienden de las enfermedades cardíacas. Por supuesto, ¡sazonar con hinojo en lugar de grasas saturadas (como mantequilla o crema) es bueno para el corazón y para la cintura!

RESUMEN DE INFORMACIÓN NUTRICIONAL

Semillas de hinojo (1 cucharada)

Calorías: 20

Grasas: 1 g

Grasas saturadas: 0 g

Colesterol: 0 mg

Sodio: 5 mg

Carbohidratos totales: 3 g

Fibra dietética: 2 g

Proteínas: 1 g

Calcio: 7% del valor diario

Hierro: 6%

Magnesio: 6%

Manganeso: 19%

Alivio Rápido Para:

El mal Aliento

¿Necesita una menta para el aliento? Masque algunas semillas de hinojo. ¡Podrá dar dulces besos! Pista: a menudo se sirven sin costo al final de la comida en los restaurantes hindúes.

DISFRUTE DEL BULBO

El bulbo de hinojo es la base comestible de un tipo de planta de hinojo. Parece un apio grueso con plumas verdes. Al igual que el apio, tiene muy pocas calorías (aproximadamente 27 por taza), pero contiene más fibra (aproximadamente 3 g) y un poco de vitamina A (aproximadamente el 2% del valor diario), que es importante para proteger las membranas mucosas contra la invasión de bacterias y virus. El bulbo del hinojo es un alimento de primera categoría, porque tiene un sabor similar al del regaliz u orozuz, es voluminoso, llena, ¡y casi no tiene calorías!

219

Platillo de Cerdo con Hinojo

El lomo de cerdo tiene la carne más magra. Pero es un corte demasiado grande para que dos personas lo coman en una comida, así que siempre hay deliciosos sobrantes. La siguiente es una cena rápida que utiliza esos sobrantes. Está llena de sabor a hinojo, según el estilo de los ancestros de Europa Occidental de Colleen, pero sin la grasa de antaño.

2 tazas de chucrut con bajo contenido de sodio lavado y drenado
½ taza de agua
1 cucharada de semillas de hinojo
2 tazas de zanahorias en miniatura partidas
4 papas pequeñas enteras enlatadas
6 onzas de sobrantes de lomo de cerdo cocinado cortados en rebanadas delgadas

Coloque el chucrut en una cacerola antiadherente grande con el agua. Espolvoree uniformemente las semillas de hinojo sobre el chucrut. Coloque encima las zanahorias, las papas y el cerdo. Cubra, hierva y luego cocine a fuego lento durante aproximadamente 5 minutos o hasta que las zanahorias estén tiernas y todos los ingredientes estén calientes.

Porciones: dos.

Datos nutricionales por porción: calorías, 304; proteínas, 28 g; carbohidratos, 36 g; fibra, 11 g; grasas, 5 g; grasas saturadas, 1.5 g; colesterol, 67 mg; sodio, 902 mg; vitamina A, 792% del valor diario; vitamina B1 (tiamina), 65%; vitamina C, 46%; hierro, 28%; potasio, 38%.

Hongo:

Sombrero Fantástico

EFICAZ CONTRA:

- el cáncer
- la hipertensión

REFUERZA:

- la función inmunológica
- el metabolismo
- el control del peso

Sabemos que las alocadas aventuras de Alicia en el País de las Maravillas fueron producidas por hongos alucinógenos. ¡Esos no son de la clase que recomendamos! Recomendamos una variedad fabulosa, que incluye a los populares champiñones, los carnosos portobellos y los shiitakes de la alta cocina, entre otros. Analicemos unas cuantas variedades, comenzando con la más familiar, y veamos por qué son tan beneficiosas para usted.

BOTÓN, BOTÓN... ¿A QUIÉN LE TOCÓ EL BOTÓN?

Además de los juegos de la niñez, la mayoría de nosotros está familiarizado con los champiñones blancos en forma de botón, que abundan en los exhibidores de las tiendas de comestibles. Contienen pocas calorías y, a pesar de lo suave de su sabor, son un excelente saborizante para casi cualquier comida.

RESUMEN DE INFORMACIÓN NUTRICIONAL

Hongos shiitake
(½ taza, cocinados)

Calorías: 40

Grasas: 0 g

Grasas saturadas: 0 g

Colesterol: 0 mg

Sodio: 0 mg

Carbohidratos totales: 10 g

Fibra dietética: 2 g

Proteínas: 1 g

Vitamina B2 (riboflavina): 7% del valor diario

Vitamina B3 (niacina): 5%

Vitamina B6: 6%

Cobre: 32%

Cinc: 6%

SOLUCIONES PARA COMPRAR Y PREPARAR

Hay hongos en todas las temporadas. Sin importar qué clase elija, deben lucir rozagantes.

CUANDO ELIJA HONGOS:

■ Compre los que estén lisos, secos y firmes, sin cortes ni magulladuras.

■ Elija los que tengan un fresco aroma a nuez, como el pan.

■ Evite los hongos blandos, resecos, arrugados, correosos o viscosos.

■ Evite los que huelen a moho.

■ Revise los pliegues debajo del sombrero. Si están cerrados significa que el hongo es joven; si están abiertos es señal de envejecimiento.

PARA ALMACENARLOS:

Una vez que haya comprado los hongos, póngalos en una bolsa de papel; luego coloque la bolsa de papel dentro de una bolsa plástica, según indica el fisiólogo en alimentos Brian Patterson en su libro *Fresh*. La bolsa de papel absorberá la humedad para que los hongos no se pongan viscosos y la bolsa plástica conservará a los hongos frescos.

CUANDO ESTÉ LISTO PARA CONSUMIRLOS:

¡No los lave! Se ponen como esponjas cuando se los moja.

¡Es delicioso! ¿Por qué los hongos convierten una buena comida en una comida estupenda? Por la generosa dosis de ácido glutámico: al glutamato monosódico (MSG) también se le conoce como el quinto sabor. Junto con los sabores dulce, ácido, salado y amargo, ahora los expertos reconocen el sabor "umami" o "cárnico". Probablemente ya lo haya notado cuando cocina hongos: casi desaparecen. Eso se debe a que son como pequeños sacos repletos de agua que se evapora cuando se los cocina. Y esto da lugar a un sabroso caldo que concentra los nutrientes, de modo que usted obtiene más beneficios por cada bocado de comida.

En lugar de ello, límpielos suavemente con un cepillo suave y fino para hongos o una toalla de papel suave. La mayoría de los hongos crecen en abono esterilizado, de modo que son seguros de comer.

CÓMO INCORPORAR LA MAGIA DE LOS HONGOS

Haga un lugarcito para los hongos en sus comidas. Estas son algunas ideas:

◆ **Aligere la salsa.** Reemplace la carne de la salsa para espagueti por una lata de hongos en rodajas. Reducirá calorías a la vez que mejorará el sabor.

◆ **Refuerce el salmón.** Saltee hongos shiitake frescos en rodajas, 1 cebolla amarilla en rodajas y 2 dientes de ajo fresco finamente picados en unas cuantas gotas de aceite de oliva. Condimente con una pizca de albahaca u orégano deshidratados. Sirva sobre salmón a la parrilla.

◆ **Deseche esa hamburguesa.** En su lugar, coloque en el pan un hongo portobello a la parrilla.

◆ **En caldo.** Guarde los tallos de hongos frescos para preparar una deliciosa sopa de hongos.

◆ **Espere lo inesperado.** Tenga siempre a mano hongos exóticos deshidratados para crear platillos sensacionales en minutos.

¡Más relleno! Aunque los hongos mejoran el sabor, no se adhieren a la cintura. Aun con tan pocas calorías, los hongos contribuyen como un maravilloso agente para dar volumen a ensaladas, sopas y salsas. ¡Lo ayudan a llenarse sin perder la figura! (no los saltee en mantequilla. ¡Absorberán una tonelada de grasas y calorías!)

¡Buenas noticias! Los champiñones son una valiosa fuente de niacina y riboflavina, dos de las vitaminas del complejo B que actúan como conversores a medida que metaboliza las comidas, al convertir los alimentos en componentes para obtener energía y combatir las en-

Maniático de los Hongos

En una época, solo había champiñones. Ahora abundan fabulosos hongos frescos. Examine las diferencias en este fantástico mundo de los hongos.

Hongo	Apariencia	Color	Sabor
Champiñón	botón liso y blanco	blanco o blanco hueso	suave
Chanterelle	trompeta arrugada	dorado amarronado a anaranjado amarillento	como el albaricoque
Enoki	ramillete largo y poco carnoso	blanco crema	dulce
Hongo ostra	racimo de ostras	blanco hueso o marrón grisáceo	cárnico
Portobello	tortita de carne	marrón oscuro	cárnico
Shiitake	sombrilla abierta	negro amarronado	intenso
Hongo orejón	plato plano	blanco grisáceo	suave

fermedades. También contienen cobre, un importante mineral para tener sangre saludable y huesos fuertes.

DE LO EXÓTICO A LO SALVAJE

En los años más recientes, se ha brindado un merecido reconocimiento a las variedades de hongos. Y estas son buenas noticias. La sorprendente variedad de formas, colores y tamaños le hace preguntarse qué estaba mordisqueando la Madre Naturaleza cuando inventó los hongos, (¡bien hecho, Mamá!). Y la variedad cada vez mayor sin dudas hace que la cena sea más interesante.

Mejor aún, estas variedades más exóticas también parecen segregar sustancias químicas naturales con cualidades beneficiosas para la salud. Los hongos shiitake tienen una ligera, pero contundente, capacidad para reducir el colesterol de lipoproteína de muy baja densidad (VLDL) (¡cómalos en lugar de una grasosa hamburguesa!). Y tanto el shiitake como el maitake parecen mejorar el sistema inmunológico, combatir el cáncer y reducir la presión arterial. Se están haciendo estudios con extractos de hongos para analizar su potencial como cura del cáncer.

Sopa Cremosa de Hongos Silvestres

No lo enviaremos a recolectar hongos silvestres (¡si los confunde, puede engrosar la lista de personas desaparecidas!). Nos gustaría que se alocara un poquito para pasar de los champiñones a otros más inusuales.

2 tazas de hongos portobello frescos picados
1 taza de hongos shiitake frescos picados
1 taza de hongos cremini frescos picados
1 lata (16 onzas) de consomé de res sin grasa
¼ taza de cebolla escalonia en rodajas finas
2 dientes de ajo grandes picados
½ cucharadita de pimentón dulce
½ taza de queso ricotta reducido en grasas

Coloque los hongos, el caldo, las cebollas, el ajo y el pimentón en la parte superior de una olla doble. Cubra, haga hervir el agua de la parte inferior de la olla, baje el fuego y deje hervir a fuego lento. Cocine hasta que los hongos estén blandos (unos 10 minutos) y deseche una parte del líquido. Agregue el queso. Cocine hasta que la sopa esté humeante, pero no lleve a ebullición.

Porciones: cuatro.

Datos nutricionales por porción: calorías, 91; proteínas, 7 g; carbohidratos, 8 g; fibra, 2 g; grasas, 3 g; grasas saturadas, 2 g; colesterol, 15 mg; sodio, 473 mg; vitamina B2 (riboflavina), 10% del valor diario; vitamina B3 (niacina), 10%; calcio, 11%; cobre, 11%.

Huevo:

¡Increíble! ¡Sabroso! ¡Saludable!

EFICAZ CONTRA:
- la degeneración macular relacionada con la edad
- las enfermedades cardíacas
- la hipoglucemia
- los accidentes cerebrovasculares

REFUERZA:
- los huesos
- el desarrollo del cerebro de los bebés
- la función cerebral
- la función inmunológica
- la memoria
- la vista

¿Le sorprende la larga lista de beneficios de los huevos?

Hace algunos años, Woody Allen realizó una de sus películas más divertidas, El Dormilón (*Sleeper*), en la cual se despierta después de estar en coma, para descubrir que todo lo que era "malo" cuando se durmió ahora era "bueno".

Las cosas no están tan mal en la nutrición, pero algunas veces lo parece, especialmente con los huevos. Los huevos, en especial las yemas, tienen una gran cantidad de los nutrientes que todos necesitamos, pero que muchos de nosotros no consumimos en cantidad suficiente.

¿QUÉ OCURRIÓ PRIMERO?

¿Desea tener un bebé que tenga una excelente memoria toda la vida? Sea una buena madre: mientras esté embarazada y amamantando, coma huevos. Las yemas son la principal fuente de colina, y recientemente se ha determinado que son un nutriente esencial para el desarrollo del cerebro.

226

NOTICIAS DEL NIDO

Si ha evitado los huevos, es posible que se haya perdido estas novedades:

■ **Huevos Pasteurizados de Davidson.** Estos huevos reciben un tratamiento cuidadoso con calor para eliminar el 99.999% de la salmonela, convirtiéndolos en seguros para cualquier persona que los consuma en la forma que lo desee (incluso las personas de alto riesgo). Prepárelos tibios o fritos con la yema tierna. Úselos para preparar ensalada César o ponche de huevos. ¡También puede comer la masa de galletas de manera segura! Úselos como cualquier huevo de cascarón.

■ **Lo Mejor de Huevolandia.** Estos huevos patentados provienen de gallinas alimentadas con una dieta vegetariana, aceite de canola y vitamina E adicional. Como resultado, dos huevos proporcionan el 50% del valor diario de vitamina E (importante para la salud del corazón y la función inmunológica), aproximadamente seis veces más que los huevos estándar.

■ **Huevos Plus.** Las gallinas que producen estos huevos son alimentadas con vitamina E y semillas de linaza, logrando que el contenido de vitamina E en dos huevos sea el 50% del valor diario y que proporcionen 200 miligramos de ácidos grasos omega 3 (el tipo que normalmente se obtiene sólo del pescado graso). Se ha demostrado que el omega 3 reduce el riesgo de padecer enfermedades cardíacas y accidentes cerebrovasculares.

Sabemos lo siguiente: las ratas cuyas madres comen colina durante el embarazo y la lactancia aprenden los laberintos más rápido y con menos errores. El consumo de colina en las primeras etapas, cuando se está desarrollando el cerebro, cambia y aumenta permanentemente el hipocampo (donde se ubica la memoria). Incluso las ratas viejas que se alimentan con colina tienen mejor memoria.

EMPECEMOS A ROMPER EL CASCARÓN

¿El cerebro humano funciona de la misma manera? Aún no se sabe. Pero los cambios en los niveles de colina en la sangre de las madres humanas y en las ratas durante el embarazo y la lactancia son similares, lo que sugiere que es posible. Se está investigando. Mientras tanto, comamos huevos. Comer dos huevos en una comida duplica los niveles de colina en la sangre. Otra buena fuente es la leche.

Alivio Rápido Para:

Azúcar Bajo en Sangre

¿Tiene hipoglucemia? Coma tres comidas poco abundantes al día, con meriendas con alto contenido de proteínas entre comidas. Un huevo duro lo sacará del decaimiento de la media tarde.

NO SE QUEDE SIN HUEVOS

Los atletas que realizan entrenamientos intensos deben comer huevos duros. Las investigaciones recientes han demostrado que el nivel de colina en la sangre puede reducirse en un 40% después del ejercicio intenso. Y los suplementos de colina mejoraron el desempeño de los maratonistas, además de haber ayudado a mantener los niveles de colina en la sangre de los triatletas.

¿Por qué no tomar un suplemento? "¡Hay que tomar varios gramos de suplemento de colina para que atraviese la barrera de sangre del cerebro y esa cantidad le haría oler a pescado!", informa el Dr. Jim Joseph, Ph.D., jefe del laboratorio de neurociencia en la Universidad Tufts, Boston. Con un huevo, obtendrá otros beneficios adicionales, tales como proteínas de alta calidad.

EL ALIMENTO PERFECTO DE LA ABUELA

Los adultos mayores necesitan más proteínas, vitamina B, vitamina D, calcio y cinc que las personas jóvenes. Sin embargo, muchos ni siquiera alcanzan los valores diarios. Probablemente necesitan más colina para la memoria, según el Instituto de Medicina en Washington, D. C.

¿Por qué consumen menos? Las personas mayores necesitan menos calorías, lo que significa que cada bocado debe estar cargado de nutrientes. ¡Los huevos son el alimento perfecto! Vienen en un empaque individual (¡no quedan restos!) con una gran carga de proteínas fácil de digerir para mantener los músculos y desarrollar inmunidad contra la neumonía y la gripe.

RESUMEN DE INFORMACIÓN NUTRICIONAL

Huevo (1 mediano)

Calorías: 68

Grasas: 5 g

Grasas saturadas: 1 g

Colesterol: 186 mg

Sodio: 55 mg

Carbohidratos totales: 0 g

Fibra dietética: 0 g

Proteínas: 6 g

Vitamina A: 9% del valor diario

Vitamina B12: 13%

Vitamina D: 11%

Calcio: 2%

Hierro: 3%

SOLUCIONES PARA COMPRAR Y PREPARAR

Los huevos están disponibles en todos los tamaños: desde pequeños hasta extragrandes. Sin embargo, los medianos son los que se utilizan en la mayoría de las recetas. Y son los más económicos.

CUANDO ELIJA HUEVOS:

■ Para evitar la intoxicación por salmonella, compre sólo huevos que se hayan mantenido fríos en el sector de lácteos.

■ Revise todos los huevos del cartón y no lo compre si alguno está agrietado o sucio.

PARA ALMACENARLOS:

■ Coloque los huevos en el fondo del refrigerador (¡no en la puerta!), en donde se mantendrán bien fríos.

■ Si prepara huevos duros con un lote de huevos, enfríelos en agua corriente y luego colóquelos de nuevo en el refrigerador.

AGREGUE ATRACTIVO A LAS COMIDAS

Probablemente sepa qué preparaciones hacer con huevos, pero aquí le dejamos algunas ideas más:

◆ **Decore una ensalada mixta.** Pele y corte un huevo duro para agregar proteínas a las verduras.

◆ **Realce la espinaca cocida.** Pique un huevo duro, distribúyalo sobre la espinaca cocida para hacerla atractiva y aportar la protección de luteína para los ojos.

◆ **Haga brillar los waffles.** Tueste un waffle de grano integral y colóquelo debajo de un huevo escalfado.

La yema (¡la parte que ha estado tirando a la basura!) tiene gran contenido de estos importantes nutrientes:

▶ **Vitaminas del complejo B.** Estas vitaminas mejoran el sistema inmunológico, combaten los gérmenes, mantienen la memoria, y evitan ataques cardíacos y accidentes cerebrovasculares.

▶ **Vitamina D.** Forma los huesos y mejora la memoria y la lucidez de pensamiento.

▶ **Luteína y zeaxantina.** Estos dos carotenoides son de gran importancia para prevenir la degeneración macular relacionada con la edad, la principal causa de ceguera en adultos. Estos nutrientes protectores de la vista se absorben más fácilmente cuando provienen de los huevos que cuando provienen de verduras de hoja verde.

Entonces, vaya a la cocina y prepare huevos para usted y su mamá.

CÓMO COMER HUEVO

En defensa de los nutricionistas, nos gustaría decir que nadie aconsejó al país que dejara de comer huevos. ¿Hay que reducir el consumo? Sí. ¿Hay que cambiar las guarniciones? ¡Definitivamente! Olvídese de los huevos fritos con tocino y salchicha y de las tostadas de pan blanco con mantequilla. Toda esa grasa saturada podría elevar demasiado su nivel de colesterol.

Pero si prepara un huevo hervido o escalfado, por ejemplo, y luego lo sirve con pan integral tostado con mantequilla de maní y bebe un vaso de jugo de naranja, ¡su corazón estará muy feliz!

MÁS DATOS CIENTÍFICOS ACERCA DE LOS HUEVOS

Hace treinta años, cuando comenzó la lucha contra las enfermedades cardíacas, se nos dijo que debíamos limitar la ingesta de colesterol a 300 miligramos al día. Dado que la yema de huevo contiene 186 miligramos, podría parecer razonable eliminarlo de la dieta. Pero incluso la Asociación Americana del Corazón declaró que las personas que seguían una dieta para bajar el colesterol podían comer dos o tres huevos (con yema) a la semana.

Después de varios años de investigación científica, hemos determinado que lo que eleva el nivel de colesterol en la sangre no es el colesterol de la comida, sino la grasa saturada del tocino, las hamburguesas y los helados. De hecho, la mayoría de las personas (excepto las que tienen el colesterol demasiado elevado) pueden comer un huevo al día sin problema.

Los estudios sobre las propiedades de los huevos abundan, pero dos son de particular interés. Un estudio realizó el seguimiento de

38,000 hombres durante 8 años y el otro realizó el seguimiento de 80,000 mujeres durante 14 años. En ambos estudios, se determinó que las personas que comían un huevo al día (excepto las personas diabéticas) no tenían mayores probabilidades de sufrir un ataque cardíaco o un accidente cerebrovascular que las personas que comían menos de un huevo a la semana. ¡Disfrute de un huevo de vez en cuando!

¿Y LOS HUEVOS CRUDOS?

En los últimos años, ha aumentado significativamente el riesgo de envenenamiento con salmonella por comer huevos crudos. A pesar de que la mayoría de las personas saludables resisten el ataque, algunos corren riesgo de deshidratarse hasta morir por diarrea prolongada. Afortunadamente, los huevos bien cocidos son totalmente seguros.

Evite comer huevos con yemas poco cocidas, masa de galletas cruda, la verdadera ensalada César (con huevo crudo) y el tradicional ponche de huevos si está en uno de los siguientes grupos de alto riesgo:

▶ mujeres embarazadas

▶ niños pequeños

▶ adultos mayores

▶ personas inmunocomprometidas (en tratamiento de quimioterapia o VIH positivas)

Sándwich de Ensalada de Huevo

¿Recuerda la ensalada de huevo tradicional? Se preparaba principalmente con huevos y mayonesa. Ahora puede comer un sándwich enorme que es un festín fitoquímico, con verduras para darle más volumen al huevo.

1 huevo duro picado
1 cucharada de mayonesa reducida en grasas
¼ taza de apio picado
¼ taza de rábano rojo picado
½ taza de pepino pelado en cubos
⅛ cucharadita de semillas de apio
¹⁄₁₆ cucharadita de sal
Una pizca de pimienta negra recién molida
2 rebanadas de pan integral
2 rebanadas de tomate
Lechuga

En un tazón pequeño, mezcle el huevo, la mayonesa, el apio, los rábanos, el pepino, las semillas de apio, la sal y la pimienta. Mezcle bien los ingredientes. Coloque la mezcla en una rebanada de pan y cubra con el tomate, la lechuga y la otra rebanada de pan. Corte el sándwich en diagonal.

Porciones: una.

Datos nutricionales por porción: calorías, 282; proteínas, 12 g; carbohidratos, 33 g; fibra, 6 g; grasas, 12 g; grasas saturadas, 3 g; colesterol, 192 mg; sodio, 350 mg; folato, 19% del valor diario, vitamina B2 (riboflavina), 23%; vitamina C, 21%; vitamina D, 14%; vitamina E, 12%; cinc, 12%.

Jengibre:

¡Gozar de Buena Salud es Pan Comido!

EFICAZ CONTRA:
- el cáncer
- las enfermedades cardíacas
- las inflamaciones
- la inflamación
- las náuseas
- los accidentes cerebrovasculares

REFUERZA:
- la digestión
- el control del peso

Cuando los hijos de Colleen eran pequeños, su familia pasaba mucho tiempo acampando. Y siempre llevaban algo de casa para darse el gusto: el famoso pan de jengibre de Colleen, un pastel de un solo tazón que podía preparar justo antes de partir y dejar enfriar en el auto. ¡Los niños ni se imaginaban que su mamá le agregaba a este bocadillo dulce un poco de harina integral y el aceite de canola tan saludable para el corazón! Sentían que estaban en el cielo de los pasteles.

Por supuesto, el secreto estaba en el inolvidable sabor picante que le daba el jengibre al pastel. Los niños se volvieron adictos al saborcito del jengibre. Ahora no pueden dejar de

RESUMEN DE INFORMACIÓN NUTRICIONAL

Jengibre molido
(1 cucharadita)

Calorías: 7

Grasas: 0 g

Grasas saturadas: 0 g

Colesterol: 0 mg

Sodio: 0 mg

Carbohidratos totales: 1 g

Fibra dietética: 0 g

Proteínas: 0 g

Hierro: 2% del valor diario

comer comida tailandesa o china, en la que ese sabor ancestral es esencial para su preparación.

EL JENGIBRE ES TODO SALUD

La buena noticia es que el jengibre es más que solo un ingrediente para mejorar el sabor. Los asiáticos lo han utilizado para aliviar los problemas estomacales. Y ahora los investigadores están descubriendo que, a pesar de que el jengibre no parece ser prometedor a la hora de evaluar su contenido de vitaminas y minerales, contiene una gama de fitoquímicos que protegen prácticamente cada célula del cuerpo.

■ **Zingerona.** Este fitoquímico, por ejemplo, impide la oxidación de las grasas poliinsaturadas, de manera que las grasas pueden hacer funcionar su magia protectora del corazón.

■ **Gingerol.** Combate el cáncer al prevenir la multiplicación de las células cancerosas (e incluso promueve su muerte). El gingerol también evita que se agrupen las plaquetas, lo cual reduce la probabilidad de sufrir ataques cardíacos o accidentes cerebrovasculares.

■ **Glucósidos.** Al parecer, tienen actividad antioxidante que protege contra el cáncer y las enfermedades cardíacas.

■ **Sustancias fenólicas**. Las sustancias fenólicas picantes que contiene el jengibre combaten la inflamación.

Además, parece que el jengibre tiene ligeras propiedades antibacterianas para prevenir las infecciones. ¡Qué cucharada sabrosa *y* poderosa!

EL PESO IMPORTA

Ante el aumento del problema de la obesidad en los Estados Unidos, muchos de nosotros buscamos la manera de mantener nuestro peso bajo control. Una manera de hacerlo es con porciones más pequeñas con mejor sabor para que satisfagan más. Otra forma es con grandes cantidades de verduras sazonadas. El jengibre puede ser la estrella, dándole sabor a los sofritos e incluso a pequeñas

Alivio Rápido Para:

Náuseas

¿Padece náuseas cuando viaja? Comience el recorrido con una taza de té de jengibre. ¿No resulta lo suficientemente fuerte? Las cápsulas de jengibre aportan una dosis más estandarizada. ¿Necesita ayuda durante todo el trayecto? Lleve caramelos de jengibre.

SOLUCIONES PARA COMPRAR Y PREPARAR

Llamarle "raíz de jengibre" es poco apropiado. El jengibre es un rizoma, un tallo subterráneo que parece una raíz gruesa y llena de bultos. Pero puede generar tanto nuevas raíces como nuevos tallos.

En la mayoría de las tiendas de comestibles, encontrará jengibre fresco en la sección de especialidades de frutas y verduras. El jengibre molido está ubicado en la sección de productos para hornear. Es posible que allí también encuentre jengibre cristalizado, con el que preparará una sabrosa merienda.

Siempre se compra más jengibre fresco del que se usa de una sola vez, pero no se preocupe: los restos se pueden guardar durante meses en el congelador, con doble envoltorio plástico. Rallarlo y rebanarlo es más fácil cuando el jengibre está congelado.

HAGA QUE SUS COMIDAS LLAMEN LA ATENCIÓN

Use jengibre para que las comidas sean un poco más exóticas y saludables. Estas son algunas ideas:

◆ **Agréguele chispa a los sofritos.** Pique muy fino el jengibre fresco y agréguelo a las cebollas y al ajo cuando prepare sofritos.

◆ **Prepare una estupenda marinada para carnes.** Agregue jengibre fresco recién picado o molido a cualquier marinada para acentuar el sabor de la carne magra de res, cerdo o pollo.

◆ **Revuelva la sopa con un toque de chispa.** Agréguele jengibre molido a la sopa de zanahoria o ayote. Cobrará vida.

◆ **Despéjese.** Agréguele delgadas lascas de jengibre fresco a la sopa de pollo cuando se sienta congestionado. Lo ayudará a respirar bien.

porciones de carne magra. Además, el jengibre puede reducir sus dificultades para controlar su peso si lo usa para sazonar las comidas en lugar de enterrarlas bajo toneladas de grasa.

El Famoso Pan de Jengibre de Colleen

Colleen es famosa por su incomparable pan de jengibre. Es increíblemente fácil hacer este pastel "de la nada", que también es saludable para darse un gusto con algo dulce. ¡Es delicioso con puré de manzana!

1 taza de harina blanca enriquecida
1 taza de harina blanca de trigo integral
1 taza de melaza
¾ taza de suero de mantequilla
½ taza de aceite de canola
1 huevo grande
1 cucharadita de bicarbonato
1 cucharadita de jengibre en polvo
1 cucharadita de canela en polvo
½ cucharadita de sal

Precaliente el horno a 325 °F. Engrase y enharine una bandeja cuadrada para hornear de 9 pulgadas. En un tazón grande, combine las harinas, la melaza, el suero de mantequilla, el huevo, el bicarbonato, el jengibre, la canela y la sal. Con una batidora eléctrica, bata a velocidad baja hasta que la mezcla sea uniforme. Aumente la velocidad a media y bata durante 3 minutos. Vierta la masa en la bandeja que preparó. Hornee aproximadamente 1 hora, o hasta que la parte superior regrese a su estado normal después de presionar con el dedo. Deje enfriar completamente.

Porciones: 12.

Datos nutricionales por porción: calorías, 241; proteínas, 3 g; carbohidratos, 36 g; fibra, 2 g; grasas, 10 g; grasas saturadas, menos de 1 g; colesterol, 18 mg; sodio, 233 mg; vitamina E, 13% del valor diario; calcio, 8%; hierro, 13%; magnesio, 18%; potasio, 13%.

Kiwi:

Combatiente Invisible de Enfermedades

EFICAZ CONTRA:
- los defectos de nacimiento
- el cáncer
- las cataratas
- la diabetes
- las enfermedades cardíacas
- los accidentes cerebrovasculares

REFUERZA:
- la función inmunológica
- la vista

¿Sabe qué alimentos tenemos que consumir cuando necesitamos vitamina C adicional? Pista: no es la naranja. Es cierto, las naranjas de Valencia, navel (de ombligo) y otras variedades contienen alrededor de 70 miligramos de vitamina C, por lo que son una excelente fuente de ese nutriente. Pero hay otro tipo de fruta que ofrece aún más vitamina C. ¿Ni idea? Una pista: es verde. Un kiwi mediano, que apenas pesa 2 ½ onzas, proporciona 75 miligramos de vitamina C: 5 miligramos más que una naranja que pesa el doble. Un beneficio adicional: el kiwi proporciona tres veces más vitamina E que la naranja.

LAS VITAMINAS C Y E LO LOGRAN

Ya sabe que las vitaminas C y E actúan como poderosos antioxidantes en el cuerpo: capturan las sustancias que pueden causar el daño celular responsable del desarrollo de cáncer, enfermedades cardíacas, diabetes e

RESUMEN DE INFORMACIÓN NUTRICIONAL

Kiwis (2 medianos)

Calorías: 90

Grasas: 0.5 g

Grasas saturadas: 0 g

Colesterol: 0 mg

Sodio: 10 mg

Carbohidratos totales: 23 g

Fibra dietética: 5 g

Proteínas: 2 g

Folato: 14% del valor diario

Vitamina C: 250%

Cobre: 12%

Magnesio: 12%

Potasio: 14%

incluso cataratas. Pero datos del Departamento de Agricultura de los Estados Unidos demuestran que muchos estadounidenses no consumen la ingesta mínima requerida de estos nutrientes, especialmente de vitamina E. Las cifras son asombrosas: un 71% de las mujeres mayores de 20 años y más del 60% de los hombres mayores de 50 años consumen menos de la cantidad diaria recomendada de vitamina E.

La desafortunada consecuencia es que se aumenta significativamente el riesgo de desarrollar alguna de las más temidas enfermedades. Por ejemplo, investigaciones publicadas en la Revista del Instituto Nacional del Cáncer demostraron que las mujeres que no comían muchos alimentos ricos en vitamina E y betacaroteno tenían un 21% más de riesgo de desarrollar cáncer de mama. A su vez, un estudio en el que participaron más de 1,600 hombres, publicado en la Revista Médica Británica, determinó que las personas que consumían menos vitamina C tenían un riesgo mayor de padecer ataques cardíacos.

MUCHO MEJOR VISTA

Además de sus poderosas vitaminas antioxidantes, el kiwi contiene otra arma para combatir enfermedades: la luteína, un carotenoide poderoso que también se encuentra en los ojos. En un estudio reciente, el kiwi quedó ubicado más alto que la espinaca y todos los demás productos agrícolas, excepto el maíz amarillo, por su contenido de luteína.

Recientemente se han hecho investigaciones que sugieren que la luteína puede proteger el tejido de los ojos contra la degeneración macular por la edad, la principal causa de ceguera en los estadounidenses mayores. Desafortunadamente, un estudio publicado en la Revista de la Asociación

SOLUCIONES PARA COMPRAR Y PREPARAR

Estaba acostumbrado a que encontrar buen kiwi durante todo el año fuera tan difícil como encontrar un par de jeans que me quedara bien. Pero con las importaciones de Chile y Nueva Zelanda, además de los cultivos de California, ahora puede comprar kiwi los 365 días del año.

CUANDO ELIJA KIWI:

■ Busque los de cáscara firme, sin manchas.

■ Compre kiwis que se hundan ligeramente al tocarlos.

PARA ALMACENARLOS:

■ Coloque los kiwis maduros en el refrigerador, en donde se conservarán hasta por un mes, mucho más que la mayoría de otras frutas.

■ Coloque los kiwis duros y sin madurar en una bolsa plástica con ventilación junto con una manzana o un banano, y deje la bolsa en la encimera de su cocina durante uno o dos días.

CREACIONES RÁPIDAS CON KIWI

Pero si prueba cualquiera de estas creaciones que le harán agua la boca, su kiwi nunca estará almacenado en frío por mucho tiempo:

◆ **Juegue a armar parejas.** Las fresas y el kiwi forman un gran equipo: en una licuadora, mezcle hasta integrar 1 taza de fresas en rodajas, 1 taza de kiwi en rodajas, 1 taza de leche reducida en grasas y 1 taza de yogur reducido en grasas.

◆ **Dé vida a los panqueques.** En lugar de ahogarlos en sirope de arce (1 cucharada contiene 52 calorías y, ¿quién se contenta con una sola cucharada?), coloque sobre los panqueques kiwi picado con sus otras frutas favoritas.

◆ **Comida gourmet.** A Karen le gusta rebanar kiwi en juliana en rodajas de 1/4 a 1/3 pulgada, y luego hace estrellas con un molde para cortar galletas pequeñas. Es una entrada excelente (y fácil) para el día de campo del 4 de julio.

◆ **Endulce los pececillos.** Haga puré de kiwi con un poco de jugo de limón y sírvalo con salmón, camarones o cualquier pescado.

Americana de Dietética determinó que la ingesta de luteína está disminuyendo en los estadounidenses, en especial en las mujeres caucásicas.

COSAS BUENAS EN PAQUETES PEQUEÑOS

Con la luteína y los montones de vitamina C y E, se podría pensar que no hay lugar para nada más en un fruto tan pequeño. ¡Pero hay más! Esta fruta con pelusa también ofrece los siguientes nutrientes:

▶ **Folato.** Esta vitamina B es importante para prevenir los defectos de nacimiento.

▶ **Cobre.** Es esencial para fortalecer el sistema inmunológico.

▶ **Magnesio.** Este mineral es necesario para la formación de los huesos y la regulación del ritmo cardíaco.

▶ **Potasio.** Es muy importante para controlar la presión arterial.

Y, sí, dos kiwis proporcionan 5 g de fibra, aproximadamente el 20% de lo que necesita por día. ¿Qué está esperando? ¡A comer!

Pollo con Kiwi

Olvídese del pollo a la Kiev. Este plato sencillo y atractivo, que ofrece la mitad de la vitamina C que necesita a diario, muy pronto se convertirá en el plato favorito de la familia.

2 cucharadas de aceite de oliva o canola
4 mitades de pechuga de pollo deshuesada sin piel finamente cortadas
¼ cucharadita de pimienta negra recién molida
¼ cucharadita de romero deshidratado
¼ taza de vino blanco
2 kiwis en rebanadas

Precaliente el horno a 300 °F. En una cacerola antiadherente grande, caliente el aceite a fuego medio-alto. Espolvoree pimienta y romero en ambos lados de las pechugas de pollo. Coloque el pollo en la cacerola y cocine de 2 a 3 minutos de cada lado o hasta que esté cocido. Retire el pollo de la cacerola y manténgalo caliente en el horno. Agregue el vino en la cacerola y caliente, revolviendo constantemente de 2 a 3 minutos. Agregue cuidadosamente los kiwis y cocine durante 1 minuto. Retire el pollo del horno y coloque las cuatro piezas de pollo en cuatro platos. Coloque encima los kiwis y sirva el pollo.

Porciones: cuatro.

Datos nutricionales por porción: calorías, 223; proteínas, 28 g; carbohidratos, 6 g; fibra, 1 g; grasas, 8 g; grasas saturadas, 1 g; colesterol, 68 mg; sodio, 79 mg; calcio, 3% del valor diario; hierro, 8%.

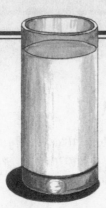

Leche:

El Alimento Natural Casi Perfecto

EFICAZ CONTRA:
- el cáncer
- la hipertensión
- la osteoporosis
- la intoxicación por alimentos
- el síndrome premenstrual

REFUERZA:
- los huesos
- el control del peso

Alivio Rápido Para:

Reacción por Hiedra Venenosa

Si tiene una erupción cutánea por el contacto con hiedra venenosa y no tiene loción de calamina, empape un paño en leche fría y haga una compresa para la piel irritada. Es un remedio antiguo que funciona, probablemente porque la grasa y las proteínas son suavizantes.

Bebés, bebas, bebitos. Usted comenzó la vida bebiendo leche. Hasta los seis meses de edad, beber leche (y solo leche) era la dieta saludable perfecta. Desde luego, la leche dio paso a otros alimentos importantes a medida que crecía. Pero sigue siendo esencial para mantener un cuerpo saludable, sin importar la edad.

La imagen de la leche ha sufrido un poco, debido al alto contenido de grasas saturadas de la leche entera. Pero la leche descremada y la leche con un 1% de grasa contienen los mismos nutrientes sin la grasa. ¿No le gusta el sabor? Tampoco le gustaba a Colleen cuando era pequeña, así que su padre le agregó un poco de edulcorante y vainilla, y la llamó "skookie", y así quedó deliciosa.

¿CREE QUE ES INTOLERANTE?

Muchos adultos piensan que no pueden digerir la lactosa (azúcar natural de la leche). Pero el calcio de la leche es más fácil de absorber que el de las verduras, y hay mucho más calcio en la leche. Es por ello que un estudio reciente determinó que los adultos que evitan los alimentos lácteos tienen mayor riesgo de padecer osteoporosis. Si usted es uno de ellos, esto es lo que debe hacer:

■ Beba poca leche. Muchas personas pueden tolerar media taza sin problemas.

■ Aumente gradualmente la cantidad para someter a prueba su tolerancia e incrementarla.

■ Beba leche con las comidas. Los alimentos disminuyen el efecto de la lactosa.

■ Pruebe la leche cultivada o la Lactaid. Contienen menos lactosa que la leche común.

■ Tome un suplemento masticable de lactosa con la leche. Proporciona la enzima que le falta al cuerpo para descomponer la lactosa.

REFUERCE LOS HUESOS CON LECHE

Cuando considera los beneficios de la leche, probablemente piense en el calcio, tan beneficioso contra la osteoporosis. Y está en lo correcto. La leche y los productos elaborados con leche (tales como queso y yogur) suministran casi 300 miligramos de calcio por porción. Esto representa casi un tercio del valor diario para personas menores de 50 años y casi un cuarto de lo que necesita una persona mayor.

Pero solo la leche fortificada con vitamina D previene la osteoporosis. Sin la vitamina del "sol", podría usar la leche para bañarse si es por el bien que hará a sus huesos. No puede absorber calcio si es "D-ficiente".

La mayoría de los adultos más jóvenes captan suficiente vitamina D cuando brilla el sol sobre su piel. Aun así, un estudio de la Universi-

SOLUCIONES PARA COMPRAR Y PREPARAR

¿Necesita leche? Siga estas pautas sencillas pero importantes para comprar la mejor.

CUANDO ELIJA LECHE:

◼ Para comprobar que esté fresca, revise la fecha de vencimiento.

◼ Compre leche pasteurizada. El breve tratamiento con calor moderado mata peligrosas y mortales bacterias sin cambiar el sabor ni el contenido nutricional.

PARA ALMACENARLA:

El calor y la luz son enemigos de la leche, porque destruyen las vitaminas con la exposición: mantenga la leche en el refrigerador.

AGRÉGUELE LECHE

Estas son algunas formas fáciles de incluir la leche en su vida:

◆ **Saborícela.** Cree un cóctel para combatir el síndrome premenstrual: agregue sirope de chocolate libre de grasas a un vaso de leche descremada rica en calcio. O bien, endulce la leche descremada con vainilla, almendras o menta. ¡Leche chocolatada con menta!

◆ **Caliéntela.** Tómese una reconfortante taza de leche caliente antes de acostarse. O bien, disfrute una taza de chocolate caliente preparado con leche y una mezcla reducida en grasas.

◆ **Revuélvala.** Para una verdadera inyección de calcio, agregue $1/3$ taza de leche en polvo descremada al próximo batido. Nutre como una taza de leche líquida.

◆ **Aligérelo con leche.** Aligere el café con leche descremada evaporada. La mitad del agua se ha retirado, así que contiene el doble de nutrición que la leche regular.

◆ **Cocine con leche.** Use leche descremada en lugar de agua cuando coloque la avena en el microondas o cuando prepare sopas cremosas.

◆ **Disfrútela como refrigerio.** ¿Necesita alguna comida de consuelo? Beba un vaso de leche y un par de galletas o medio sándwich de mantequilla de maní.

Jugo Ordeñado

La leche descremada contiene todas las vitaminas y minerales de la leche entera, pero menos calorías, grasas y colesterol. Vea esta comparación de cartones de líquido vacuno (de 8 onzas cada uno).

Leche	Calorías	Grasas (g)	Grasas Saturadas (g)	Colesterol (mg)
Descremada	85	0	0	4
1%	102	3	2	10
2%	121	5	3	18
Entera	150	8	5	33

dad de Harvard determinó que el 42% de los adultos menores de 65 años presentaba deficiencias de vitamina D. Este estudio determinó que el 99% de los adultos mayores que no pasan mucho tiempo al aire libre o que viven en regiones norteñas, donde los rayos del sol son demasiado oblicuos, tiene deficiencias de vitamina D. Así que consiéntase como si fuera un bebé: beba leche.

EVITE LA HIPERTENSIÓN

¿Qué cree que funciona mejor para reducir la presión arterial: tomar suplementos de calcio o beber leche? Está en lo correcto si creyó que era la leche. Se ha sometido a prueba toda clase de suplementos dietéticos (incluidos el calcio y el magnesio) para determinar su capacidad de reducir la presión arterial. Pero lo que funciona mejor son los alimentos.

En un estudio con personas que padecían presión arterial moderadamente alta denominado Enfoques Dietéticos para Detener la Hipertensión (DASH, *Dietary Approaches to Stop Hypertension*), investigadores de diversos centros de todo el país determinaron que cuando cambiaban una dieta alta en grasas (la de un típico estadounidense) a una dieta baja en grasas y rica en frutas y verduras, descendía la presión arterial de los participantes. Cuando agregaron tres porcio-

Alivio Rápido Para:

Síndrome Premenstrual

¿Tiene Síndrome Premenstrual? Tome leche. Para mujeres que sufren de síndrome premenstrual (y sus parejas), reforzar la ingesta de calcio a 1,200 miligramos diarios puede reducir los síntomas en un 50%. Es posible que transcurran aproximadamente tres meses antes de notar cambios, pero la mejoría se siente, de acuerdo con la Dra. Susan Thys-Jacobs, quien indica: "Aconsejo a todas mis pacientes que consuman dos productos lácteos y dos pastillas Tums hasta llegar a los 1,200 miligramos". Así que no se comporte como un bebé gruñón: ¡beba leche!

nes diarias de lácteos, todo fue mucho mejor. En tan solo dos semanas, la presión arterial de los participantes bajó tanto como si hubieran tomado un medicamento contra la hipertensión. Así que beba leche.

EXCESO DE PESO

Si está teniendo dificultades para controlar su peso (¿y quién no?), la leche podría ser un gran aliado. En una investigación realizada por la Universidad de Purdue en West Lafayette, Indiana, los científicos determinaron que las mujeres jóvenes que consumían en promedio 1,900 calorías o menos por día, pero que también consumían, por lo menos, 1,000 miligramos de calcio al día, tenían 6 libras menos de grasa corporal que las mujeres en similares condiciones que consumían menos de 500 miligramos de calcio al día. Con solo 85 calorías en un vaso de leche descremada, no puede encontrar un alimento más rico en nutrientes.

Desafortunadamente, quienes hacen dieta suelen abstenerse de consumir leche y esa sí que es una mala estrategia. El sobrepeso implica llevar peso y esto ayuda a mantener el calcio de los

RESUMEN DE INFORMACIÓN NUTRICIONAL

Leche descremada (1 taza)

Calorías: 85

Grasas: 0 g

Grasas saturadas: 0 g

Colesterol: 4 mg

Sodio: 126 mg

Carbohidratos totales: 12 g

Fibra dietética: 0 g

Proteínas: 8 g

Vitamina A: 10% del valor diario

Vitamina B2 (riboflavina): 20%

Vitamina C: 3%

Vitamina D: 25%

Calcio: 30%

huesos, (es uno de los muy pocos beneficios del sobrepeso). Cuando pierde peso, comienza a perder calcio, aunque se ejercite. Por esto, mantenga esa leche reducida en calorías en el plan de dieta para minimizar la pérdida de masa ósea.

Salsa Blanca Al Instante

Esta es una forma exquisita de integrar la leche a la dieta para el corazón. Use esta salsa blanca rápida con pollo, verduras, arroz, papas o fideos, o bien, en cazuelas, como el quiche de pollo.

1 taza de agua
1 cucharada de aceite de oliva
1 cucharada de harina
½ cucharadita de consomé de pollo granulado
⅓ taza de leche descremada
½ cucharadita de tomillo deshidratado

Lleve el agua a ebullición y déjela a un lado. En una pequeña sartén a fuego medio, revuelva el aceite y la harina hasta integrar. Gradualmente vierta el agua en la mezcla de aceite y harina, y agite constantemente con un batidor de alambre. Mezcle con el batidor de alambre la leche y el tomillo deshidratado. Revuelva hasta que la salsa esté espesa y caliente, pero no hirviendo.

Porciones: dos.

Datos nutricionales por porción: calorías, 118; proteínas, 5 g; carbohidratos, 9 g; fibra, 0 g; grasas, 7 g; grasas saturadas, 1 g; colesterol, 2 mg; sodio, 340 mg; vitamina B2 (riboflavina), 13% del valor diario; calcio, 14%.

Lechuga:

¡Elija el Verde!

EFICAZ CONTRA:
- los defectos de nacimiento
- el cáncer de mama
- las enfermedades cardíacas

REFUERZA:
- la función inmunológica
- la regularidad
- la cicatrización de las heridas

Colleen cultivó lechuga iceberg (la que es dulce y crujiente). Por eso no le fue fácil cambiar a los tipos más oscuros, intensos y sabrosos, como la lechuga morada y la romana. Pero la lechuga iceberg en sí le ayudó a hacer el cambio, porque en lugar de cambiar de repente, mezcló una pequeña cantidad de la lechuga oscura con la iceberg hasta que sus papilas gustativas se adaptaron. Ahora come sólo lechuga oscura. Y eso es bueno, porque entre más oscuro es el color, más nutritiva es.

JUEGUE BIEN SUS CARTAS

La lechuga de color verde oscuro ofrece una amplia gama de antioxidantes como las vitaminas A, C y E: la carta triunfal para una mejor salud. Tres décadas de estudios continuos demuestran que las personas que comen más frutas y verduras tienen los índices más bajos de enfermedades cardíacas, hipertensión, accidentes

Alivio Rápido Para:

La Cabeza Caliente

¿Sufre el calor? Pruebe este truco de los jugadores de béisbol: coloque un hoja de lechuga refrigerada debajo de la gorra. ¡Lo refrescará!

cerebrovasculares y cáncer. Cuando los investigadores elaboran los beneficios de los ingredientes, estas vitaminas (A, C y E) son parte del equipo ganador, porque aceleran el sistema inmunológico para combatir bacterias, virus y contaminantes.

¿Estamos seguros de que la lechuga puede hacer esto? En un estudio realizado en México, se evaluó a 198 mujeres de 21 a 79 años para determinar la relación entre la dieta habitual y el riesgo de desarrollar cáncer de mama. Entre las mujeres premenopáusicas, las que comieron más cebolla, lechuga y espinaca mostraron menos probabilidades de desarrollar cáncer de mama.

Combinación con Otras Verduras de Hoja Verde

Ciertamente la lechuga le dará volumen a la ensalada. Los mercados están repletos de "verduras de hoja verde" (¡y morada!) que agregan color, textura y sabor a las ensaladas. Estas son las que tiene más probabilidades de ver.

Verdura de hoja verde	Apariencia	Sabor	Se conserva Bien Por	Principales Nutrientes
Arúgula	hojas diminutas y planas	a pimienta	2–3 días	magnesio
Achicoria	hojas rizadas ligeras	amarga	7 días	vitamina A y
Endibia	verde pálido	amarga	3–4 días	vitamina A
Escarola	hojas anchas y onduladas	suave	7 días	folato, fibra
Achicoria Roja	repollito rojo	algo amargo	7 días	vitamina A, vitamina E
Berro	ramo de hojas diminutas	delicado	3 días	vitamina A, vitamina C, vitamina E, magnesio

SOLUCIONES PARA COMPRAR Y PREPARAR

Encontrará abundante lechuga todo el año.

CUANDO ELIJA LECHUGA:

■ La lechuga contiene un 95% de agua y es el agua lo que la hace crujiente. Si pierde el agua, se pone blanda. Siempre sea renuente a comprar lechuga blanda.

■ Para obtener la mayor cantidad de vitamina C, decídase por lo verde. Si la lechuga luce pálida para su clase, no la compre.

CUANDO ESTÉ LISTO PARA CONSUMIRLA:

■ Salvo la variedad iceberg, la lechuga tiende a estar bastante sucia, de modo que necesita lavarla. Y debido a que el aderezo para ensaladas se fija mejor a las hojas secas, lávela con suficiente antelación a la hora en que vaya a comerla.

■ Después de lavar las hojas, coloque la lechuga en un secador de ensaladas. Envuélvala en varias capas de toallas de papel, luego empaque todo en una bolsa plástica. Las toallas de papel absorberán la humedad y el plástico evitará que se sequen las hojas. La lechuga quedará increíblemente crujiente y fresca.

IDEAS NOVEDOSAS

Comidas con ritmo crujiente:

◆ **Al estilo tailandés.** Introduzca mariscos, verduras, cebollas y salsa de maní en una hoja de lechuga. Enrolle la hoja como una tortilla y disfrútela.

◆ **Olvídese de los restos.** Desmenuce lechuga en una sopa o en sofritos.

◆ **Tamaño completo.** Doble una hoja grande de lechuga y métala en un sándwich de pan pita.

◆ **Refrésquese.** Agregue lechuga desmenuzada y tomates picados a tacos y tortillas.

◆ **Remix de fruta con verduras de hoja verde.** Corone una ensalada de verduras de hoja verde con cítricos o trozos de pera o manzana.

◆ **No se rinda.** Cuando esté muy cansado para picar, abra una bolsa de verduras de hoja verde. ¡Y listo! Eso sí, lávelas. Se sabe que la lechuga procesada porta la despiadada bacteria E. coli.

LUZ VERDE

El semáforo en verde significa "Siga" y podrá continuar el camino por
más tiempo si permite la entrada de un poco de lechuga en su vida. La
lechuga verde proporciona una gran dosis de folato, la vitamina B que
previene las enfermedades cardíacas y los defectos de nacimiento en
los tubos neurales.

PREPAREMOS ENSALADAS

Cuando pase por la sección de frutas y verduras, encontrará cuatro clases
de lechuga: iceberg, butterhead, romana (o cos) y de hojas sueltas. Sin
importar qué tipo elija, el color es clave. Cuanto más oscura, más rica
será en vitaminas y minerales. Conozca los cuatro tipos:

■ **Iceberg** es casi sinónimo de lechuga en los Estados Unidos. Es verde
clara, se semeja a un repollo, es crujiente y dulce, y casi cualquiera la
comerá. También es resistente: se conservará durante una semana en la
gaveta para verduras. En cuanto a nutrición, no resiste la comparación
con los otros tipos de lechuga.

■ La lechuga **Butterhead** es suave, de cabeza casi aterciopelada con un
suave color verde. La variedad Boston tiene forma de rosa a la antigua,
en tanto que la variedad Bibb tiene forma de copa. Ambas son bastante
frágiles y sobrevivirán solamente de dos a tres días en su casa. La lechuga
butterhead contiene el doble de magnesio que cualquier otra lechuga.

■ La lechuga **Romana** o cos es verde oscura con una cabeza alargada (en
lugar de redonda). Cada hoja presume una nervadura robusta que es
tierna y dulce, y siempre se incluye en la ensalada. La romana es la estrella de las lechugas, al tener el mayor contenido de folato, vitaminas A,
B y C, potasio y cinc. Y es resistente: durará 1 ½ semana en el
refrigerador.

■ La de **Hoja Suelta** es la lechuga de aspecto más rebelde: con hojas
rizadas y onduladas que rara vez se ponen de acuerdo en ir unidas al
tallo. Puede ser de un verde oscuro o de tono rojizo. Se ve muy bonita en
una ensalada (hay que usarla rápidamente para que no pierda frescura).
La variedad de hoja suelta es la lechuga de mayor contenido de fibra y la
segunda (la primera es la romana) en vitamina A y potasio.

251

RESUMEN DE INFORMACIÓN NUTRICIONAL

Lechuga romana (2 tazas)

Calorías: 16

Grasas: 0 g

Grasas saturadas: 0 g

Colesterol: 0 mg

Sodio: 8 mg

Carbohidratos totales: 3 g

Fibra dietética: 2 g

Proteínas: 2 g

Folato: 38% del valor diario

Vitamina A: 58%

Vitamina C: 30%

Calcio: 4%

Hierro: 7%

La vitamina C también está incluida en el paquete. Es parte de la maquinaria vegetal que produce clorofila (el color verde de las plantas). Y la vitamina C estimula la formación del colágeno, el "pegamento" que mantiene unidos los huesos y las células, y ayuda a cicatrizar los rasguños y los cortes, así como las incisiones quirúrgicas. ¡Y la lechuga agrega fibra a su dieta y le ayuda a ir ya sabe dónde!

Ensalada Roja Perfecta

Lo que hace que esta ensalada sea excelente son las hojas frescas y crujientes con una capa delgada y uniforme de aderezo.

1 taza de lechuga romana

1 taza de lechuga morada

½ taza de achicoria verde

½ taza de radicchio (achicoria roja)

1 cucharada de aceite de oliva

2 cucharadas de vinagre de vino tinto

⅛ cucharadita de sal

⅛ cucharadita de pimienta negra recién molida

Por lo menos 2 horas antes de la cena, o incluso la noche anterior, lave minuciosamente todas las verduras de la ensalada, cambiando el agua varias veces si es necesario, para eliminar todos los restos de grava o arena. Seque las hojas en un secador de ensaladas hasta que estén casi secas. Envuelva las hojas en varias capas de toallas de papel, luego guarde las hojas envueltas en una bolsa de plástico en el refrigerador (las toallas de papel absorberán el agua restante, el plástico evitará que las hojas se resequen y estarán increíblemente crujientes). Justo antes de que esté listo para comer, rasgue o corte las hojas en trozos del tamaño de un bocado y colóquelas en una ensaladera muy grande. Rocíe el aceite y mezcle bien hasta cubrir todas las hojas. Agregue el vinagre y vuelva a mezclar bien. Salpimiente y vuelva a mezclar. ¡Perfecto!

Porciones: dos.

Datos nutricionales por porción: calorías, 87; proteínas, 2 g; carbohidratos, 6 g; fibra, 3 g; grasas, 7 g; grasas saturadas, 1 g; colesterol, 0 mg; sodio, 172 mg; folato, 27% del valor diario; vitamina A, 61%; vitamina C, 26%; vitamina E, 16%.

Lenteja:
Grandes Beneficios en un Paquete Pequeño

EFICAZ CONTRA:
- los defectos de nacimiento
- el cáncer
- las enfermedades cardíacas
- el colesterol alto

REFUERZA:
- la regularidad

Nos gusta cocinar frijoles secos. Pero la verdad es que no siempre tenemos el tiempo o la visión de planificar con tiempo y remojarlos. Y es por eso que las lentejas son nuestras salvadoras. No hay necesidad de hacer nada por anticipado. Se sacan del paquete y entre 5 y 30 minutos, según la variedad, tendrá servida la cena. La mejor parte: no tiene que sacrificar ni un poco de nutrición con estas cenas rápidas.

DATOS SOBRE EL FOLATO
Las lentejas son una poderosa fuente que suministra un 45% del valor diario necesario de folato en tan solo una porción de 1/2 taza de lentejas cocidas. ¡Eso es más de lo que pro-

RESUMEN DE INFORMACIÓN NUTRICIONAL

Lentejas cocidas (1/2 taza)

Calorías: 115

Grasas: 0 g

Grasas saturadas: 0 g

Colesterol: 0 mg

Sodio: 2 mg

Carbohidratos totales: 20 g

Fibra dietética: 5 g

Proteínas: 9 g

Folato: 45% del valor diario

Vitamina B3 (niacina): 5%

Cobre: 12%

Hierro: 18%

Magnesio: 9%

Cinc: 8%

SOLUCIONES PARA COMPRAR Y PREPARAR

Siempre hay lentejas deshidratadas en el supermercado. Y si tiene un mercado surtido cerca, puede encontrar más de una variedad. Las opciones son las siguientes:

■ Comunes. También se las conoce como lentejas cerveceras y son una buena opción para uso general.

■ Red Chief. Ideales para purés, dips y otros platillos a los cuales se adapten bien las lentejas blandas.

■ Pardinas o marrones españolas. Suelen tener un sabor más suave.

■ Verdes grandes. Son excelentes para ensaladas.

CUANDO ELIJA LENTEJAS:

■ Busque cajas que contengan lentejas de tamaño uniforme.

■ Si compra lentejas a granel, examínelas en busca de agujeritos (señal de insectos).

PARA ALMACENARLAS:

■ Coloque las lentejas en recipientes bien sellados.

■ Guárdelas en un lugar fresco y seco (pero no en el refrigerador), en donde se conservarán hasta por un año.

porcionan muchos cereales fortificados! El folato es una forma sintética de ácido fólico, vital para prevenir defectos de nacimiento en los tubos neurales, tales como la espina bífida.

Para los años de edad reproductiva: las futuras madres necesitan este nutriente desde antes de saber que están embarazadas. Nosotros, junto con casi todas las organizaciones de salud del gobierno, recomendamos que todas las mujeres que puedan quedar embarazadas se aseguren de consumir cada día 400 microgramos de folato en las comidas y otros 400 microgramos de ácido fólico en alimentos fortificados o suplementos. Media taza de lentejas proporciona 179 microgramos.

CUANDO ESTÉ LISTO PARA USARLAS:

A diferencia de los frijoles, no debe sumergir previamente en agua las lentejas. Simplemente sepárelas, enjuáguelas y luego hierva la mayoría de las variedades en agua sin sal durante 15 a 30 minutos (las Red Chief necesitan solo de 5 a 10 minutos). Lea las instrucciones del envoltorio para informarse sobre los tiempos exactos de cocción.

APRENDA A ADORAR A LA GENTIL LENTEJA

Estas son algunas ideas para incorporar estos paquetitos de bondades en su vida.

◆ **Realce ensaladas.** Agregue lentejas cocidas a la ensalada de espinaca o berro.

◆ **Rellene papas.** Hornee 2 papas medianas, ahuéquelas con una cuchara y haga un puré con 1/4 taza de leche reducida en grasas, 2 cucharadas de yogur natural reducido en grasas y 1/2 taza de lentejas cocidas.

◆ **Cubra la pizza.** ¡Es deliciosa! Mezcle algunos ingredientes de cobertura (como salchicha) con lentejas cocidas. No olvide decorarla también con verduras.

◆ **Abra una lata.** Para los días en que no tenga tiempo, compre latas de sopa de lentejas.

Alivio Rápido Para:

El Estreñimiento

Si sufre de estreñimiento, agregue ½ taza de lentejas cocidas a su dieta. Aportan 5 gramos de fibra (aproximadamente la quinta parte de lo que necesita por día).

Para los años siguientes: aunque ya no deba preocuparse por la alimentación de su bebé, usted aún necesita consumir folato para el corazón. A pesar de que los investigadores siguen trabajando para fortalecer la relación, parece que el folato reduce el nivel de homocisteína, un aminoácido que puede desencadenar un ataque cardíaco cuando se eleva demasiado. ¿Cuánto es suficiente? Los investigadores consideran que el valor debe ser de 400 a 800 microgramos diarios.

FÁBRICA DE FIBRA

Las lentejas también están repletas de fibra. Hay estudios que sugieren que la fibra reduce el colesterol y el riesgo de desarrollar cáncer. De hecho, un nuevo estudio sugiere que las personas que comen los alimentos más ricos en fibra tienen la mitad del riesgo de desarrollar cáncer de boca y garganta que las que consumen alimentos con menos fibra.

Hongos Rellenos de Lentejas

Para su próxima fiesta pruebe esta receta, cortesía del U.S.A. Dried Pea and Lentil Council *(Consejo de Productores de Lentejas y Guisantes Deshidratados de los EE. UU.).*

¼ taza de lentejas secas
16 hongos medianos
¼ taza de mantequilla o margarina
¼ taza de cebolla finamente picada
¼ cucharadita de sal
⅛ cucharadita de pimienta negra recién molida
½ taza de queso parmesano rallado
½ taza de miga seca de pan natural

Cocine las lentejas según las instrucciones el paquete. Mientras, precaliente el horno a 350 °F. Quite los tallos de los hongos. Pique los tallos y déjelos a un lado. Coloque los sombreros de los hongos en una bandeja para hornear con aceite. En una cacerola, mezcle la mantequilla o la margarina, los tallos picados, la cebolla, la sal y la pimienta. Cocine hasta que la cebolla esté clara y suave. Agregue las lentejas, el queso y la miga de pan. Retire del fuego. Rellene los sombreros de los hongos con la mezcla de lentejas. Hornee de 10 a 15 minutos (o cocina en la parrilla durante 5 minutos). Sírvalos calientes.

Porciones: ocho.

Datos nutricionales por porción: calorías, 135; proteínas, 6 g; carbohidratos, 10 g; fibra, 2 g; grasas, 8 g; grasas saturadas, 5 g; colesterol, 20 mg; sodio, 440 mg; calcio, 10% del valor diario; hierro, 8%.

Mango:

Popular Remedio Tropical

EFICAZ CONTRA:
- el cáncer
- las enfermedades cardíacas

REFUERZA:
- el proceso digestivo
- la vista

Las papilas gustativas de Karen se enamoraron de los mangos, hace, por lo menos, 10 años (¿quién lleva la cuenta?). Probó una variedad de Snapple, de nombre *Mango Madness*, y se enamoró desde el primer sorbo. Debido a que la bebida contenía muchas calorías (y probablemente no tanto mango), la reservó para ocasiones especiales. Pero decidió probar la fruta de esta increíble bebida. Y desde entonces, se enganchó con los mangos.

MUCHO DE QUÉ HABLAR ACERCA DE LOS MANGOS

Los mangos, una de las frutas de mayor consumo en el mundo, se originaron en el sudeste asiático hace 4,000 años y se han utilizado en remedios caseros desde entonces.

Los mangos son ricos en vitaminas A y C: nutrientes que crean una barrera contra el cáncer y las enfermedades cardíacas. La mitad de un mango ofrece un 40% del requerimiento diario de vitamina A.

(Continúa en la página 261)

RESUMEN DE INFORMACIÓN NUTRICIONAL

Mango (½)

Calorías: 70

Grasas: 0.5 g

Grasas saturadas: 0 g

Colesterol: 0 mg

Sodio: 0 mg

Carbohidratos totales: 17 g

Fibra dietética: 3 g

Proteínas: 1–3 g

Vitamina A: 40% del valor diario

Vitamina C: 15%

**SOLUCIONES
PARA COMPRAR
Y PREPARAR**

Lo más probable es que nunca haya comprado un mango. Si no lo conoce, ahora lo informaremos. La temporada de mangos va de febrero a septiembre (aunque Karen encontró algunos buenos en la última Navidad) y vienen en diferentes variedades (lea "Las Distintas Facetas del Mango" en la página 261). Por esta razón, no puede juzgar a un mango por el color. Afortunadamente hay otras formas de saber cuál es la mejor fruta.

CUANDO ELIJA MANGOS:

■ Huélalos. Un buen mango tendrá una fragancia exquisita (cuanto mejor sea el aroma, mejor será el sabor).

■ Presione la pulpa. Un mango maduro cederá ligeramente ante una suave presión (como un melocotón).

■ Evite los mangos que tengan muchas manchas negras. Que haya algunas manchas negras sobre la cáscara es normal, pero cuando hay muchas, puede ser indicio de daño a la pulpa debajo de la cáscara.

■ Devuelva los mangos que tengan la cáscara suelta o deshidratada.

PARA ALMACENARLOS:

■ Coloque los mangos maduros en el refrigerador, en donde se conservarán de dos a cinco días.

■ Coloque los mangos verdes en una bolsa de papel en la encimera de su cocina durante un par de días. Luego guárdelos en el refrigerador.

¡A PREPARARLOS!

¿Listo para excavar? ¡Vamos! La mayoría de la pulpa del mango está adherida a una semilla grande y plana. El mejor método es conseguir un buen cuchillo filoso de hoja delgada. Comience por hacer un corte para quitar ambos extremos de la fruta. Coloque el mango sobre uno de los extremos planos y corte la cáscara de arriba hacia abajo a lo largo de la curvatura de la fruta. Nunca coma la cáscara. Pase el cuchillo a lo largo de la semilla para quitar toda la pulpa.

(Continúa en la página 260)

(Continuación de la página 259)

Algunas tiendas de comestibles venden mango rebanado a un precio un poco más alto. Es posible que también encuentre mango deshidratado o congelado.

MANGOMANÍA

Ahora que ha comprado este tesoro tropical, experimente esta saludable diversión:

◆ **Levántese por la mañana.** Puede incorporar mango a casi cualquier desayuno. Agregue trozos pequeños al yogur natural, cubra panqueques o waffles con rodajas de mango en lugar de sirope, o bien, agregue mango deshidratado en cubos a la mezcla para panecillos o panes de preparación rápida.

◆ **Ablande la carne de pollo o cerdo.** Marínela (en el refrigerador, desde luego) con jugo de mango durante aproximadamente una hora. Luego colóquela en la parrilla o cuézala, y sírvala con rebanadas de mango. Se sentirá en un paraíso tropical.

◆ **Reemplace los melocotones.** Los mangos tienen tanto en común con los melocotones que puede reemplazarlos por la misma cantidad de mangos en la mayoría de las recetas.

◆ **Prepárelos en postres.** Karen es una gran aficionada a los postres: ninguna cena está completa sin un postre. Para consumir postres y no tener que cambiar de talla de falda, simplifique las comidas. Salpique las rebanadas de mango con una cucharadita de chocolate derretido o sirope de chocolate. Cubra el yogur de vainilla congelado, reducido en grasas, con rebanadas de mango y un toque de crema batida. O compre una pinta de nieve de mango Häagen-Dazs: sabe increíble y aporta una cucharonada de vitamina A.

Las Numerosas Facetas del Mango

Existen cuatro variedades comunes de mangos. Cada una difiere en tamaño, apariencia, sabor y contenido de fibra de las otras tres. Son tan diferentes que ni siquiera parecen relacionadas.

Mango	Color Al Madurar	Sabor	Contenido de Fibra	Temporada
Harden	dorado; con un rubor anaranjado rojizo	suave	medio	febrero–junio
Keitt	verde; puede tener un rubor ligeramente dorado	intenso	bajo	julio–septiembre
Kent	dorado verdoso; puede tener un rubor rojizo	muy dulce	bajo	junio–agosto
Tommy Atkins	morado	suave	alto	abril–julio

(Continuación de la página 258)

Para probar el potencial anticancerígeno del mango, los investigadores de la Universidad de Florida en Gainesville administraron extracto de mango o agua en células de ratones. El mango resultó ser 10 veces más eficaz que el agua en inhibir el desarrollo de las células cancerosas.

En seres humanos, los estudios han demostrado que las vitaminas A y C destruyen los radicales libres, sustancias generadoras de cáncer y enfermedades cardíacas.

Es más, los mangos contienen los antioxidantes luteína y zeaxantina que protegen la vista al detener la degeneración macular por la edad, una causa común de ceguera en las personas mayores en Estados Unidos.

Alivio Rápido Para:

El dolor de Estómago

¿Le duele el estómago? Consuma algunas rodajas de mango. Los mangos contienen una enzima que puede actuar como ayudante para la digestión, aunque no se ha comprobado (o desaprobado) en estudios científicos.

Paletas Heladas de Mango

En los calurosos días del verano, comemos o bebemos casi cualquier cosa para refrescarnos. En lugar de comprar paletas de helado carentes de vitaminas y con colores artificiales (¡la naturaleza nunca produjo un alimento azul neón!), haga sus propios postres con esta receta, cortesía de London Fruit. Solo demorará un par de minutos y una vez que saboree estas paletas heladas de mango, no querrá las paletas tradicionales.

2 tazas de mangos rebanados
½ taza de leche descremada evaporada
¾ taza de agua
¼ taza de concentrado de jugo de piña descongelado

En una licuadora, prepare un suave puré con los mangos. Agregue la leche, el agua y el concentrado de jugo de piña. Licue hasta integrar. Vierta la mezcla en moldes para congelar o en vasos desechables de papel e inserte los palitos de madera. Selle y congele hasta que estén firmes. Desmolde y sirva de inmediato.

Porciones: cuatro.

Datos nutricionales por porción: calorías, 111; proteínas, 3 g; carbohidratos, 26 g; fibra, 2 g; grasas, 0 g; grasas saturadas, 0 g; colesterol, 1 mg; sodio, 39 mg; vitamina C, 40% del valor diario; calcio, 11%.

Mantequilla de Maní:

Rejuvenece el Corazón

EFICAZ CONTRA:

- el cáncer
- las enfermedades cardíacas
- el colesterol alto

REFUERZA:

- el control del peso

Un sándwich de mantequilla de maní le hace regresar a la niñez. Y ahora, después de años de mala reputación por tener un alto contenido de grasas, la mantequilla de maní regresa a la lista de alimentos saludables. Los investigadores amantes del maní han demostrado que la grasa de la mantequilla de maní es casi toda monoinsaturada, el tipo de grasa bueno. Y ese es posiblemente el motivo por el cual las investigaciones clínicas muestran que comer maní y mantequilla de maní reduce los triglicéridos y el colesterol malo (lipoproteína de baja densidad, LDL), sin reducir el colesterol bueno

(Continúa en la página 265)

RESUMEN DE INFORMACIÓN NUTRICIONAL

Mantequilla de maní cremosa (2 cucharadas)

Calorías: 190

Grasas: 16 g

Grasas saturadas: 3 g

Grasas monoinsaturadas: 8 g

Colesterol: 0 mg

Sodio: 150 mg

Carbohidratos totales: 6 g

Fibra dietética: 2 g

Proteínas: 8 g

Vitamina B3 (niacina): 21% del valor diario

Vitamina E: 16%

Magnesio: 13%

SOLUCIONES PARA COMPRAR Y PREPARAR

Cuando se trata de mantequilla de maní, compre lo que le guste. Podría preguntar: "¿Y la sal, el azúcar y las grasas trans?". En promedio, una porción de 2 cucharadas de mantequilla de maní sin sal aporta 5 miligramos de sodio, mientras que la que sí tiene sal aporta cerca de 155 miligramos (aproximadamente el 6% del límite diario recomendado); una cantidad que no hace una gran diferencia. Algunas marcas también contienen un poco de azúcar, pero generalmente no mucha.

Recientemente la mayor controversia era sobre las grasas trans, las grasas nocivas creadas cuando se fuerza hidrógeno a un aceite líquido para volverlo sólido. Las grasas trans elevan el colesterol LDL y disminuyen el colesterol HDL: el peor escenario posible para el corazón.

Se agregan ciertos aceites hidrogenados a la mantequilla de maní para evitar que el aceite de maní se separe. Pero estas cantidades son tan ínfimas que la FDA las clasifica como cero en la escala propuesta de etiquetado. También es tranquilizador que todos los estudios que muestran qué tan bien la mantequilla de maní reduce el colesterol se hayan realizado con el tipo hidrogenado. Así que respire tranquilo.

DIVIÉRTASE UN POCO

Pruebe estas formas sencillas para rejuvenecer:

▶ **Bátala.** Añada 2 cucharadas de mantequilla de maní al próximo batido de frutas mientras está en la licuadora. Un poco de salsa de chocolate también queda bien.

▶ **Mézclela con bayas.** Olvídese de la jalea. Prepare un sándwich para adultos con pan de trigo integral, mantequilla de maní sustanciosa y moras, frambuesas o fresas frescas en rodajas. ¡Delicioso!

▶ **Muérdala.** Olvídese de esas galletas con mantequilla de maní color anaranjado neón de cuando era un adolescente rebelde. Para darle un nuevo giro a la vida, pruebe las galletas Ak-Mak elaboradas con puro trigo integral molido en piedra, untadas con su mantequilla de maní favorita.

▶ **Úntela.** Unte la cuota diaria de maní cremoso en tallos de apio, palitos de zanahoria, rodajas de manzana o círculos de banano.

(Continuación de la página 263)

(lipoproteínas de alta densidad, HDL). Ese es un perfil saludable para el corazón.

Por peso, el maní contiene la misma cantidad de grasas monoinsaturadas que la fruta seca de árboles (nueces de nogal, pacanas y almendras), que también protegen contra las enfermedades cardíacas. Por porción, el maní contiene casi tantas proteínas como los frijoles. La naturaleza brinda muchas delicias para tener un corazón saludable.

CUIDADO CON LA CANTIDAD

Por supuesto, si come muchísima mantequilla de maní, aumentará de peso, y eso es malo para el corazón. Pero si la come con moderación, no debería tener ningún problema. En un estudio de pérdida de peso en curso en Brigham y en el *Women's Hospital* de Boston, el grupo que come mantequilla de maní y otras grasas saludables pierde peso y mantiene el peso bajo mejor que quienes comen muy pocas grasas.

DESTRUYA EL COLESTEROL Y EL CÁNCER

Pero la noticia más reciente es que el maní está lleno de esteroles, la versión vegetal del colesterol. Suena como un problema potencial, pero no lo es. Los esteroles vegetales se absorben tan lentamente que obstruyen el paso del colesterol de los alimentos y evitan que se absorba.

En el laboratorio, esos esteroles han demostrado que detienen el crecimiento de las células de cáncer de colon, próstata y mama, y las destruyen. La mala noticia es que los estadounidenses consumen, en promedio, solo 80 miligramos de fitoesteroles al día. Los asiáticos y vegetarianos (que casi no desarrollan esos cánceres) consumen cerca de 400 miligramos de fitoesteroles al día. Dos cucharadas de aceite o mantequilla de maní o ¼ taza de maní tostado aportan unos 50 miligramos de fitoesteroles.

Ensalada Caliente de Res Estilo Tailandés con Salsa Picante de Maní

ENSALADA DE RES ESTILO TAILANDÉS

Si le gustan los sabores complejos (agridulce y picante) y los aromas intrigantes de la comida tailandesa, le gustará este plato frío y caliente.

4 dientes de ajo
3 cucharadas de jengibre fresco picado
2 cucharadas de salsa de pescado
2 cucharadas de salsa de soya reducida en sodio
1 cucharada de azúcar
4 filetes miñón (4 onzas cada uno) sin grasa
2 cabezas pequeñas de lechuga de mantequilla
1 cebolla morada pequeña en rodajas finas (decoración)
1 chile jalapeño verde en rodajas finas (decoración)
½ taza de cilantro fresco picado (decoración)
½ taza de hojas de menta fresca picadas (decoración)

En un tazón de vidrio, mezcle el ajo, el jengibre, la salsa de pescado, la salsa de soya y el azúcar. Agregue los filetes y voltéelos para cubrirlos bien. Deje en reposo de 30 a 60 minutos mientras se calienta la parrilla. Ase o dore hasta el punto de cocción deseado. Corte cada filete en porciones de ¼ pulgada de grosor. Divida la lechuga en cuatro platos pequeños. Cubra cada porción de filete con la lechuga. Decore con cebolla, chile, cilantro y menta. Rocíe cada uno con 2 cucharadas de "Salsa Picante de Maní" (página 267).

Porciones: cuatro.

Datos nutricionales por porción (incluida la salsa de maní): calorías, 350; proteínas, 30 g; carbohidratos, 14 g; fibra, 3 g; grasas, 20 g; grasas saturadas, 6 g; colesterol, 72 mg; sodio, 1,182 mg; vitamina A, 23% del valor diario; vitamina B3 (niacina), 30%; vitamina B6, 29%; vitamina C, 14%; calcio, 8%; hierro, 23%; cinc, 36%.

SALSA PICANTE DE MANÍ

Recientemente pasamos un par de días con los chefs del Instituto Culinario de América en Greystone, en el Valle de Napa, California, donde aprendimos a preparar esta sabrosa salsa.

1 cucharada de aceite de maní
1 cucharadita de pasta de curry rojo
½ cucharadita de cúrcuma en polvo
½ taza de mantequilla de maní cremosa
½ taza de leche de coco sin azúcar
½ taza de agua
2 cucharaditas de salsa de pescado
1 cucharadita de jugo fresco de limón
Azúcar al gusto

Caliente el aceite en una sartén antiadherente sobre fuego medio. Agregue la pasta de curry y la cúrcuma, y cocine, revolviendo con frecuencia, hasta que la mezcla chisporrotee (aproximadamente 1 minuto). Agregue la mantequilla de maní, la leche, el agua, la salsa de pescado, el jugo de limón y el azúcar. Baje el fuego y cocine revolviendo constantemente con un batidor (3 minutos). Cuando la mezcla empiece a burbujear, retírela del fuego y siga revolviendo hasta que llegue a la consistencia deseada. Si la salsa está demasiado espesa, agréguele agua. Pruébela y ajuste los condimentos hasta llegar a un interesante equilibrio de sabores: dulce, salado y picante.

Porciones: doce.

Datos nutricionales por porción: calorías, 77; proteínas, 3 g; carbohidratos, 3 g; fibra, 1 g; grasas, 7 g; grasas saturadas, 1 g; colesterol, 0 mg; sodio, 127 mg; vitamina E, 6% del valor diario.

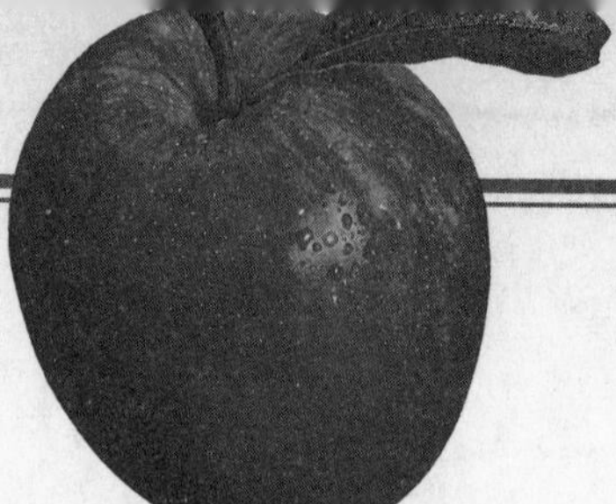

Manzana:
La Base de un Plan de Alimentación Saludable

EFICAZ CONTRA:
- el cáncer
- la diabetes
- las enfermedades cardíacas
- el colesterol alto
- los accidentes cerebrovasculares

REFUERZA:
- la regularidad

Cuando Colleen era niña, había un manzano de la variedad *Golden Delicious* en el jardín trasero, así que entiende por qué la manzana se asocia con la tentación. Piensa que Eva probablemente sedujo a Adán con una manzana, porque es un alimento saludable (después de todo, las mujeres son las guardianas de la salud en la mayoría de las familias). ¡Tal vez Eva sabía instintivamente que esas manzanas deliciosas y jugosas eran la compensación perfecta para todas las hamburguesas y papas fritas que comía Adán!

UNA MANZANA AL DÍA LO MANTIENE SANO

Si la primera pareja hubiera vivido en Finlandia, habrían participado en un estudio reciente que demostró que los hombres y las mujeres que comieron una manzana al día tuvieron menor riesgo de sufrir embolia (del tipo causado por un pequeño coágulo sanguíneo que bloquea una arteria del cerebro) que quienes se mostraron indiferentes ante la búsqueda del alimento especial de Isaac Newton. Los investigadores

SOLUCIONES PARA COMPRAR Y PREPARAR

En los Estados Unidos, se cultivan más de 2,500 variedades de manzanas (¡buen trabajo, Juancito, Cultivador de Manzanas!), pero solo 8 representan hasta el 80% de lo que compramos y comemos.

Las manzanas son más jugosas cuando están recién cortadas (en otoño), pero las modernas técnicas de almacenamiento en atmósferas controladas brindan una provisión de manzanas frescas y jugosas todo el año.

CUANDO ELIJA MANZANAS:

■ Busque las que estén entre firmes y duras. Las manzanas son una de las pocas frutas en las que Colleen le permite a su esposo, Ted, usar la prueba del "pulgar". Si al presionar suavemente la manzana con el pulgar, queda una depresión, la manzana está demasiado suave.

■ Elija las pequeñas. Por lo general, las manzanas pequeñas son mejores que las grandes.

■ Elija las bonitas. Las manzanas deben tener un color bonito para su tipo, cáscaras firmes y no tener magulladuras ni cortes.

PARA ALMACENARLAS:

Las manzanas ya están completamente maduras cuando las compra, así que llévelas a casa y guárdelas directamente en el refrigerador, donde se mantendrán por hasta seis semanas. A temperatura ambiente, se pondrán blandas rápidamente.

CUANDO ESTÉ LISTO PARA USARLAS:

Lave bien las manzanas antes de comerlas, para eliminar pesticidas y cera.

CONSUMA UNA MANZANA AL DÍA

Disfrute de estas deliciosas variantes de comer su manzana diaria:

◆ **En rebanadas.** Agregue rebanadas a las ensaladas de invierno para que sean más crujientes y sabrosas.

◆ **Cocínela.** Quítele el centro a una manzana de la variedad *Rome Beauty*. Rellene el centro con una mezcla de pasas amarillas, pacanas picadas, canela en polvo y azúcar morena. Cocine en el microondas hasta que la manzana esté blanda (unos 5 minutos).

creían que el alto contenido de quercetina era la clave de la protección contra los accidentes cerebrovasculares, pero no es así. No se sabe con exactitud por qué las manzanas fueron tan beneficiosas. (Manténgase informado: los científicos están buscando algún otro ingrediente secreto. ¡Disfrute de otra manzana durante la espera!)

LOS BENEFICIOS DE LA CÁSCARA

Seguramente Adán y Eva no tenían cuchillos ni peladores, por lo que comieron las manzanas con cáscara, y eso es saludable. La cáscara contiene abundante quercetina, sustancia química vegetal muy estudiada, responsable de otros beneficios para la salud. La quercetina es eficaz contra las afecciones cardíacas, dado que previene que el colesterol se transforme en el fango que se pega en las paredes de las arterias, volviéndolas más estrechas y preparando el camino para un infarto.

Y la quercetina también es eficaz contra el cáncer, posiblemente porque desactiva los agentes carcinógenos, o hace que simplemente se rindan y mueran. Una manzana con cáscara proporciona la misma cantidad de quercetina que ½ taza de té o ⅔ taza de cebolla cruda. Por ello, déjese tentar. ¡Disfrute!

FIBRA ATRACTIVA

Entre los numerosos nutrientes, las manzanas están repletas de fibra. De hecho, una manzana mediana con cáscara le brinda el 20% de la fibra diaria que el cuerpo necesita. Y lo más importante es que las manzanas contienen ambas formas de fibra: soluble e insoluble.

RESUMEN DE INFORMACIÓN NUTRICIONAL

Manzana (1 mediana)

Calorías: 81

Grasas: 0 g

Grasas saturadas: 0 g

Colesterol: 0 mg

Sodio: 0 mg

Carbohidratos totales: 21 g

Fibra dietética: 4 g

Proteínas: 3 g

Vitamina A: 1% del valor diario

Vitamina C: 9%

Calcio: 1%

Hierro: 1%

Alivio Rápido Para:

Diarrea

¿La diarrea le trae problemas? Calme malestar con esta dieta: bananos, arroz, puré de manzana y pan tostado. Pruébela durante un día más o menos, la diarrea empieza a desaparecer. Recuerde que también necesita tomar abundante agua. ¡Un ataque de diarrea podría deshidratar rápidamente!

La fibra insoluble contribuye al normal funcionamiento de los intestinos. Una parte de esa fibra insoluble es la pectina: sustancia que ayuda a controlar la diarrea. Es más, la pectina, combinada con los azúcares de la manzana, reduce la velocidad de absorción de los nutrientes; de esta manera, las personas diabéticas mantienen controlado el azúcar en sangre. Según un estudio, la fibra soluble permite reducir el colesterol en la sangre en un 16%. Así que dese el gusto.

Puré de Manzana con Trocitos al Estilo Francés

Una excelente forma de realzar el atractivo de la doble fibra de las manzanas que han perdido su toque es cocer a fuego lento trozos, con la cáscara, para preparar esta salsa agridulce. Es una cobertura deliciosa para waffles o panqueques, y una excelente guarnición con pollo o jamón magro.

4 manzanas *Red Delicious* lavadas, sin el centro y cortadas en trozos pequeños
⅓ taza de pasas de uva sin semilla
¼ taza de nueces picadas no muy finas
½ cucharadita de canela en polvo
⅛ cucharadita de nuez moscada en polvo
½ taza de agua

Coloque en una sartén pesada las manzanas, las pasas, las nueces, la canela, la nuez moscada y el agua. Deje hervir. Cubra, baje el fuego y cocine a fuego lento hasta que las manzanas estén blandas (las puede pinchar con un tenedor), revolviendo ocasionalmente. Sírvalo frío o caliente.

Porciones: cuatro.

Datos nutricionales por porción: calorías, 167; proteínas, 2 g; carbohidratos, 32 g; fibra, 5 g; grasas, 5 g; grasas saturadas, menos de 1 g; colesterol, 0 mg; sodio, 2 mg; vitamina C, 9% del valor diario; vitamina E, 4%; manganeso, 20%; potasio, 8%.

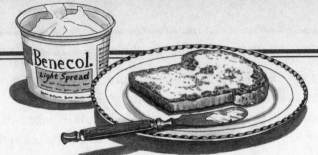

Margarina:

Controle el Colesterol

EFICAZ CONTRA:
- ■ las enfermedades cardíacas
- ■ el colesterol alto

En la etapa de crecimiento de Karen, sus padres siempre tenían margarina en la casa, aun cuando ella prefería la mantequilla. Su mamá le recordaba que la margarina era más saludable que la mantequilla y que, si lo prefería, podía dejar el pan sin untar.

Pero años más tarde, investigadores de la Universidad de Harvard causaron conmoción en el país al indicar que la margarina podía aumentar el riesgo de padecer enfermedades cardíacas. ¿Por qué? Desafortunadamente, cuando los fabricantes de margarina transformaron los aceites líquidos de las verduras en cremosos, crearon grasas trans, un tipo de grasa que los especialistas de Harvard creen que es peor que las grasas saturadas de la mantequilla.

En la actualidad, algunos fabricantes ofrecen margarinas sin ningún tipo de grasas trans y un par de estos productos se fabrica con un compuesto para reducir el colesterol. Grandioso, ¿no?

RESUMEN DE INFORMACIÓN NUTRICIONAL

Benecol Light Spread (1 cucharada)

Calorías: 45

Grasas: 5 g

Grasas saturadas: 0.5 g

Colesterol: 0 mg

Sodio: 110 mg

Carbohidratos totales: 0 g

Fibra dietética: 0 g

Proteínas: 0 g

Vitamina A: 10% del valor diario

Vitamina E: 20%

SOLUCIONES PARA COMPRAR Y PREPARAR

Si dispone de poco tiempo, el pasillo de margarinas del supermercado puede ser una pesadilla. Pero si se queda con nosotros un minuto, hará este recorrido en un instante.

CUANDO ELIJA MARGARINA:

■ Elija una margarina (como *Promise Ultra* o *Smart Beat*) libre de grasas trans o casi.

■ Considere llevar margarina líquida, que generalmente tiene muchas menos grasas trans que la de barra.

■ O bien, si tiene colesterol alto, converse con el médico acerca de usar *Benecol* o *Take Control*. Estas están específicamente elaboradas para reducir el nivel de colesterol malo.

COCINE CON LAS NUEVAS MARGARINAS

Puede cocinar con margarina libre de grasas trans (con excepción de *Take Control*) de la misma manera que con margarina regular. Sin embargo, los resultados del horneado pueden variar según la marca y la receta. Así que tendrá que experimentar. El fabricante de *Take Control* recomienda no usar este producto para en particular para hornear.

CONOZCA LAS MARGARINAS QUE REDUCEN EL COLESTEROL

Empecemos con las margarinas libres de grasas trans que reducen el colesterol: Benecol y Take Control. Contienen una grasa vegetal parecida al colesterol que bloquea la absorción del colesterol en el intestino delgado. Como resultado, desciende el nivel de colesterol malo de lipoproteína de baja densidad (LDL) en la sangre. ¿Cuánto? La Asociación Americana del Corazón (AHA) indica que 2 cucharadas de Benecol o 3 cucharadas de Take Control por día reducen los niveles de colesterol LDL entre un 7% y un 10% (más si se los consume junto con una dieta saludable para el corazón).

273

Cómo Calcular el Tamaño de las Margarinas para Untar

Las siguientes margarinas para untar están libres de grasas trans (fabuloso), pero el contenido de calorías y grasas por cucharada varía significativamente. Le sugerimos quedarse con las versiones más bajas en calorías y grasas, especialmente si está intentando controlar su peso. Eche un vistazo.

Margarina para Untar	Tipo	Calorías	Grasas (g)	Grasas Saturadas (g)	Colesterol	Sodio (mg)	Vitamia E (% del valor Diario)
Benecol	envase	90	9	1	0	110	20
Benecol Light	envase	45	5	0.5	0	110	20
Brummel & Brown	envase	45	5	1	0	90	0
Fleisch-mann's Light	envase	40	4.5	0	0	90	0
Promise	barra	90	10	2.5	0	90	15
Promise	envase	80	8	2	0	70	15
Promise Buttery Light	envase	45	51	0	0	10	15
Promise Fat-Free	envase	5	0	0	0	90	0
Promise Light	barra	50	6	2	0	55	15
Promise Ultra	envase	35	3.5	1	0	90	10
Smart Balance	envase	80	9	2.5	0	90	10
Smart Beat	envase	20	2	0	0	105	10
Take Control	envase	50	6	1	menos de 5	110	6
Take Control Light	envase	40	4.5	0.5	menos de 5	110	0

Sorprendentemente, estas margarinas no parecen reducir el nivel de colesterol bueno de lipoproteína de alta densidad (HDL). Pero la AHA advierte que usted debería conversar con el médico sobre estas margarinas a fin de vigilar juntos el impacto y ajustar sus medicamentos, de ser necesario.

Benecol y Take Control son solo para personas con colesterol alto. La AHA fue enfática: "Los niños y adultos a quienes no se les han diagnosticado niveles elevados de colesterol LDL no deberían consumir el producto como medida 'preventiva'. Aunque las margarinas que reducen el colesterol pueden usarse como parte de un plan de tratamiento, no previenen la causa que origina el LDL elevado".

En algún punto entre las nuevas margarinas que reducen el colesterol y las anteriores con grasas trans, encontrará nuevos productos libres de grasas trans, sin compuestos vegetales que reduzcan el colesterol. Estos "puntos medios" deberían ser mejores tanto para niños como para adultos sin colesterol alto, (para ver un listado, consulte "Cómo Calcular el Tamaño de las Margarinas para Untar" en la otra página).

DÍGALE ADIÓS A LA MARGARINA EN BARRA

Algunos sustitutos de la mantequilla, especialmente los de barra, constituyen una fuente importante de grasas trans, al suministrar de 1 a 3 gramos por cucharada. Un estudio de la Universidad de Harvard del que tomaron parte 85,000 enfermeras determinó que las que tomaron más grasas trans (aproximadamente 5 gramos diarios) tuvieron un riesgo 50% mayor de padecer enfermedades cardíacas que las que comieron menos, aun cuando la ingesta de grasas en general fuera la misma.

"Cerca de 15,000 mujeres mueren prematuramente cada año debido a enfermedades cardíacas derivadas de una alta ingesta de grasas trans", explica el autor del estudio, el Dr. Walter Willett, presidente del Departamento de Nutrición de la Facultad de Salud Pública de Harvard.

Galletas de Chocolate y Frambuesa

Esta receta de galletas es gentileza de Benecol. Son deliciosas y contienen muchas menos grasas no saludables que la mayoría de las galletas que se compran en las tiendas.

½ taza de azúcar
1 huevo
½ cucharadita de extracto de vainilla
8 cucharadas de *Benecol Regular Spread*
½ taza de cacao en polvo de tipo holandés
1 ½ taza de harina
½ taza de arándanos rojos cortados en trozos
⅓ taza de mermelada de frambuesa sin semillas

En un procesador de alimentos, mezcle el azúcar, el huevo y el extracto de vainilla. Procese hasta que adquiera una tonalidad pálida, aproximadamente 20 segundos. Agregue el Benecol. Procese hasta que la mezcla esté cremosa, cerca de 10 segundos. Agregue el cacao y 1 ¼ taza de harina de una sola vez. Presione hasta formar una masa húmeda y suave, de seis a ocho veces. Si la masa no se integra, agregue el ¼ de taza de harina restante y presione tres o cuatro veces. Integre los arándanos a mano. Divida la masa equitativamente con un cucharón en dos hojas de papel encerado. Dé a cada porción de masa una forma de 1 x 12 pulgadas. En este punto, puede hornear la masa, refrigerarla hasta por 24 horas o congelarla hasta por un mes.

Precaliente el horno a 350 ºF. Con un cuchillo filoso, corte un trozo en rodajas de ½ pulgada, (mantenga el otro frío). Enrolle cada rodaja hasta hacerla una bola y colóquela en una lámina para hornear. Deje una distancia entre galletas de 1 ½ pulgada. Presione con la punta del dedo en el centro de cada una. Hornee hasta que las galletas se sientan firmes (unos 13 minutos). Mientras se hornean las galletas, derrita la mermelada en el microondas. Pase las galletas a una rejilla. Con una cuchara, coloque un poco de mermelada en el agujero de cada galleta. Enfríe completamente. Guárdelas en un recipiente hermético hasta por una semana.

Porciones: 48 galletas.

Datos nutricionales por galleta: calorías, 49; proteínas, 1 g; carbohidratos, 8 g; fibra, 1 g; grasas, 2 g; grasas saturadas, 0 g; colesterol, 4 mg; sodio, 20 mg; hierro, 2% del valor diario.

Simplemente Batatas

Las batatas son tan exquisitas que no necesitan mucho aderezo. Permítase un descanso y simplifique su vida con esta receta.

4 batatas medianas
2 cucharadas de cualquier margarina libre de grasas trans
1 cucharadita de canela en polvo
½ cucharadita de nuez moscada en polvo
¼ taza de malvaviscos miniatura (opcional)

Hornee las batatas en el microondas o en el horno convencional hasta que estén a punto. Con la ayuda de un cuchillo filoso, haga un corte en el centro y abra cada batata. Condimente cada una con igual cantidad de margarina, canela, nuez moscada y, si desea malvaviscos.

Porciones: cuatro.

Datos nutricionales por porción (con Promise Ultra): calorías, 138; proteínas, 2 g; carbohidratos, 28 g; fibra, 4 g; grasas, 2 g; grasas saturadas, 0 g; colesterol, 0 mg; sodio, 57 mg; calcio, 4% del valor diario; hierro, 4%.

Mariscos:

Salud en Media Concha

EFICACES CONTRA:
- el cáncer
- las enfermedades cardíacas
- la osteoporosis
- el comer en exceso

REFUERZAN:
- los huesos
- la función inmunológica
- el control de peso

Quítese los zapatos, arremánguese los pantalones y deje que el oleaje le haga cosquillas en los dedos de los pies mientras el picnic de playa chisporrotea en la arena. Luego disfrute un majestuoso festín de mariscos (almejas, cangrejos, langosta, mejillones, ostras, vieiras y camarones) que lo ayudará a formar los huesos y fortalecerá el sistema inmune para que pueda luchar contra todo: desde la moquera hasta las enfermedades cardíacas y el cáncer.

Los mariscos son una sorprendente fuente de proteínas reducida en calorías, necesaria para mantener cada célula de su cuerpo y para mantener el sistema inmunológico en buen estado. Algunos estudios también sugieren que las proteínas satisface el apetito, así se siente satisfecho pronto y no sigue comiendo. En otras palabras, comer proteínas puede ayudarle a controlar el peso.

RESUMEN DE INFORMACIÓN NUTRICIONAL

Carne de cangrejo cocida (3 onzas)

Calorías: 87

Grasas: 1.5 g

Grasas saturadas: menos de 1 g

Colesterol: 85 mg

Sodio: 324 mg

Carbohidratos totales: 0 g

Fibra dietética: 0 g

Proteínas: 17 g

Vitamina C: 5%

Calcio: 9%

Hierro: 2%

Y debido a que los mariscos casi no contienen grasas saturadas, no tiene que preocuparse porque eleven el nivel de colesterol en sangre, como ocurre con las carnes grasosas. Algunos mariscos, especialmente los camarones, contienen más colesterol que la carne de res, pero se han hecho estudios que destacan que para la mayoría de las personas, es la grasa saturada que comen (no el colesterol de los alimentos) lo que dispara el nivel de colesterol en sangre. ¡Así que relájese y disfrute!

MEJORES HUESOS CON MARISCOS

Los mariscos también pueden fortalecer los huesos. Pero eso no es debido al calcio (se encuentra sólo en la concha). El verdadero secreto es una mina de oligoelementos (como magnesio y manganeso), que los huesos necesitan en cantidades pequeñas pero esenciales. Estos mismos oligoelementos podrían estar ausentes en la dieta si come muchos alimentos procesados como pan blanco, galletas de soda, pretzels y galletas dulces.

Pero no todos los mariscos son iguales en cuanto a minerales (y vitaminas, también). Así que mezcle las diferentes variedades para lograr una mejor nutrición (consulte "Supermáquina de Proteína" en la página 281 o pruebe nuestra "Sopa Rápida de Mariscos" en la página 283). Para fortalecer los huesos, estas son algunas opciones dignas de destacar:

▶ Las vieiras son una buena fuente de magnesio, el cual puede prevenir formaciones inusuales que hacen que los huesos sean frágiles y más propensos a romperse.

▶ Los mejillones están tan repletos de manganeso que tan solo seis mejillones al vapor aportan la cantidad necesaria para un día. Este mineral es especialmente importante para las mujeres, porque puede ayudar a reducir la pérdida de calcio en el hueso después de la menopausia.

Alivio Rápido Para:

El Resfriado que No se Va

¿Alguna vez le ha dado uno de esos resfriados que parecen no terminar nunca? Cuando ya haya consultado al médico para asegurarse de que no sea nada grave, pruebe agregar una porción de mariscos a su dieta una vez al día. La mayor cantidad de cinc puede darle el empujón necesario para reavivar al sistema inmunológico, y reavivarlo a usted también.

SOLUCIONES PARA COMPRAR Y PREPARAR

Es muy importante comprar mariscos frescos y saludables. Estas son algunas pautas.

CUANDO ELIJA MARISCOS:

■ Huélalos. Una señal de frescura es el olor, el cual debe ser más a fresca brisa de mar que a pescado.

■ Los moluscos (almejas, ostras y vieiras) en su concha deben estar vivos, así que elija los que estén bien cerrados o los que se cierren rápido si usted golpea suavemente la concha.

PARA ALMACENARLOS:

Guarde los mariscos vivos en un recipiente cubierto con un paño limpio y húmedo (sin ajustarlo). No los guarde en recipientes herméticos ni en agua.

CONSEJOS PARA COCINARLOS

En ollas pequeñas, hierva o cueza al vapor los moluscos en las conchas, asegurándose de que todos estén bien cocidos antes de servirlos. Las conchas se abrirán cuando empiece la ebullición o el vapor. Hierva de 3 a 5 minutos, o cueza al vapor de 4 a 9 minutos, para asegurarse de que los mariscos estén bien cocidos. Tire todos los que no se abran. Los mariscos desconchados deben hervirse a fuego lento por un mínimo de 3 minutos.

¡CUIDADO CON LOS MARISCOS CRUDOS!

¿Prefiere comer los mariscos crudos? Recuerde esto: los moluscos crudos pueden tener el virus de Norwalk, que puede causar una diarrea muy fuerte. Peor aún, pueden hospedar a la bacteria Vibrio vulnificus, la cual, en hasta la mitad de los casos, provoca un envenenamiento de la sangre mortal en tan solo dos días.

Las personas con diabetes, problemas gastrointestinales, enfermedades del hígado o un sistema inmunológico comprometido a causa del SIDA, el cáncer u otras afecciones corren mayor riesgo de enfermarse por comer mariscos crudos, aunque hasta la persona más saludable puede convertirse en víctima. Así que cocine los mariscos para eliminar todas las bacterias. Recuerde: ¡esa barra de mariscos crudos puede traerle problemas!

Supermáquina de Proteínas

Los mariscos aportan abundantes proteínas bajas en grasas y más vitaminas y minerales concentrados que la carne de res, el pollo o el pavo. Incorpórelos a su dieta para mejorar la calidad nutricional. Los valores nutricionales están basados en una porción cocida de 3 onzas.

Alimento	Calorías	Grasas (g)	Nutrientes Valiosos (% del Valor Diario)
Almeja	125	2	Vitamina B12: 3,505 Hierro: 159 Cobre: 23 Vitamina B2 (riboflavina): 33 Manganeso: 24
Langosta	98	3	Cobre: 64 Cinc: 20 Vitamina E: 11
Mejillones	146	4	Vitamina B12: 851 Manganeso: 165 Vitamina B2 (riboflavina): 32 Vitamina B1 (tiamina): 23

▶ Las ostras son una de las pocas fuentes de vitamina D y, sin este nutriente, no se puede aprovechar el calcio para los huesos.

NADE O HÚNDASE EN CINC

Las ostras podrán crecer en el fondo de los ríos, pero cuando se trata de aportar cinc, están arriba de todo. De hecho, una ostra pequeña aporta 15 miligramos de cinc: el requerimiento para un día entero.

El cinc es un mineral que está relacionado con, al menos, 60 enzimas diferentes que interactúan en rutas complejas para afectar el apetito, el sabor y la visión nocturna, así como la habilidad del cuerpo para combatir a agentes invasores que van desde virus que desencadenan resfriados y gripe hasta agentes carcinógenos que causan el cáncer. En

Alimento	Calorías	Grasas (g)	Nutrientes Valiosos (% del Valor Diario)
Ostras	117	4	Cinc: 1,290 Vitamina B12: 1,240 Vitamina D: 273
Vieiras	113	3	Vitamina B12: 62 Vitamina E: 18
Camarón	84	1	Hierro: 18 Vitamina B3 (niacina): 16 Cinc: 11
Corte de carne de res	169	4	Vitamina B12: 96 Cinc: 32 Vitamina B3 (niacina): 23 Hierro: 19
Pechuga de pollo	140	3	Vitamina B3 (niacina): 83
Pechuga de pavo	115	1	Vitamina B3 (niacina): 46 Cinc: 12

Estados Unidos, la mitad de todas las personas mayores de 50 años no consume suficiente cinc.

Asegúrese de agregar más alimentos ricos en cinc, como pollo, pescado y, por supuesto, mariscos. Pero no exagere. A lo largo de varios meses, un promedio de más de 15 miligramos diarios puede hacer que el sistema inmune se torne más lento.

Sopa Rápida de Mariscos

6 mejillones en sus conchas
1 cucharada de aceite de oliva
1 cebolla mediana picada fina
1 ajo grande picado fino o machacado
1 botella (64 onzas) de jugo de almejas
1 lata (15 onzas) de tomates cocidos con cebolla y pimientos verdes
½ pinta de ostras desconchadas
6 vieiras grandes desconchadas
1 lata (6 onzas) de almejas en trocitos
Sal al gusto
Pimienta negra recién molida al gusto
Un chorrito de salsa inglesa

Cepille bien las conchas de los mejillones y enjuáguelas hasta que el agua salga limpia. Caliente el aceite en una olla de fondo ancho sobre fuego mediano. Agregue la cebolla y el ajo, y saltee hasta que estén blandos, pero no dorados. Agregue el jugo de almeja y los tomates, y lleve a ebullición sobre fuego alto. Añada los mejillones en sus conchas y deje que hiervan hasta que las conchas se abran. Después de que las conchas se abran, agregue las ostras, las vieiras y las almejas al líquido, y deje que hiervan de 3 a 5 minutos, o hasta que los mariscos estén bien cocidos.

Con tenazas o una cuchara ranurada, pase los mejillones en sus conchas a un tazón. Sazone la sopa con sal, pimienta y salsa inglesa. Con un cucharón, sirva la sopa en dos tazones. En cada tazón, sirva 3 de los mejillones en sus conchas.

Porciones: dos.

Datos nutricionales por porción: calorías, 336; proteínas, 30 g; carbohidratos, 32 g; fibra, 4 g; grasas, 10 g; grasas saturadas, 1.5 g; colesterol, 78 mg; sodio, 952 mg; vitamina C, 43% del valor diario; calcio, 10%; hierro, 50%.

Melocotón:

Maravilloso
para la Salud

EFICAZ CONTRA:
- el cáncer
- las enfermedades
  cardíacas

REFUERZA:
- la función inmunológica
- la vista
- la cicatrización de las heridas

Durante los días muy calurosos del verano, nada mejor que el sabor de un jugoso melocotón redondo. En cubos, rodajas o directamente del árbol, es una fruta saludable para chuparse los dedos. Así que esas delicias tienen mucho más para ofrecer.

¿POR QUÉ TANTA EMOCIÓN?

Los melocotones son ricos en vitaminas A y C. La vitamina A ayuda a que los ojos puedan ver bien en la oscuridad y protege contra infecciones al mantener saludables la piel y las membranas mucosas. También combate a los chicos malos, los radicales libres, que causan daño celular y pueden desarrollar cáncer y enfermedades cardíacas.

RESUMEN DE INFORMACIÓN NUTRICIONAL

Melocotones (2 medianos)

Calorías: 70

Grasas: 0 g

Grasas saturadas: 0 g

Colesterol: 0 mg

Sodio: 0 mg

Carbohidratos totales: 19 g

Fibra dietética: 1 g

Proteínas: 1 g

Vitamina A: 20% del valor diario

Vitamina C: 20%

SOLUCIONES PARA COMPRAR Y PREPARAR

¡Es fácil recoger una cesta de melocotones perfectos!

CUANDO ELIJA MELOCOTONES:

Reduzca la búsqueda a los que tienen un fondo dorado profundo o color crema.

■ Evite los que tengan una tonalidad verde, porque posiblemente no maduren.

■ Luego, según la velocidad con la que los coma, elija melocotones que estén entre moderadamente duros (para comer en unos días) y ligeramente blandos (listos).

PARA ALMACENARLOS:

■ Mantenga los melocotones maduros en el refrigerador, donde mantendrán un supersabor por aproximadamente una semana. Eso les da suficiente tiempo a usted y a su familia para disfrutarlos.

■ Coloque los melocotones verdes en una bolsa de papel a temperatura ambiente por uno o dos días. Páselos al refrigerador cuando maduren.

CUANDO ESTÉ LISTO PARA USARLOS:

◆ Lave los melocotones en agua fresca y séquelos con una toalla de papel.

◆ Para pelar los melocotones para una receta, sumérjalos con cuidado en agua hirviendo por 30 segundos, sáquelos con una cuchara ranurada y luego sumérjalos en agua fría. La cáscara debería retirarse fácilmente.

◆ Para sacar el carozo de los melocotones de carozo suelto (abundante en supermercados), use un cuchillo y corte cuidadosamente el melocotón hasta llegar al carozo. Luego gire cada mitad en direcciones opuestas. Con los melocotones de carozo adherido (más difícil de sacar), es mejor cortar rodajas hasta llegar al carozo.

La vitamina C tiene una lista de virtudes igual de impresionantes. Ayuda a producir el colágeno del tejido conectivo que mantiene unidos a los músculos, los huesos y otros grupos de células. También estimula

Sinusitis

Si tiene sinusitis, coma un melocotón. Un pequeño estudio reciente determinó que quienes sufren de sinusitis podrían no poseer suficiente glutatión, un compuesto antioxidante que se encuentra en los melocotones y otras delicias como las sandías y las naranjas.

el sistema inmunológico, ayuda a formar y reparar glóbulos rojos, evita que aparezcan moretones, cicatriza cortes y heridas y mantiene a las encías saludables.

MÁS PROTECCIÓN ATERCIOPELADA

Y aquí no terminan los beneficios de los melocotones. También son una buena fuente de glutatión, un antioxidante que podría prevenir el cáncer (todavía es muy pronto para asegurarlo). Un estudio de la revista médica británica Lancet determinó que los adultos mayores pueden tener niveles más bajos de este compuesto que las personas más jóvenes. Considere este un motivo más entre docenas de motivos para comer melocotón.

Trifle de Melocotón

Eliminamos muchas de las calorías, grasas y alboroto (pero ni una onza del sabor) de este tradicional postre inglés. A Karen le encanta preparar este antojo veraniego para jactarse de su tazón para postres.

8 onzas de pastel tipo panqué reducido en grasas

1 paquete (3 onzas) de pudín instantáneo de vainilla, preparado de acuerdo con las instrucciones del paquete

4 melocotones pelados en rodajas

12 fresas rebanadas

¾ taza de crema batida reducida en grasas

Chocolate rallado (decoración) opcional

Corte el panqué en pedazos pequeños. Coloque un tercio de los pedazos en el fondo de un tazón grande para postre o en una bandeja para servir. Con una cuchara, vierta un tercio del pudín sobre el pastel. Cubra con un tercio de los melocotones. Agregue dos capas más del panqué, el pudín y los melocotones restantes. Forme un círculo de fresas sobre la capa superior y cubra con la crema batida. Decore con ralladura de chocolate, si lo desea.

Variación: se puede usar pastel de ángel en lugar del panqué.

Porciones: ocho.

Datos nutricionales por porción: calorías, 195; proteínas, 4 g; carbohidratos, 41 g; fibra, 3 g; grasas, 2 g; grasas saturadas, 1 g; colesterol, 4 mg; sodio, 451 mg; calcio, 8% del valor diario; hierro, 2%.

Melón:

¡Nunca es Suficiente!

EFICAZ CONTRA:
- el cáncer

REFUERZA:
- los huesos
- la función inmunológica
- la piel
- la vista

Cuando una amiga nuestra visita a su familia en California, lo primero que hace después de registrarse en el hotel es ir al restaurante y ordenar un tazón grande de melón fresco. ¿Por qué? Porque sabe que aunque los veranos secos y calurosos de California pueden ser dañinos para la grama, eso es lo que se necesita para cultivar los melones más dulces y jugosos, por lo que el 95% de los melones del país viene de granjas de California. El calor concentra los azúcares naturales de la fruta, creando una dulzura transmitida por ese aroma fascinante y embriagador.

Pero el melón es mucho más que una fruta deliciosa. También es una de las mejores fuentes naturales de betacaroteno. La función principal del betacaroteno es actuar como

RESUMEN DE INFOR-MACIÓN NUTRICIONAL

Melón (¼ o aproximada-mente 1 taza con cubos)

Calorías: 48

Grasas: 0 g

Grasas saturadas: 0 g

Colesterol: 0 mg

Sodio: 12 mg

Carbohidratos totales: 12 g

Fibra dietética: 1 g

Proteínas: 1 g

Vitamina A: 90% del valor diario

Vitamina C: 65%

materia prima para crear vitamina A. El hígado, los aceites de hígado de pescado, los huevos, la leche fortificada, la mantequilla y la margarina aportan vitamina A preformada y completamente activa, la cual se almacena en el hígado. Suena bien, pero el exceso de vitamina A lista a la vez puede ser tóxico. Afortunadamente la vitamina A también puede crearse a partir de carotenoides, en su mayoría son betacarotenos, los cuales nunca son tóxicos, porque el cuerpo no puede almacenarlos en la forma en que almacena la vitamina A preparada.

LA VERDAD AL DESNUDO

Una de las principales funciones de la vitamina A es cuidar las superficies del cuerpo (por dentro y por fuera), que están recubiertas con células epiteliales que protegen al cuerpo contra el ataque de los gérmenes.

Por fuera, la vitamina A fortalece las células epiteliales para crear piel. Por dentro, suaviza las células epiteliales para crear las membranas mucosas que recubren la nariz, la boca, los pulmones, el estómago, los intestinos, la vejiga, la uretra, el útero y la vagina, formando una barrera contra los gérmenes. La vitamina A también crea la mucosidad en sí. Este líquido pegajoso es esencial. Evita que el recubrimiento del estómago se digiera junto con la comida. Y en los pulmones, la mucosa atrapa basura y la saca de las vías respiratorias antes de que pueda dañar el cuerpo.

La vitamina A también es vital para cuidar la vista, formar hueso y formar bebés saludables. Además, reforzaría los sensores que detectan células cancerosas y estimulan al sistema inmunológico.

SOLUCIONES PARA COMPRAR Y PREPARAR

Los conocedores del melón saben cómo encontrar los más dulces y jugosos, y cómo tratarlos con cuidado. Es fácil. Le explico.

CUANDO ELIJA UN MELÓN:

■ Compre un melón uniforme, sin abolladuras, golpes, cortadas ni decoloración.

■ Revise el color de la cáscara debajo de la malla: debe ser dorado brillante.

■ Busque un melón liso y redondeado en el extremo del tallo. A diferencia de otros melones maduros, que tienen un pedazo pequeño de tallo, los melones maduros de la variedad *cantaloupe* se abren espontáneamente, con lo que se liberan suavemente de la unión del tallo.

■ Seleccione un melón pesado para su tamaño (será jugoso).

■ Asegúrese de que tenga una fragancia embriagadora.

PARA ALMACENARLO:

■ Refrigere un melón maduro hasta que esté listo para usarlo.

■ Si el melón está demasiado firme, déjelo sobre la encimera de la cocina por unos días hasta que empiece a madurar y el color verdoso se torne dorado.

CUIDADO CON LA SALMONELLA

Antes de cortar el melón, lávese las manos y luego lave el melón por fuera con jabón y agua caliente del grifo. El melón puede tener la bacteria de la salmonella y, con el primer corte, llevará esos gérmenes a la parte interna de la fruta. Corte el melón a la mitad y saque las semillas. Luego limpie a conciencia. Lávese las manos, la tabla para picar y los utensilios para no transferir los gérmenes a otras frutas y vegetales.

Varios brotes de salmonella causados por el melón produjeron fiebre, calambres y diarrea en más de 400 personas. Los niños, los adultos mayores y las personas con sistemas inmunológicos debilitados por quimioterapia o SIDA están especialmente en riesgo.

CREACIONES CON MELÓN

Cuando haya lavado el melón, conviértalo en un placer paradisíaco. Estas son algunas sugerencias.

◆ **Conviértalo en un tazón.** Medio melón puede ser un excelente tazón comestible. Rellénelo con arándanos, frambuesas y un poco de yogur de vainilla para disfrutar de un desayuno delicioso con bayas. O agréguele queso *cottage* y sírvalo con una lonja de jamón delgada enrollada para el almuerzo. Para eventos especiales, talle una canasta de melón de la variedad *cantaloupe* y rellénela con bolas de sandía y melón *honeydew* con miel y una pizca de canela en polvo.

◆ **Cómalo como refresco.** Nada es mejor que un trozo helado de melón para refrescarse instantáneamente después de correr bajo el sol o hacer la rutina diaria de ejercicios. En su tiempo libre, corte un melón en trozos, quíteles la cáscara y guárdelos en un recipiente hermético en el refrigerador. ¡Estarán listos cuando usted lo esté!

◆ **Innove.** Para preparar una ensalada veraniega diferente, mezcle lechuga morada, cebolla morada picada fina, cilantro fresco, castañas de agua picadas y trozos de melón de la variedad *cantaloupe* con aderezo Catalina reducido en grasas.

◆ **Prepare pinchos con melón.** Con un sacabolas grande para melón, saque bolas de sandía y melones de las variedades *cantaloupe* y *honeydew*. Inserte las bolas en pinchos de bambú.

◆ **No se olvide del pollo.** Anime la ensalada de pasta. Para preparar un almuerzo liviano, mezcle trozos de pollo cocido, bolas de melón, mayonesa reducida en grasas y unas cuantas nueces de marañón picadas con su pasta favorita cocida.

◆ **Prepare una bebida veraniega.** En una licuadora, agregue una taza de trozos de melón congelados con ½ taza de leche descremada y ¼ cucharadita de saborizante de menta. O congele bolas de melón para usar como cubos de hielo que nunca se derriten.

Sopa Fría de Melón

¿Cena al aire libre? Déjese tentar por esta refrescante sopa fría para apagar el calor del verano.

1 melón maduro mediano pelado y cortado en cubos (aproximadamente 4 tazas)
⅓ taza de jugo de naranja fortificado con calcio
¼ taza de yogur natural descremado
2 cucharadas de miel
El jugo de 1 lima
1 cucharadita de ralladura de cáscara de lima
6 fresas frescas (decoración)
6 hojas de menta (decoración)

En un procesador de alimentos, mezcle el melón, el jugo de naranja, el yogur, la miel, el jugo de lima y la ralladura de lima hasta integrar. Cubra esta preparación y refrigere por unas 2 horas o durante la noche. Para servir, divídala en seis tazones previamente enfriados. Decore cada tazón con 1 fresa y 1 hoja de menta.

Porciones: seis.

Datos nutricionales por porción: calorías, 77; proteínas, 2 g; carbohidratos, 18 g; fibra, 1 g; grasas, 0.5 g; grasas saturadas, 0 g; colesterol, 1 mg; sodio, 10 mg; vitamina A, 69% del valor diario; vitamina C, 66%, calcio, 6%.

Menta:

Ayuda para Mantenerse Fresco

EFICAZ CONTRA:
- el cáncer de mama
- el malestar estomacal

REFUERZA:
- el proceso digestivo
- el rendimiento físico

¿Sabe por qué a Karen le encanta tanto el mes de febrero? No es por el Día de San Valentín (aunque si su esposo está leyendo esto, obsequiarle unas flores sería un lindo gesto). Tampoco porque es el cumpleaños de su papá. Ni por el aniversario de los Padres Fundadores, que le permite tener un largo fin de semana. Bueno, puede dejar de adivinar.

Febrero es el único mes en que Karen puede comer las Galletas de Menta de las Niñas Exploradoras. Por lo general, se las ingenia para devorar algunas antes de que su esposo encuentre la caja y acabe con el resto.

Por fortuna, Karen disfruta la nutritiva menta fresca (tanto la menta como la hierbabuena) el resto del año en platillos que son casi

RESUMEN DE INFORMACIÓN NUTRICIONAL

Hierbabuena fresca
(2 cucharadas)

Calorías: 5

Grasas: 0 g

Grasas saturadas: 0 g

Colesterol: 0 mg

Sodio: 3 mg

Carbohidratos totales: 1 g

Fibra dietética: 1 g

Proteínas: 0 g

Vitamina A: 9% del valor diario

SOLUCIONES PARA COMPRAR Y PREPARAR

Si tiene menta o hierbabuena en el jardín de su casa, no tendrá que salir a comprarla. Pero si necesita comprarla, no se preocupe. No son difíciles de encontrar las diferentes variedades de menta. Compre hierbas frescas en la sección de frutas y verduras del supermercado local.

CUANDO ELIJA MENTA:

■ Busque un manojo de color uniforme y que no luzca marchito.

■ La menta tiene brillantes hojas verdes y tallos púrpuras, en tanto que la hierbabuena tiene hojas verde grisáceo o verde sólido. Si tiene problemas para distinguirlas, su nariz debería detectar la diferencia: la menta tiene un aroma mucho más acre que la hierbabuena, (y no se usa en tantas recetas).

PARA ALMACENARLA:

Una vez que tenga menta o hierbabuena en casa, sacúdala para sacar la arenilla y la humedad, empáquela de forma holgada en toallas de papel y manténgala en la gaveta para verduras o en un recipiente especial para almacenar frutas y verduras (tipo Tupperware). Se mantendrá fresca aproximadamente por una semana.

tan apetitosos como esas galletas. Generalmente no la tenemos en cuenta, pero está repleta de beneficios.

CRUZADA CONTRA EL CÁNCER

"La menta contiene limoneno, un eficaz agente anticancerígeno que puede bloquear el desarrollo y reducir el tamaño de los tumores de mama", resalta el Dr. Ritva Butrum, Ph.D., vicepresidente de investigaciones del Instituto Americano para la Investigación del Cáncer en

TAN FRESCA QUE ES RICA

A continuación encontrará algunas atractivas sugerencias para usar menta fresca:

◆ **Sazone una ensalada.** Mezcle un par de cucharadas de hierbabuena picada para sazonar su ensalada de frutas favorita. La hierbabuena funciona particularmente bien con melones y bayas. O agréguela a una ensalada de pepino. Nos gusta mezclar pepino y tomate (en cubos), perejil, ajo, jugo de limón, aceite de oliva, queso feta y hierbabuena.

◆ **Electrice el pollo.** Cubra un pollo asado a la parrilla con una cremosa salsa de menta y conviértalo en un agasajo para las papilas gustativas. No se preocupe: no engorda tanto como suena. Mezcle ½ taza de yogur natural reducido en grasas; 1 cucharada de hierbabuena y otra de perejil, picados; 1 cucharadita de jugo de limón; 2 dientes de ajo finamente picados (puede agregar más, si lo desea) y ¼ cucharadita de pimienta negra molida. Refrigere unas cuantas horas a fin de combinar los sabores. La salsa se conservará por aproximadamente cinco días, por lo que también es una buena forma de realzar los sobrantes de pollo.

◆ **Juegue con el pesto.** Uno de los restaurantes favoritos de Karen prepara un delicioso pesto de menta. Idea: puede reemplazar la hierbabuena por albahaca en su receta favorita de pesto.

◆ **Participe en un té para una persona.** Deshágase del café y relaje los nervios con una taza de té de menta. Remoje un puño de menta fresca en una taza de agua hirviendo. Si lo desea, endúlcelo con miel.

Alivio Rápido Para:

Cansancio

La próxima vez que necesite intensificar su rutina de ejercicios y no tenga ganas, aspire un poquito de hierbabuena. Un estudio ha demostrado que aspirar hierbabuena mejora el rendimiento físico, lo que hace que las clases parezcan más fáciles. Y ese es un beneficio del que todos podríamos disfrutar.

Washington D. C. El limoneno impide que las células cancerígenas utilicen una proteína necesaria para su supervivencia. La menta también contiene otro elemento para combatir el cáncer de mama: la luteolina, inhibidor de los compuestos inflamatorios vinculados con el desarrollo del cáncer.

En este punto, los científicos prueban estos compuestos para determinar sus beneficios. Mientras tanto, el Dr. Butrum manifiesta que "nuestro mejor seguro es comer una amplia variedad de alimentos vegetales, incluidas hierbas tales como la menta".

ALIVIO PARA EL ESTÓMAGO

Su abuela probablemente le contó que si tenía calambres estomacales, la menta lo ayudaría. Es una mujer muy inteligente. La menta contiene mentol, una sustancia que previene los espasmos del tracto digestivo y así calma los calambres.

Es más, una revisión de estudios del *Journal of Gastroenterology* sugiere que el aceite de menta (lo compra en una tienda de alimentos saludables) podría ayudar con el síndrome de intestino irritable, una afección que causa movimientos peristálticos muy frecuentes.

Sin embargo, la menta probablemente no alivie la acidez estomacal y hasta podría agravarla, debido a que permite que el ácido fluya con más libertad hacia el esófago. Pero dos de tres no está nada mal, ¿no?

Ensalada de Frutas de Otoño

Es rápida, divertida y otoñal. No hay mejor postre para sus planes de cocinar al aire libre al final de la estación o de hacer un picnic en el parque para admirar el follaje. Duplique los ingredientes de la receta, si lo desea.

1 manzana roja o verde, sin pelar y en cubos

1 pera sin pelar y en cubos

1 banano pelado y rebanado

3 cucharadas de jugo de limón

¼ taza de hierbabuena fresca picada

En un tazón mediano, mezcle la manzana, la pera, el banano, el jugo de limón y la hierbabuena. Cubra y refrigere por varias horas antes de servir.

Porciones: cuatro.

Datos nutricionales por porción: calorías, 74; proteínas, 1 g; carbohidratos, 19 g; fibra, 2 g; grasas, 0 g; grasas saturadas, 0 g; colesterol, 0 mg; sodio, 1 mg.

297

Mora:

Tesoro de Nutrición

EFICAZ CONTRA:
- las alergias
- el cáncer
- las enfermedades cardíacas
- el colesterol alto

REFUERZA:
- la regularidad
- el control del peso

Durante años, Karen compró frambuesas y arándanos en el supermercado, pero pasó por alto las moras. Pero recientemente en un restaurante de Virginia, comió un tradicional pastel de mora al estilo sureño.

¿Quiere saber si le gustó? Ahora siempre encontrará estas bayas redondas y moradas en el carrito de supermercado de Karen. Y el momento es perfecto: los estudios recientes sugieren que las moras contienen tantos compuestos saludables, o más, que sus primos más conocidos.

UN TESORO DE NUTRIENTES NUEVOS

Las moras son ricas en dos compuestos recién descubiertos: catequina y epicatequina. En una onza, las moras contienen aproximadamente un 50% más de catequina y el triple de epicatequina que las frambuesas. Se han hecho investigaciones que han mostrado que estos compuestos pueden ayudar en lo siguiente:

SOLUCIONES PARA COMPRAR Y PREPARAR

Algunos meses las moras frescas son tan caras que posiblemente tenga que pasar por el cajero automático a sacar un poco más de efectivo. Cuide su dinero comprando solo lo mejor.

CUANDO ELIJA MORAS:

■ Compre las brillantes y negras (no sin brillo ni rojizas).

■ Evite las moras un poco mojadas, porque la humedad acelera la descomposición.

■ Evite las magulladas o aplastadas.

■ Evite las que gotean jugo: una señal de que ya se pasaron de su mejor punto.

PARA ALMACENARLAS:

Cuando encuentre la flor y nata de la cosecha, refrigérelas de inmediato. Solo tendrá de dos a tres días para comerlas antes de que empiecen a echarse a perder.

CUANDO ESTÉ LISTO PARA USARLAS:

Antes de comerlas, coloque las moras en un molde poco profundo cubierto con toallas de papel y lávelas con cuidado. Séquelas delicadamente con toallas de papel.

DELICIAS CON BAYAS

Ahora que ya compró las mejores moras, vea cómo pueden avivar los platos de todos los días.

◆ **Anime los panqueques.** En lugar de sirope de arce, decore los panqueques con moras frescas y un poco de crema batida.

◆ **Llene el pudín de vitalidad.** Agregue moras al pudín de limón o vainilla que prepara con mezcla instantánea. Pruebe lo mismo con el yogur.

▶ **Prevenir el cáncer.** La catequina y la epicatequina neutralizan los radicales libres, las sustancias que dañan el material genético de las células y provocan mutaciones en el ADN que causan cáncer. Aunque los científicos no están seguros de cómo estos dos compuestos hacen su magia, posiblemente inhiben una enzima asociada con la reproducción de los radicales libres.

▶ **Prevenir las enfermedades cardíacas.** Es más, un estudio japonés ha demostrado que las catequinas reducen los niveles de colesterol malo (lipoproteína de baja densidad, LDL). Y con un nivel más bajo de colesterol, se reduce su riesgo de sufrir enfermedades cardíacas.

Tazón de Bayas

Vea las vitaminas y minerales de sus bayas favoritas. Los valores nutricionales consideran una porción de 3½ onzas (el equivalente en tazas aparece junto a cada tipo de baya).

Baya	Calorías	Fibra (g)	Ácido Fólico (mcg)	Vitamina C (mg)	Potasio (mg)
Mora (⅔ taza)	52	4	34	21	196
Arándano (⅔ taza)	56	3	6	13	89
Frambuesa (¾ taza)	49	4	26	25	152
Fresa (⅔ taza)	30	2	18	57	166

AYUDA PARA ALÉRGICOS

Además de las catequinas, las moras contienen un compuesto llamado quercetina. Aportan, al menos cuatro veces más quercetina que las frambuesas (¡y las frambuesas tienen en abundancia!). Al igual que las catequinas, la quercetina también ataca la producción de radicales libres y evita que el colesterol malo dañe los vasos sanguíneos.

Pero la quercetina también tiene otro beneficio de salud sorprendente: detiene la producción de histamina. Esa es la sustancia que hace que los alérgicos estornuden, resuellen y se sientan muy mal. ¿No es maravilloso que las moran maduren cuando comienza la temporada de la fiebre del heno?

FIBRA FABULOSA

Mientras los científicos estudian estos nutrientes recién descubiertos, no debemos olvidarnos de un recurso antiguo: la fibra. Las moras contienen 7 gramos de este tesoro en una taza: ¡un tercio de lo que necesita para todo el día!

La fibra lo llena, así se siente satisfecho con menos calorías. También evita el estreñimiento, reduce el riesgo de sufrir un ataque al corazón y baja las probabilidades de desarrollar cáncer de colon. ¡No está nada mal!

RESUMEN DE INFORMACIÓN NUTRICIONAL

Mora (1 taza)

Calorías: 75

Grasas: 1 g

Grasas saturadas: 0 g

Colesterol: 0 mg

Sodio: 0 mg

Carbohidratos totales: 18 g

Fibra dietética: 7 g

Proteínas: 1 g

Folato: 12% del valor diario

Vitamina A: 5%

Vitamina C: 50%

Calcio: 5%

Postre de Mora y Melocotón

Hace unos cuantos años, cuando Karen trabajaba en una revista de salud, los representantes de la Comisión de Frambuesas y Moras de Oregón pasaron por su oficina. Le entregaron docenas de recetas y una bolsa grande con moras. Esa noche preparó este postre, que ha sido un éxito en reuniones familiares desde entonces.

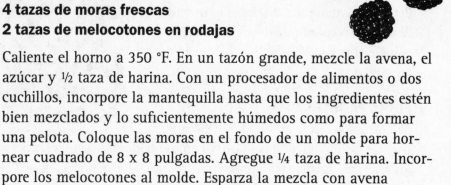

1 taza de avena arrollada
1 taza de azúcar morena
¾ taza de harina
½ taza de mantequilla
4 tazas de moras frescas
2 tazas de melocotones en rodajas

Caliente el horno a 350 °F. En un tazón grande, mezcle la avena, el azúcar y ½ taza de harina. Con un procesador de alimentos o dos cuchillos, incorpore la mantequilla hasta que los ingredientes estén bien mezclados y lo suficientemente húmedos como para formar una pelota. Coloque las moras en el fondo de un molde para hornear cuadrado de 8 x 8 pulgadas. Agregue ¼ taza de harina. Incorpore los melocotones al molde. Esparza la mezcla con avena uniformemente sobre la fruta. Hornee de 35 a 40 minutos o hasta que se dore.

Porciones: doce.

Datos nutricionales por porción: calorías, 200; proteínas, 2 g; carbohidratos, 30 g; fibra, 3 g; grasas, 8 g; grasas saturadas, 5 g; colesterol, 20 mg; sodio, 83 mg; calcio, 3% del valor diario; hierro, 7%.

Naranja:

Beneficios que Sobrepasan la Vitamina C

EFICAZ CONTRA:
- los defectos de nacimiento
- el cáncer
- los cálculos biliares
- las enfermedades cardíacas
- el colesterol alto
- los accidentes cerebrovasculares
- las arrugas

REFUERZA:
- los huesos y los dientes
- la circulación
- la función inmunológica
- la cicatrización de las heridas

Ya sabe que las naranjas son ricas en vitamina C. Su mamá se lo ha dicho prácticamente desde el día en que nació. Una naranja grande o un vaso de 6 onzas de jugo de naranja recién exprimido le brinda la ración completa de vitamina C para todo el día. (¡y las naranjas son tan refrescantes!)

Aunque es posible que la vitamina C no prevenga el resfriado común, la C se refiere a "crítica" cuando se trata de proteger al cuerpo de las siguientes maneras:

▶ La vitamina C genera colágeno, la proteína del tejido conectivo. El colágeno

RESUMEN DE INFORMACIÓN NUTRICIONAL

Naranja (1 grande)

Calorías: 86

Grasas: 0 g

Grasas saturadas: 0 g

Colesterol: 0 mg

Sodio: 0 mg

Carbohidratos totales: 22 g

Fibra dietética: 4 g

Proteínas: 2 g

Folato: 14% del valor diario

Vitamina C: 109%

forma una matriz con calcio para los huesos y los dientes.

▶ Forma tejido cicatrizante. Desde cortes con papel hasta incisiones quirúrgicas, la vitamina C ayuda a reconstruir la piel.

▶ Previene las arrugas. Así que manténgase alejado del sol, no fume (los fumadores necesitan más vitamina C) y beba jugo de naranja.

▶ La vitamina C le ayuda a absorber hierro, lo que la transforma en una vitamina particularmente importante para vegetarianos, adolescentes y mujeres en edad fértil. Cada uno de estos grupos corre un alto riesgo de tener anemia por deficiencia de hierro.

▶ Es un antioxidante que protege del deterioro a otras vitaminas y minerales antes de que realicen sus tareas habituales.

▶ La vitamina C también impide la formación de cálculos biliares.

ANATOMÍA DE UNA NARANJA

Una naranja luce como un pequeño sol incandescente y sus diversas partes ofrecen atractivos beneficios para la salud.

La cáscara. Los beneficios comienzan cuando pela una naranja y le queda ese aroma acre en las manos. El aceite que contiene la cáscara de la naranja tiene entre un 90% y un 95% de limoneno, una sustancia química natural que se ha vinculado con la prevención del cáncer de mama y de útero en las pruebas de laboratorio. El limoneno termina en el jugo de naranja que compra, porque las máquinas comerciales exprimen las naranjas con mucha fuerza. Y eso es saludable.

El mesocarpio. Es donde se encuentra el hollejo, justo debajo de la cáscara. Está repleto de pectina, una fibra soluble conocida por reducir el colesterol. Y también tiene un contenido de vitamina C más alto que el jugo. Así que si come un poco del hollejo con la naranja, esto también es saludable.

La pulpa y el jugo. Las naranjas son una buena fuente de criptoxantina, una de las primas del betacaroteno que puede combatir el cáncer de útero. Las mandarinas enlatadas están repletas de ella.

SOLUCIONES PARA COMPRAR Y PREPARAR

Pruebe los distintos tipos de naranjas. Parte de la diversión es comerlas en invierno y primavera para disfrutar cada variedad en su máxima expresión.

CUANDO ELIJA NARANJAS:

■ No juzgue una naranja por el color, debido a que todas las naranjas se recolectan cuando están maduras. Algunas, especialmente las de Florida, permanecen ligeramente verdes, aun en su máximo punto de madurez. Otras, como las de California, se ponen uniformemente anaranjadas.

■ En lugar de enfocarse en el color, elija las firmes, pesadas y uniformes.

PARA ALMACENARLAS:

■ La cáscara gruesa aporta beneficios. Una cubierta gruesa por fuera protege las frágiles vitaminas del interior, tal como la vitamina C y el folato: puede almacenar las naranjas de cáscara gruesa a temperatura ambiente o en el refrigerador. En cualquiera de esos lugares, permanecerán frescas por aproximadamente dos semanas.

■ Pero mantenga el jugo de naranja en el refrigerador. Si está recién exprimido, perderá la vitamina C en 24 horas. El jugo refrigerado retendrá cerca del 90% de la vitamina C durante una semana y el 66% durante dos semanas.

CÓMO DELEITARSE CON NARANJAS

Esto es lo que debe hacer con su organigrama naranjero:

◆ **Saborice con la cáscara.** Ralle la cáscara de la naranja en yogur de vainilla para preparar el mejor aderezo para ensaladas de melón y bayas. O para agregarla a ensaladas de verduras, panecillos y panes rápidos. Le sacará gran provecho al limoneno de la cáscara.

◆ **El toque cítrico para ensaladas.** Reemplace el vinagre por jugo de naranja a fin de preparar un aderezo para ensaladas saludable para el corazón. Para dar un aspecto diferente, disponga finas rodajas de naranjas navelinas peladas sobre verduras de hoja verde.

Las Temporadas del Sol

Este es un minicalendario para encontrar naranjas en su máxima perfección.

Tangelo:	**de noviembre a febrero**
Navelina y clementina:	**de noviembre a abril**
Jaffa o Shamouti:	**de mediados de diciembre a mediados de febrero**
Temple:	**de enero a marzo**
Sanguina:	**de marzo a mayo**
Valencia:	**de marzo a junio**

Las naranjas también son una fuente importante de folato, la vitamina B esencial para prevenir defectos de nacimiento del tubo neural y para mantener bajo control los niveles de homocisteína en sangre. Los aumentos repentinos de homocisteína pueden desencadenar un ataque cardíaco.

EL CATÁLOGO COMPLETO DE FRUTAS

No todos los beneficios de la naranja se han vinculado a nutrientes o fitoquímicos específicos. Por ejemplo, en un pequeño estudio canadiense, las mujeres que tomaron a diario jugo de naranja se llevaron una gran sorpresa: sus niveles de colesterol bueno (lipoproteína de alta densidad, HDL) se elevaron un 21%, algo inusual. Otros alimentos que se sabe que elevan el HDL son el vino y el chocolate. Se necesitarán estudios más amplios para confirmar estos resultados.

Más datos: 100,000 enfermeros y hombres profesionales participaron en un estudio de la Universidad de Harvard. Los investigadores determinaron que comer verduras de la familia del repollo, verduras de hoja verde, cítricos y jugos sirvió de protección contra los accidentes cerebrovasculares isquémicos, la clase que proviene de un coágulo de sangre en el cerebro. Una porción diaria de estas frutas y verduras redujo en un 6% el riesgo de sufrir un accidente cerebrovascular .

Naranjas para Endulzar el Día

¿Desea una ensalada que no sea verde? Pruebe este estimulante acompañamiento para obtener un sabor diferente y saludable.

1 lata (15 onzas) de remolachas miniatura enteras y escurridas
½ lata de gajos de mandarina enlatada escurridas
½ cucharadita de ralladura de cáscara de naranja
¼ taza de jugo de naranja
⅛ cucharadita de romero deshidratado

Corte las remolachas a la mitad y colóquelas en un pequeño tazón. Agregue los gajos de mandarina, la ralladura de cáscara de naranja, el jugo y el romero. Enfríe bien.

Porciones: tres.

Datos nutricionales por porción: calorías, 80; proteínas, 2 g; carbohidratos, 18 g; fibra, 3 g; grasas, 0 g; grasas saturadas, 0 g; colesterol, 0 mg; sodio, 305 mg; vitamina A, 7% del valor diario; vitamina C, 17%, hierro, 8%.

Nectarina:

Néctar de los Dioses

EFICAZ CONTRA:
- el cáncer

REFUERZA:
- la función inmunológica
- la regularidad
- la vista

L as exquisitas nectarinas son los únicos miembros de su clase, aunque están estrechamente relacionadas con los melocotones (pero son más dulces). Solo un gen recesivo, el gen de la "pelusa", separa a estas dos frutas en el árbol de la vida.

Esa pelusa faltante puede ser una ventaja para quienes no soportan la pelusa de los melocotones. Pueden comer la nectarina, con cáscara y todo, y estar más cerca de los 25 gramos recomendados de fibra al día que mantendrán su regularidad (la mayoría de los estadounidenses cumple sólo la mitad de la meta diaria de fibra).

¡ARRIBA LOS BETA!

Tal como los melocotones, el melón, las zanahorias y otras frutas y verduras de color anaranjado, las nectarinas están repletas de betacaroteno y betacriptoxantina, dos carotenoides que pueden convertirse en vitamina A en el cuerpo.

La vitamina A totalmente formada se encuentra solamente en el hígado, los aceites de hígado de pescado, la margarina, la mantequilla, la leche y los huevos. Y aunque pequeñas porciones de estos alimentos brindan los nutrientes necesarios, consumirlos en exceso puede constituir un riesgo para la salud. Así que consiéntase con las exquisitas nectarinas en un soleado día de verano. Mientras el jugo esté goteando por su barbilla, el cuerpo desarrollará la cantidad suficiente de vitamina A para nutrir la piel y las membranas mucosas, y mejorar el sistema inmunológico para defenderlo contra virus y bacterias.

APUNTE AL ESPACIO VACÍO

Numerosos estudios dejan claro que quienes comen la mayoría de los alimentos ricos en betacaroteno cuentan con mejor protección contra el cáncer. No está claro por qué. Una posibilidad es que el betacaroteno refuerza la comunicación entre las células. Básicamente las células necesitan comunicarse por los espacios que las separan con el fin de coordinar defensas. Dos estudios de laboratorio han demostrado que los carotenoides mejoran esta comunicación. Parecen la cuerda que une latas de hojalata.

RESUMEN DE INFORMACIÓN NUTRICIONAL

Nectarina (1 mediana)

Calorías: 67

Grasas: menos de 1 g

Grasas saturadas: 0 g

Colesterol: 0 mg

Sodio: 0 mg

Carbohidratos totales: 16 g

Fibra dietética: 2 g

Proteínas: 1 g

Vitamina A: 13% del valor diario

Vitamina C: 8%

Calcio: 1%

Hierro: 1%

¡OJOS BRILLANTES!

Las nectarinas también pueden contener pequeñas cantidades de otro carotenoide, la luteína, que ha demostrado que protege de la degeneración macular por la edad, la causa principal de ceguera en los adultos mayores.

Aun cuando la cantidad de luteína que contiene una nectarina sea pequeña, los investigadores han descubierto que el cuerpo absorbe carotenoides el doble de bien de frutas y verduras de hoja verde (como la col rizada o la espinaca). Así que el impacto visual de las nectarinas puede ser mayor de lo que piensa. La actividad propia de la vitamina A también lo protege de la ceguera nocturna y algunos estudios sugieren que el betacaroteno previene las cataratas, lo que hace de las nectarinas la fruta ideal para los ojos.

SOLUCIONES PARA COMPRAR Y PREPARAR

La mayoría de las nectarinas proviene del Valle de San Joaquín en California, que produce 175 variedades. Las nectarinas de California se venden durante todo el verano, desde mediados de mayo hasta septiembre. Chile también produce un cultivo de nectarina que se encuentra en los supermercados durante el invierno.

CUANDO ELIJA NECTARINAS:

Cada variedad posee su propio sabor y color, que va desde un dorado con un rubor rojizo hasta una tonalidad casi roja por completo. Cuando las compre, estarán firmes y les faltará un poco para el punto óptimo de maduración.

PARA ALMACENARLAS:

■ Cuando las compre, colóquelas en una bolsa de papel en la encimera de la cocina de uno a tres días. Mantenga la bolsa alejada del sol. Se pondrán más dulces y suaves cada día. Sabrá que están maduras cuando huelan exquisitamente y cedan ante una suave presión.

■ Una vez maduras, colóquelas en el refrigerador, de modo que esté bien abastecido con nectarinas en su punto máximo de sabor.

ENDULCE EL VERANO

A continuación encontrará varias ideas para endulzarse la vida:

◆ **En salsa.** Pique bien una nectarina y mézclela en una salsa intensa para lograr una sensación dulce-picante.

◆ **En rodajas.** Cubra un yogur congelado. Salpique con sirope de chocolate para obtener un postre perfecto.

◆ **En batidos.** Agregue nectarinas picadas los batidos.

◆ **En lugar de sirope.** Pique nectarinas maduras, mézclelas con algo de canela y viértalas sobre panqueques o waffles, en lugar de usar sirope.

◆ **En una receta celestial.** Use las rodajas para preparar nuestro "Salmón con Nectarinas" de la otra página.

Salmón con Nectarinas

Cuando sea momento de encender la parrilla, disfrute de este plato sencillo. Es un festín visual y gustativo. Y es rico en nutrientes para el cerebro, el corazón y los huesos. Acompañe con un panecillo y una copa de Beaujolais: se sentirá en el cielo.

4 tazas de lechuga morada desmenuzada, lavada y seca

4 nectarinas lavadas, sin semilla y en rodajas finas

2 aguacates lavados, sin semilla y en rodajas finas

El jugo de 3 limas

4 filetes de salmón (de 5 a 6 onzas cada uno)

1 cucharadita de sal

1 cucharadita de pimienta multicolor recién molida

4 cucharadas de cebollino fresco picado

Precaliente la parrilla y divida la lechuga en cuatro platos. En un tazón mediano, mezcle las nectarinas y los aguacates. Divida en cuartos y agregue la mezcla a la mitad de la lechuga de cada plato. Salpique con jugo de lima. Condimente el salmón con sal y pimienta. Ase a la parrilla con calor bajo hasta que se descame fácilmente cuando se lo pruebe con un tenedor, aproximadamente 10 minutos. Coloque 1 filete sobre la lechuga en cada plato, junto a las nectarinas y los aguacates. Esparza el cebollino.

Porciones: cuatro.

Datos nutricionales por porción: calorías, 462; proteínas, 33 g; carbohidratos, 32 g; fibra, 10 g; grasas, 25 g; grasas saturadas, 4 g; colesterol, 80 mg; sodio, 675 mg; vitamina A, 40% del valor diario; vitamina B3 (niacina), 74%; vitamina B6, 70%; vitamina D, 159%; potasio, 49%.

Nuez:

Refrigerio para el Corazón

EFICAZ CONTRA:
- las enfermedades cardíacas
- la hipertensión
- los accidentes cerebrovasculares

REFUERZA:
- los huesos
- el control del peso

Háganos elegir entre algo simple o con nueces (panecillos, cereal para el desayuno, ensalada) y obtendrá una respuesta instantánea: "¡Nos enloquecen las nueces!". Desde la salsa de manzana hasta el postre italiano *zabaglione*, esas perlitas crocantes aportan sabor a cada platillo.

Ciertamente han pasado por un período de oscuridad debido al alto contenido graso, pero gracias a los maravillosos avances de la ciencia moderna, hemos comenzado a ver la luz. Las nueces son diminutos paquetes de energía en forma de grasas saludables para el corazón, rematados con minerales traza cruciales para la salud, que a menudo faltan en dietas creadas a base de alimentos altamente procesados (léase: blancos).

RESUMEN DE INFORMACIÓN SOBRE LA SALUD CARDÍACA

En 1992, los investigadores de la Universidad de Loma Linda en California publicaron un estudio que mostraba que quienes comían un puñado de nueces cinco o más veces a la semana recortaban en un 50% el riesgo de sufrir un ataque cardíaco, en comparación con quienes nunca las comían.

SOLUCIONES PARA COMPRAR Y PREPARAR

Puede comprar nueces frescas en su cáscara en casi todas las tiendas de comestibles, generalmente desde principios de otoño hasta fines de invierno.

CUANDO ELIJA NUECES CON CÁSCARA:

■ Elija las nueces pesadas pesadas para su tamaño.

■ Compre las que estén limpias, frescas y sin moho. La ventaja de comprar nueces con cáscara es que no están procesadas ni tienen sal. Sin embargo, en el sector de frutas y verduras de la tienda de comestibles también se venden nueces frescas, peladas y embolsadas. En el departamento de productos para hornear hay paquetes más pequeños.

Recomendamos estos tipos sin sal. También es buena idea tener algunas variedades a fin de disfrutar de un sabor diferente cada día.

PARA ALMACENARLAS:

Mantenga las nueces peladas en el refrigerador para que no se pongan rancias.

¡LOCOS POR LAS NUECES!

Use pequeñas cantidades de nueces de estas deliciosas formas:

◆ **Espolvoréelas en cereal.** Pruebe con una cucharada o dos de nueces sobre cereal caliente o frío. Se volverá loco con su desayuno. Y esa pequeña cantidad de grasa lo dejará satisfecho hasta el almuerzo.

◆ **Mézclelas con la ensalada.** Una ensalada deliciosa es la que se prepara con verduras de hojas verdes propias de su localidad, la mitad de una manzana picada, higos deshidratados en rodajas y avellanas tostadas y picadas.

◆ **Aguante hasta la cena.** Cuando se muera de hambre, tome una bolsa de maní de la máquina expendedora. Por 170 calorías, aguantará hasta la cena.

◆ **Guárdelas en la gaveta del escritorio.** Use vasos en miniatura para medir las porciones.

◆ **Disfrútelas con apio.** Rellene apio con queso ricotta reducido en grasas y decórelo con nueces de nogal picadas.

◆ **En yogur.** Pruebe con almendras en lascas: ¡le encantarán!

Desde entonces, un estudio tras otro ha revelado el mismo efecto protector de los frutos secos, ya sean nueces de nogal, almendras, nueces de macadamia, nueces variadas o maníes. (los maníes son legumbres, no fruta seca; pero su perfil de grasas, calorías y nutrientes coincide en gran medida con el de estas últimas).

¿Cómo esta grasa puede ser beneficiosa para usted? Aunque es cierto que comer muchas grasas saturadas de carnes grasosas, lácteos con alto contenido graso y productos horneados puede cerrar las arterias de un momento a otro, la clase de grasas que contienen las nueces las abre y las hace más flexibles.

Y las nueces de nogal ofrecen algo más: el ácido alfalinolénico, que se convierte en la misma clase de grasa que se obtiene del pescado. Este ácido permite que la sangre sea menos pegajosa y tenga menos posibilidades de coagularse. De esta manera, se reduce el riesgo de sufrir un ataque cardíaco o un accidente cerebrovascular.

Otras variedades de nueces contienen altas dosis de grasas monoinsaturadas, que han demostrado reducir el colesterol malo (lipoproteína de baja densidad, LDL) y los triglicéridos y proteger el colesterol bueno (lipoproteína de alta densidad, HDL). Y con estas nueces, esto se nota en los estudios clínicos. Las dietas con nueces se han sometido a constantes pruebas, y siempre funcionan.

RESUMEN DE INFORMACIÓN NUTRICIONAL

Pistachos (1 onza o 47 semillas enteras)

Calorías: 160

Grasas: 13 g

Grasas saturadas: 1.5 g

Colesterol: 0 mg

Sodio: 120 mg

Carbohidratos totales: 8 g

Fibra dietética: 3 g

Proteínas: 6 g

Vitamina A: 4% del valor diario

Calcio: 4%

Hierro: 6%

ERRADIQUE LA HIPERTENSIÓN

Los profesionales de la salud se han entusiasmado mucho con estas buenas noticias sobre las nueces, tanto que las han incorporado a los Enfoques Dietéticos para Detener la Hipertensión (DASH, *Dietary Approaches to Stop Hypertension*). Este plan increíblemente eficaz combina de 8 a 11 porciones de frutas y verduras y 3 porciones de lácteos diarios, además de un puñado de nueces cuatro o cinco veces a la se-

Variedad de Fruta Seca

¡Disfrute de todas ellas! Todas son ricas en proteínas, grasas saludables para el corazón, vitaminas y minerales traza que a menudo faltan en las dietas de los estadounidenses. Cada una tiene su propio perfil de nutrientes. Elija su favorita de la siguiente lista y verifique sus cualidades sobresalientes. Para una mejor nutrición, combínelas. Los valores nutricionales corresponden a una porción de 1 onza (la cantidad de fruta seca contenida en una onza aparece al lado de cada tipo).

Almendras (24 unidades enteras)

Vitamina E: 40% del consumo de referencia alimenticio (CRA)

Magnesio: 20%

Fósforo: 15%

Calcio: 8%

Semillas de marañón (18 unidades enteras)

Cobre: 30% del consumo de referencia alimenticio

Magnesio: 20%

Fósforo: 15%

Hierro: 10%

Cinc: 10%

Selenio: 6%

Nueces de macadamia (11 unidades enteras)

Grasas monoinsaturadas: 17 g

Vitamina B1 (tiamina): 15% del consumo de referencia alimenticio

Maníes (30 unidades enteras)

Proteínas: 7 g

Folato: 10% del consumo de referencia alimenticio

Pacanas (20 mitades)

Grasas monoinsaturadas: 13 g

Cinc: 10% del consumo de referencia alimenticio

Pistachos (47 unidades enteras)

Potasio: 290 mg

Vitamina B6: 25% del consumo de referencia alimenticio

Fósforo: 15%

Vitamina B1 (tiamina): 15%

Vitamina A: 4%

Nueces de nogal (14 mitades)

Grasas poliinsaturadas: 14 g

Cobre: 25% del consumo de referencia alimenticio

Vitamina B6: 8%

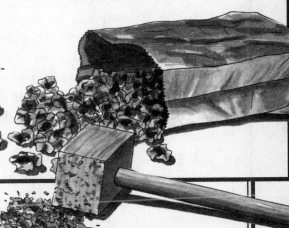

mana, junto con algo de proteína no grasa y algunos granos integrales al día.

El resultado: en tan solo dos semanas, quienes padecían presión arterial moderadamente alta experimentaron una mejoría (¡como si hubieran tomado un medicamento!).

MINERALES EFICACES

Además de su grasa especial, las nueces también contienen minerales, tales como potasio (ayuda a controlar la presión arterial), cobre (se necesita para tener una hemoglobina saludable), magnesio y fósforo (excelentes para los huesos). Además están repletas de vitaminas, tales como tiamina o vitamina B1 (ayuda a convertir los carbohidratos en energía) y la vitamina B6 (ayuda a elaborar serotonina, insulina y anticuerpos para combatir infecciones). En resumen, las nueces explotan de beneficios.

¿Y QUÉ SUCEDE CON EL PESO?

Las nueces tienen un alto contenido de grasas y calorías. Si todas las noches se acomoda delante del televisor a comer nueces, rápidamente acumulará libras. Y eso es malo para el corazón.

Recomendamos comer un puñado: una onza, algo menos de ¼ de taza. Incluso puede perder peso si incluye a las nueces en un saludable plan alimenticio que obtiene el 35% de sus calorías de las grasas.

En un estudio en curso en Brigham y en el Hospital de Mujeres de Boston, se comparó a las personas que hicieron esta dieta con mayor contenido de grasas con un grupo que hizo una dieta de solo un 20% de contenido de grasas. Aunque ambos grupos perdieron el mismo peso al inicio (en promedio, unas 12 libras), los que hicieron la dieta con nueces mantuvieron la pérdida de peso durante 18 meses, en tanto que los que hicieron la dieta reducida en grasas recuperaron casi la mitad del peso. Y abandonaron el estudio el doble de los que hicieron la dieta reducida en grasas en relación con el grupo que disfrutaba del delicioso plan que incluía nueces.

Nueces entre las Bayas

¿Desea un postre rápido que tenga un aspecto pecaminoso por fuera pero angelical por dentro? Pruebe este sencillo postre con nueces.

½ taza de frambuesas frescas
2 cucharadas de pacanas sin sal picadas
½ taza de leche de soya chocolatada

Lave las frambuesas y séquelas con cuidado. Aprovisiónese de un plato para postre. Tueste las pacanas en el horno tostador. Rocíe las frambuesas. Vierta la leche de soya en toda la preparación. ¡Devórelo con una cuchara y vuélvase loco!

Porciones: una.

Datos nutricionales por porción: calorías, 200; proteínas, 5 g; carbohidratos, 13 g; fibra, 6 g; grasas, 12 g; grasas saturadas, 1 g; sodio, 0 mg; vitamina B2 (riboflavina), 19% del valor diario; vitamina B12, 25%; calcio, 17%; cobre, 11%; manganeso, 65%.

Ocra:

Bienestar Sureño

EFICAZ CONTRA:
- el cáncer

REFUERZA:
- los huesos
- la función inmunológica

Los sureños probablemente se reirán de que las mujeres norteñas intentemos hablar de la ocra. Lo más probable es que ustedes hayan crecido con este alimento. Permítannos explicar algo para los norteños la ocra es una vaina pequeña, verde (aunque algunas variedades son blancas) con nervaduras en forma de tubo. Tiene un sabor único que se ha descrito como un punto intermedio entre la berenjena y el espárrago, una textura inusual, y se la puede mezclar con otros vegetales.

PROTEGE SU ADN

¿Por qué debería consumirla? Porque contiene glutatión, un compuesto con potencial para combatir el cáncer. Evita que las sustancias químicas causantes del cáncer provoquen un caos con el ADN.

En un estudio que realizó la Universidad Emory de Atlanta e incluyó a más de 1,800 personas, los investigadores determinaron que quienes tuvieron la ingesta más alta de alimentos ricos en este compuesto tuvieron la mitad

RESUMEN DE INFORMACIÓN NUTRICIONAL

Ocra cocida (½ taza)

Calorías: 27

Grasas: 0 g

Grasas saturadas: 0 g

Colesterol: 0 mg

Sodio: 4 mg

Carbohidratos totales: 6 g

Fibra dietética: 2 g

Proteínas: 2 g

Folato: 9% del valor diario

Vitamina C: 22%

Magnesio: 11%

SOLUCIONES PARA COMPRAR Y PREPARAR

Si vive en el sur, probablemente tenga ocra fresca todo el año. Pero la mayoría de las demás personas tendrán que conformarse con ella en primavera y otoño.

CUANDO ELIJA OCRA:

■ Busque vainas sin magulladuras.

■ Elija las tiernas, sin que estén blandas.

■ Asegúrese de que no tengan más de 3 a 4 pulgadas.

■ Evite las vainas más largas, negruzcas o parduscas (no están tan tiernas).

PARA ALMACENARLA:

■ Almacene la ocra dentro de una bolsa plástica en el refrigerador. Se conservará por unos cinco días.

■ No la lave sino hasta que esté listo para usarla; de lo contrario, las vainas se pondrán viscosas.

CUANDO ESTÉ LISTO PARA CONSUMIRLA:

Para preparar vainas enteras de ocra para cocinarlas, córteles una diminuta rodaja tanto del extremo del tallo como de la punta. También puede cortar las vainas antes de cocinarlas. De cualquier manera, a menos que use ocra en sopa o estofado, querrá cocinarla rápidamente para evitar que se ponga viscosa.

CENA SUREÑA

Estas son algunas sugerencias para disfrutar la ocra:

◆ **En sofritos.** Mezcle la ocra en cualquiera de sus sofritos favoritos: es un buen sustituto de los ejotes.

◆ **En sopas.** La sopa gumbo se prepara tradicionalmente con ocra. Rara vez la preparamos con todos los pasos, pero sí nos gusta la *Healthy Choice Gumbo Soup*. Pero puede agregar ocra a cualquier sopa, hasta espesará un poco el caldo.

◆ **Combínela con curry.** La ocra y el curry forman una combinación celestial. Esta verdura se combina muy bien con las especias de la India.

de probabilidades de desarrollar cáncer de boca y de garganta que quienes tuvieron la ingesta menor.

Ocra para el Verano

Los tomates y la ocra se complementan perfectamente en este platillo.

2 dientes de ajo picados
½ cebolla morada picada
2 cucharadas de aceite de oliva
5 tomates grandes picados
¾ libra de ocra cortada en trozos de ½ pulgada de grosor
¼ taza de albahaca fresca picada
¼ taza de aceitunas picadas
Sal al gusto
Pimienta negra molida al gusto

En un wok grande, saltee el ajo y la cebolla. Agregue los tomates y la ocra, y cocine de 4 a 5 minutos o hasta que la ocra esté suave, pero no blanda. Agregue la albahaca y las aceitunas, y cocine durante aproximadamente 1 minuto. Condimente con la sal y la pimienta.

Porciones: cuatro.

Datos nutricionales por porción: calorías, 147; proteínas, 4 g; carbohidratos, 18 g; fibra, 5 g; grasas, 9 g; grasas saturadas, 1 g; colesterol, 0 mg; sodio, 212 mg; calcio, 9% del valor diario; hierro, 10%.

Pan de Trigo Integral:

El Verdadero Sustento de la Vida

EFICAZ CONTRA:
- el cáncer
- la diabetes
- las enfermedades cardíacas

REFUERZA:
- la longevidad
- la regularidad

Probablemente novaya a vivir tanto como Matusalén, pero hay muchas probabilidades de que aumente su expectativa de vida si incluye un par de rebanadas de pan de trigo integral en su dieta diaria. Esta es la conclusión del estudio con mujeres de Iowa que comparó las dietas de más de 40,000 mujeres de entre 55 y 69 años para determinar cómo se relacionaba la alimentación con las enfermedades crónicas que se desarrollaron en un período de nueve años.

Buenas noticias: las mujeres que comieron, por lo menos, una porción diaria de alimentos integrales tuvieron un 15% menos de probabilidades de morir por enfermedades cardíacas, cáncer o cualquier otra enfermedad crónica en comparación con las mujeres que recortaron los granos integrales y conservaron el almidón.

LA VERDAD EN GRANOS

¿Por qué es la harina blanca tan inferior, en términos de salud, al trigo integral? El proceso que convierte los granos del trigo integral en ha-

(Continúa en la página 324)

SOLUCIONES PARA COMPRAR Y PREPARAR

Elija con cuidado su pan integral preferido.

CUANDO ELIJA PAN DE TRIGO INTEGRAL:

■ Lea la lista de ingredientes en letra pequeña que aparece en algún lugar del empaque (si es como nosotros, ¡probablemente necesite una lupa!). Los ingredientes se enumeran por peso, en orden de predominancia. Aparece primero el ingrediente con el mayor aporte y, por último, el ingrediente con el menor aporte. Elija pan de harina de trigo integral para obtener el mayor aporte nutricional por caloría. Algunos panes de trigo integral tienen únicamente un 51% de trigo integral y el segundo ingrediente es harina blanca enriquecida.

■ Revise la etiqueta de "Datos Nutricionales" para buscar la cantidad de fibra. Cuanta más fibra tenga, mejor.

PARA ALMACENARLO:

Si compró pan de trigo integral 100% molido en piedra, guárdelo en el refrigerador para evitar que los aceites naturales se pongan rancios.

UN LOTE INTEGRAL DE SALUD

Una vez que haya encontrado el sustento de la vida, agréguelo a su dieta.

◆ **Desayuno rápido.** Unte dos rebanadas de pan de trigo integral con mantequilla de maní y únalas.

◆ **Un bolsillo divertido.** ¡El pan pita es pan! Y hay pan pita integral. Tueste el pan hasta que se esponje, déjelo enfriar y córtelo por un lado. Rellénelo con ensalada de atún, de camarones o de pollo, ensalada con sobrantes y trozos de queso o frijoles refritos y salsa, como opción vegetariana.

◆ **Otro ángulo.** Corte pan pita de trigo integral en porciones, tuéstelo y sumérjalo en salsa, crema untable de aceitunas o salsa de vegetales.

◆ **Integre.** ¿Le cuesta ajustarse al sabor más intenso del pan de trigo integral? Durante un tiempo, prepare los sándwiches con una rebanada de pan blanco y otra de pan integral. Pruébelo de modo que la lengua toque lo blanco.

¿QUÉ HAY DETRÁS DE UN NOMBRE?

Mucho, si busca el mejor pan. Esta es una guía hacia las rebanadas más ricas en granos.

■ **El pan de trigo integral** está elaborado con harina procesada con molino industrial. Este proceso separa temporalmente el salvado y el germen del endospermo, que posteriormente puede molerse hasta alcanzar su mejor consistencia. Luego las tres partes se reúnen para formar la harina de trigo integral y elaborar pan. Legalmente el pan debe contener por lo menos un 51% de harina de trigo integral para llamarlo del tipo integral. Pero si es el 100%, mejor. Cuando se elabora pan totalmente de harina de trigo integral, equivale nutricionalmente al pan de harina de trigo integral 100% molido en piedra.

■ **El pan de harina de trigo integral 100% molido en piedra** está elaborado con la harina que se crea cuando se trituran los granos de trigo entre las piedras en rotación sin separar el salvado y el germen. Un posible inconveniente: puede volverse rancio más rápidamente, debido a que el aceite del germen de trigo se tritura con el endospermo. Pero no deje que esto lo disuada de comprar este pan. Guárdelo en el refrigerador.

■ **El pan blanco enriquecido** se elabora con harina procesada en molinos industriales a la que se le retira el salvado y el germen y nunca se vuelven a integrar. Se le agrega hierro y cuatro vitaminas del complejo B (ácido fólico, niacina, tiamina y riboflavina) para restaurar los niveles naturales, pero desaparecen por lo menos 20 vitaminas y minerales, así como la fibra.

■ **El pan de trigo** se elabora con una combinación de harina blanca y un poco de harina de trigo integral. Es un paso adelante si sigue atrapado con el pan blanco, pero no se detenga: aún no ha llegado a la meta.

(Continuación de la página 321)

rina blanca retiene el endospermo en polvo, pero elimina dos partes importantes: el salvado y el germen (lea "Germen de Trigo: Coseche Bondades" en la página 197). Y estas dos partes son ricas en vitaminas, minerales, fibra y componentes diminutos, tales como ácido fítico, fenoles y saponinas que protegen contra la oxidación destructiva y mantienen el cuerpo en excelente estado.

Y no solo se trata de una cuestión de vida o muerte. La fibra insoluble del salvado de trigo está ligada a la protección contra el cáncer. Pero un factor importante que también cuenta es la comodidad. Y esta materia áspera protege contra problemas embarazosos (de los que generalmente no se habla), tales como estreñimiento, hemorroides y diverticulosis. ¡Intégrese y póngase en movimiento!

DERROTA DE LA DIABETES

El estudio con las mujeres de Iowa también aportó información sobre la diabetes. Se concluyó que los granos integrales, la fibra del cereal y el magnesio dietético protegerían a mujeres mayores contra el desarrollo de la diabetes tipo 2. Pase por alto la harina blanca y consuma trigo.

RESUMEN DE INFORMACIÓN NUTRICIONAL

Pan de trigo integral (1 rebanada)

Calorías: 69

Grasas: 1 g

Grasas saturadas: 0 g

Colesterol: 0 mg

Sodio: 147 mg

Carbohidratos totales: 13 g

Fibra dietética: 2 g

Proteínas: 3 g

Cobre: 4% del valor diario

Hierro: 5%

Manganeso: 32%

Cinc: 4%

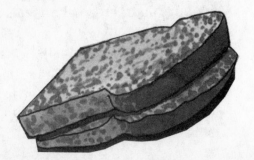

Pan Pita de Trigo Integral con Hummus Casero

Este hummus es el más intenso que hemos probado. Tostar el pan pita de trigo integral extrae su sabor ligeramente dulce y lo convierte en la contrapartida perfecta de una sabrosa salsa.

1 lata (16 onzas) de garbanzos escurridos

1 cucharada de ajo recién picado o prensado

2 cucharadas de aceite de oliva extravirgen

1 cucharada de tahini (pasta de semillas de ajonjolí)

2 cucharadas de jugo de limón recién exprimido

2 cucharadas de perejil fresco picado

½ cucharadita de pimienta negra molida gruesa

¼ cucharadita de sal

4 panes pita de trigo integral

Precaliente el horno a 350 °F. En una licuadora o un procesador de alimentos, mezcle hasta integrar los garbanzos, el ajo, el tahini, el jugo de limón, el perejil, la pimienta y la sal. Retire y coloque en una fuente para servir. Corte cada pan pita en cuatro triángulos. Colóquelos en una bandeja para hornear y llévelos al horno durante 5 minutos o hasta que estén crujientes. Cuando estén fríos, colóquelos en una canasta forrada con una servilleta y sírvalos con hummus.

Porciones: dieciséis.

Datos nutricionales por porción: calorías, 88; proteínas, 3 g; carbohidratos, 13 g; fibra, 3 g; grasas, 3 g; grasas saturadas, 0 g; colesterol, 0 mg; sodio, 175 mg; hierro, 5% del valor diario; manganeso, 15%.

Papa:

Un Éxito Aplastante

EFICAZ CONTRA:
- la hipertensión

REFUERZA:
- los huesos
- la energía
- el estado de ánimo
- la cicatrización de las heridas

Los deportistas pueden empezar el día con un cereal como *Wheaties*, pero los especialistas en resistencia, como los maratonistas y los triatletas, siguen regímenes minuciosos de ejercicio que incluyen alimentos ricos en carbohidratos. Y nada recarga de energía a un deportista más que las papas, ya sea que se trate de un jugador de Los Ángeles Lakers en California o de la liga infantil de Milltown en su jardín trasero.

¿Por qué? Cuando un deportista entrena, los músculos aprenden a utilizar los carbohidratos de los alimentos, los convierten en azúcar en la sangre y luego almacenan el azúcar en los músculos en forma de glucógeno. Esa es la energía para la rutina de ejercicios del día siguiente.

Pero no todos los carbohidratos son iguales. Algunos se digieren y acumulan más rápido. Y

Alivio Rápido Para:

Hipertensión

¿Sigue una dieta baja en sodio para reducir la presión arterial? Deje caer una papa pelada en la sopa o el guiso y deséchela. La papa absorberá parte del sodio.

SOLUCIONES PARA COMPRAR Y PREPARAR

Las papas vienen en dos tipos básicos. Las Idaho y Russet son secas, harinosas y esponjosas, por lo que tienen que absorber mucha mantequilla o crema agria para ser apetitosas. Las papas de textura cerosa como las de piel morada, nueva o Yukon Gold tienen mayor contenido de agua y necesitan algo de grasa para que sean deliciosas. ¿Se imagina cuáles preferimos?

CUANDO ELIJA PAPAS:

■ Considere comprarlas sueltas para elegirlas individualmente y comprar el tamaño que prefiera.

■ Revise que no tengan cortes, magulladuras ni moho.

■ Si compra las papas en una bolsa preparada, busque una bolsa a través de la cual pueda ver o, si no es posible verlas, huélalas para ver si hay alguna podrida.

■ También puede comprar papas refrigeradas ya peladas, cortadas, en cubos o puré, así como papas enlatadas y congeladas.

PREPARACIÓN SIMPLE DE LAS PAPAS

Ahora pruebe estas formas de disfrutar las papas:

◆ **Con pescado.** Rellene una papa horneada con ¼ taza de salmón enlatado y obtenga un sabroso festín saludable para el corazón. O rellénela con ensalada de camarones y deje que la mayonesa trabaje el doble.

◆ **Con salsa.** Agregue papa a la salsa para tener un acompañamiento sabroso.

◆ **Elija aceitunas.** Unte la papa con pasta de aceitunas: un mimo para las arterias.

◆ **Con *ranch*.** Agregue aderezo *ranch* en polvo al puré de papa para saborizar sin la grasa. O espolvoréelo sobre una papa horneada.

◆ **Papas veloces.** Compre papas enlatadas en cubos o rodajas si desea un aderezo rápido para sopas, guisos y otros platos de vegetales.

las papas van a la cabeza en la carrera por energizar. ¿Piensa que es solo para niños o superestrellas? En absoluto. Hemos seguido los Juegos Olímpicos de la Tercera Edad, y los atletas están igual de enfocados en los carbohidratos.

Esta capacidad de convertir rápidamente los carbohidratos en azúcar en la sangre muchas veces es vista como un problema para las personas con diabetes o resistencia a la insulina. Si es su caso, aun así puede disfrutar las papas. Cómalas en porciones pequeñas. Incluya la piel, sazónelas con un poco de grasa buena para el corazón (como aceite de oliva) y cómalas como parte de una comida. Eso evitará que tenga un pico de azúcar. ¿Por qué no evitarlas? Porque son saludables en otras formas.

MEJORAN EL ESTADO DE ÁNIMO

Las papas podrían ser su mejor amigo (después del chocolate). Una papa horneada mediana aporta 24 gramos de carbohidratos puros, que alivian los nervios alterados y mejoran el estado de ánimo.

¿No es suficiente para convencerlo? La papa está llena de vitamina B6, necesaria para aumentar la serotonina, el compuesto químico natural del cerebro que lo hace sentirse tan feliz.

¿Quiere más información? La papa contiene grandes cantidades de cobre, magnesio y manganeso (todos mejoran la salud de los huesos).

Y eso no es todo. La papa contiene más potasio que el banano, así que también le ayudará a corregir la hipertensión. Y la papa contiene incluso algo de vitamina C para aliviar los cortes que se hace cuando se rasura. ¡Con razón gustan tanto las papas!

RESUMEN DE INFORMACIÓN NUTRICIONAL

Papa simple horneada con cáscara (1 mediana)

Calorías: 133

Grasas: 0 g

Grasas saturadas: 0 g

Colesterol: 0 mg

Sodio: 10 mg

Carbohidratos totales: 31 g

Fibra dietética: 3 g

Proteínas: 3 g

Vitamina B6: 21% del valor diario

Vitamina C: 17%

Cobre: 19%

Hierro: 9%

Potasio: 14%

Papas Crujientes con Ajo

Si es como la mayoría de los estadounidenses, ¡le encantan las papas fritas! Si también detesta la grasa que tapa las arterias, incorpore estos antojos crujientes con un toque de aceite de oliva.

1 papa grande para hornear bien lavada pero sin pelar
2 cucharaditas de aceite de oliva
½ cucharadita de ajo en polvo
½ cucharadita de eneldo seco
⅛ cucharadita de pimienta multicolor finamente molida

Caliente el horno a 450 °F. Corte la papa en rodajas delgadas a lo ancho, usando un cuchillo, un procesador de alimentos, o el cortador oriental favorito de Colleen: Benriner (¡cuidado con los dedos!). Aplique el aceite a las rodajas con un cepillo, o use un atomizador para obtener una capa fina. Coloque las rodajas en una capa sobre un molde para hornear. Espolvoree el ajo, el eneldo, el cilantro y la pimienta. Hornee por aproximadamente 10 minutos o hasta que estén crujientes. Con la ayuda de una espátula delgada, sírvalas inmediatamente en dos platos.

Porciones: dos.

Datos nutricionales por porción: calorías, 143; proteínas, 2 g; carbohidratos, 24 g; fibra, 2 g; grasas, 5 g; grasas saturadas, menos de 1 g; colesterol, 0 mg; sodio, 8 mg; vitamina B6, 17% del valor diario; vitamina C, 13 %; vitamina E, 4%; cobre, 14%; potasio, 11%.

Papaya:

Tesoro Tropical

EFICAZ CONTRA:
- el cáncer
- las enfermedades cardíacas
- la hipertensión

REFUERZA:
- la función inmunológica
- la vista
- la cicatrización de las heridas

En los días fríos y oscuros de febrero, nada es mejor que saborear un poco de papaya. Su sensual sabor y sus colores como el sol iluminarán los días mejor que un viaje a las Bahamas, (bueno, quizás no tanto, pero ayudará). Y la papaya es rica en antioxidantes que repelerán los resfriados y la gripe hasta que regrese el clima cálido de la primavera.

ILUSIÓN TROPICAL

Si revisa los números y compara la cantidad de betacaroteno de una papaya (60 microgramos) con la cantidad que hay en un tazón de espinaca (9,200 microgramos), diría: "¡Claro! Sin duda, gana la espinaca". Pero espere y leerá una revelación sorprendente.

RESUMEN DE INFORMACIÓN NUTRICIONAL

Papaya (½ grande)

Calorías: 59

Grasas: 0 g

Grasas saturadas: 0 g

Colesterol: 0 mg

Sodio: 6 mg

Carbohidratos totales: 19 g

Fibra dietética: 3 g

Proteínas: 1 g

Folato: 18% del valor diario

Vitamina A: 11%

Vitamina C: 130%

Vitamina E: 14%

Calcio: 5%

En su nuevo libro sobre carotenoides, el Instituto de Medicina en Washington D.C. (el grupo que publica el consumo de referencia alimenticio o CRA, por sus siglas en inglés) explica que el empaque es importante. En el empaque se detalla cuánto betacaroteno puede extraer el cuerpo de los alimentos verdes y anaranjados, y cuánto llega a la sangre.

¡Preste atención a esto! Las frutas, especialmente la papaya, lideran los alimentos que liberan fácilmente betacaroteno, mientras que la espinaca y otras verduras están al final de la lista. Entonces la papaya es más potente de lo que parece.

Es así de fácil: los carotenoides estimulan el sistema inmunológico y lo protegen de casi cualquier cosa que pueda matarlo, incluido el cáncer. Pero solo funcionan cuando están en el torrente sanguíneo, no cuando están en el plato.

Alivio Rápido Para:

Hipo

¿Tiene hipo, eructos o hinchazón abdominal? Coma papaya: sus enzimas digestivas pueden aliviar estas molestias.

BENEFICIOS ADICIONALES

Y este es otro beneficio: la papaya es rica en beta-criptoxantina, otro carotenoide que puede combatir la deficiencia de vitamina A, clave para la vista y la piel.

Y UN REFUERZO BETA

Obtendrá más carotenoides si sirve la papaya (y la espinaca, también) con un poco de grasa. Las nueces, el aceite de oliva y el de canola son buenas opciones. ¿Qué opina de unos trozos de papaya sobre una base de espinaca al vapor con aceite de oliva y piñones? ¡Ese es el cielo de los carotenos!

SOLUCIONES
PARA COMPRAR
Y PREPARAR

La papaya es un placer tropical que está a su alcance todo el año, aunque encontrará más cantidad a finales de la primavera o principios del verano, y luego de nuevo a principios del otoño. La papaya parece una pera grande, gorda y de color dorado verdoso.

CUANDO ELIJA PAPAYA FRESCA:

■ Elija papayas que estén más o menos doradas. A medida que maduran, las papayas brillan con un bello tono dorado anaranjado.

■ No escoja las papayas completamente verdes, porque se cosecharon demasiado pronto y es posible que nunca maduren.

PARA ALMACENARLAS:

■ Para acelerar la maduración, coloque las papayas en una bolsa de papel con un banano, (porque los bananos producen gas etileno como las manzanas).

■ Cuando las papayas están casi doradas, se hunden levemente cuando se les presiona cerca del tallo, (si están suaves y blandas, esperó demasiado).

■ Cuando estén maduras, guárdelas en el refrigerador (si no se tienta antes): se mantendrán bien más o menos una semana. Mejor aún, cómaselas de inmediato, antes de que el sabor empiece a desaparecer.

CUANDO ESTÉ LISTO PARA USARLAS:

Lave el exterior de la papaya bajo el chorro de agua corriente y séquela con cuidado. Colóquela sobre una tabla para picar y córtela por la mitad a lo largo. El interior amarillo rosado es carnoso con

DEPRESIÓN TROPICAL

Si disminuir el riesgo de enfermedades cardíacas y reducir la hipertensión están en la lista de actividades para hoy, coma papaya. Está llena de estos nutrientes:

un hueco lleno de brillantes semillas negras. ¡Precioso! Saque las semillas con una cuchara y, ¡cómala!

Otros productos de papaya. También puede comprar la papaya deshidratada, enlatada o en dulce. Estas formas de papaya aportan betacaroteno y beta-criptoxantina, pero la vitamina C se reduce de un rugido fuerte a un murmullo silencioso.

NOTAS POTENTES DE PAPAYA

Cómo disfrutar la papaya:

◆ **Combata el frío del invierno.** Cuando ya no soporte la nieve y necesite un poco de sol, coma una papaya. Rellénela con una ensalada de mariscos (cangrejo, camarones y vieiras). Siéntese junto a una ventana por donde entre el sol y coma hasta quedar satisfecho.

◆ **Ásela a la parrilla.** Agréguele al pollo trozos de papaya. O prepare pinchos de papaya y camarones.

◆ **Bébala como guste.** Tómese un vaso de néctar de papaya como merienda.

◆ **Licúela y mézclela.** Añada trozos de papaya fresca y un banano al próximo batido.

◆ **Bocadillo para la montaña.** Lleve trozos de papaya deshidratada en la lonchera cuando salga de excursión. Es un excelente refuerzo de energía para el camino.

◆ **Disminuya las facturas por gastos médicos.** Reemplace las salsas ricas en grasas por puré de papaya. Es delicioso con pollo, cerdo o pescado.

◆ **Evite mezclarla con gelatina.** No agregue papaya cruda a la gelatina. Al igual que la piña, contiene una enzima llamada papaína que desestabiliza la proteína y convierte la gelatina en agua.

▶ **Potasio:** mineral esencial para reducir la presión arterial, (y una papaya contiene más que un banano).

▶ **Folato:** es la vitamina B que calma la homocisteína para evitar que detone un ataque al corazón.

► **Vitamina C:** previene que el colesterol malo (lipoproteína de baja densidad, LDL) se adhiera a las paredes de las arterias y ayuda a la cicatrización de las heridas en caso de que necesite una cirugía, (una papaya ofrece más vitamina C que un vaso de 8 onzas de jugo de naranja).

Así que disfrútela. ¡Coma papaya!

Papaya Rellena de Cangrejo

A veces lo simple es lo mejor, especialmente si está cuidando su peso y desea reducir la cantidad de salsas pesadas. Este hermoso plato es simple y sabroso a la vez.

1 papaya grande
2 tazas de lechuga morada cortada
¼ lima
1 taza de carne blanca de cangrejo fría, sin concha ni cartílago
2 cucharaditas de mantequilla derretida

Lave la papaya bajo el chorro de agua corriente fresca y séquela con cuidado. Colóquela sobre una tabla para picar y, con un cuchillo con buen filo, córtela a lo largo. Quítele las semillas, lave las mitades y colóquelas sobre toallas de papel para que se sequen. Cubra dos platos de ensalada con lechuga y coloque una mitad de papaya en cada uno. Exprima la lima sobre la papaya. Rellene cada cavidad con la mitad del cangrejo. Agregue la mantequilla derretida.

Porciones: dos.

Datos nutricionales por porción: calorías, 180; proteínas, 14 g; carbohidratos, 22 g; fibra, 5 g; grasas, 5 g; grasas saturadas, 3 g; colesterol, 69 mg; sodio, 230 mg; folato, 26% del valor diario; vitamina A, 40%; vitamina C, 138%; vitamina E, 19%; calcio, 14%; cobre, 21%; potasio, 22%; cinc, 18%.

Pasas:

Saludables de Verdad

EFICACES CONTRA:
- el cáncer
- las enfermedades cardíacas

REFUERZAN:
- la energía
- la memoria
- la regularidad

¿A quién no le gustan las pasas? Hay que admitirlo, los anuncios son adorables: pasas bailando rock al ritmo de la canción *I Heard It through the Grapevine* (Las malas lenguas). Pero si aún no está motivado para empezar a disfrutarlas, esto lo motivará: las pasas contienen nutrientes que lo mantienen joven por años.

SUPERPASAS

¿Qué es lo que ofrecen las pasas?

▶ **Los antioxidantes, amigo.** Los antioxidantes que abundan en las pasas son sustancias que nos protegen de los radicales libres. Los radicales libres pueden producir daños en las células que conduzcan al desarrollo de cáncer, enfermedades cardíacas y muchas otras afecciones. Para una protección óptima, los investigadores sugieren ingerir entre 3,000 y 5,000 unidades de antioxidantes al día. ¡Una sola cajita de 1½ onza de pasas aporta 1,400 unidades!

La memoria también se beneficia. Un estudio en animales de la Universidad de Tufts (Boston) sugiere que los antioxidantes de las uvas son eficaces contra la pérdida de la memoria y mejoran las habilidades motoras.

▶ **Hay fibra hasta el final.** Y los antioxidantes no son lo único que ofrecen las pasas. También contienen una poderosa dosis de inulina, la fibra que puede reducir el riesgo de padecer cáncer de colon. Los estudios sugieren que la inulina retrasa el crecimiento de las células anormales, las cuales pueden causar cáncer.

La fibra de las pasas, más el ácido tartárico (otro compuesto único que se encuentra en grandes cantidades en las pasas uvas), también previenen el estreñimiento. Cuando los investigadores les dieron a las personas que tenían una dieta reducida en fibras (como la de la mayoría) tres cajas de 1½ onza de pasas al día, se redujo a la mitad el tiempo promedio que les tomó a las heces avanzar por el tracto gastrointestinal.

De acuerdo, tres cajas de pasas es bastante, pero los investigadores creen que sustituir incluso una caja de pasas por otro alimento de la dieta (como las papas fritas) puede evitar el estreñimiento.

▶ **Además, el hierro le da energía.** Por último, las pasas aportan una buena cantidad de hierro, si se considera que no son carne. La mayoría de los hombres ingieren cantidades suficientes de este nutriente, pero el 15% de las mujeres menores de 50 años tienen deficiencias de hierro o anemia (les resta energía). Así que unas pasas realmente pueden ayudarle a bailar, y no solo al ritmo de las famosas canciones de Marvin Gaye.

RESUMEN DE INFORMACIÓN NUTRICIONAL

Pasas (aproximadamente 1/4 taza)

Calorías: 130

Grasas: 0 g

Grasas saturadas: 0 g

Colesterol: 0 mg

Sodio: 10 mg

Carbohidratos totales: 8 g

Fibra dietética: 2 g

Proteínas: 1 g

Hierro: 6% del valor diario

Alivio Rápido Para:

Cansancio

¿Se siente agotado todo el tiempo? Pruebe comer pasas durante unos días. Si el cansancio se debe a que tiene niveles bajos de hierro (y si es una mujer en etapa de menstruación, es muy probable que así sea), el hierro de las pasas elevará sus niveles de hierro y le devolverá energía.

SOLUCIONES PARA COMPRAR Y PREPARAR

Los diferentes tipos de pasas no varían mucho en cantidad de nutrientes, así que pruébelos todos para ver cuál le gusta más. Una advertencia: si es alérgico al azufre, omita las pasas amarillas (sultanas), porque generalmente les hacen un tratamiento con azufre para mantener el color.

CUANDO ELIJA PASAS:

▪ Busque una caja o una bolsa bien sellada. Apriete el paquete para ver si la fruta está blanda.

▪ Si compra pasas a granel, busque recipientes con tapadera. Y asegúrese de que las pasas se vean húmedas y limpias.

PARA ALMACENARLAS:

Guárdelas en el refrigerador. Así mantendrán su valor nutricional y su delicioso sabor hasta por cinco meses. Si las prefiere a temperatura ambiente, sáquelas del refrigerador un rato antes de comerlas. Perderán el frío rápidamente.

CUATRO DELICIAS CON PASAS

Ahora está listo para rocanrolear con estas recetas con pasas:

◆ **Mézclelas.** La mayoría de los cereales que ya vienen con pasas también vienen con azúcar extra. Por ello, mezcle un puñado de pasas en su cereal saludable favorito.

◆ **En la mañana.** Para otro antojo matinal, agregue pasas a la masa para panqueques o panecillos.

◆ **Revitalice la lonchera.** Lleve una caja de 1½ onza de pasas simples o con canela al trabajo. Cómalas cuando sienta el llamado de las máquinas expendedoras.

◆ **Reemplace las chispas de chocolate.** En una receta con chispas de chocolate, use la mitad de las chispas y reemplace la otra mitad por pasas.

Tostadas a la Francesa con Canela y Pasas

¿Ya le aburrió el cereal? ¿No quiere más bagels? Dele un giro al desayuno con esta receta que Karen adaptó (léase: volvió más saludable) de California Marketing Board.

Aceite de canola en aerosol para cocinar
1 huevo
2 claras de huevo
½ taza de leche descremada
½ cucharadita de extracto de vainilla
8 rebanadas de pan con canela y pasas
½ taza de sirope de arce light
¼ taza de miel
½ taza de pasas
2 bananos rebanados

Caliente el horno a 450 °F. Cubra dos bandejas para hornear con aceite en aerosol. En un tazón poco profundo, mezcle el huevo, las claras, la leche y el extracto de vainilla hasta integrar. Sumerja el pan en la mezcla de huevo de modo que quede bien cubierto. Colóquelo en las bandejas para hornear. Hornee por 10 minutos, o hasta que la parte inferior esté dorada. Mientras tanto, en una olla pequeña a fuego lento, caliente el jarabe, la miel y las pasas. Sirva las tostadas con el banano y la mezcla de miel.

Porciones: cuatro.

Datos nutricionales por porción: calorías, 435; proteínas, 12 g; carbohidratos, 90 g; fibra, 4 g; grasas, 5 g; grasas saturadas, 1 g; colesterol, 54 mg; sodio, 376 mg; calcio, 10% del valor diario; hierro, 30%.

Pasta:

Diversión en Diferentes Formas

EFICAZ CONTRA:
- los defectos de nacimiento
- las enfermedades cardíacas

REFUERZA:
- la energía
- el estado de ánimo

Cuando Karen era niña, todos los domingos iba a la casa de sus abuelos a comer un gran plato de pasta. Muchas veces era el tradicional espagueti con albóndigas, pero a veces eran ñoquis (a base de papa) o manicotis (cilindros rellenos con queso o carne). Cualquier comida que su abuela preparara era deliciosa.

Ahora Karen no limita la pasta a los domingos. Según dice su esposo, Karen prepararía pasta todas las noches, si pudiera. El Día de San Valentín, es él quien la prepara para ella. Por instinto, sabe que la pasta es saludable para el corazón, (¡o probablemente lo único que sabe cocinar es pasta! Seamos románticos y quedémonos con la explicación del corazón).

(Continúa en la página 342)

LA VERDAD SOBRE LAS PASTAS SABORIZADAS

¿Esa bella pasta roja, verde o rayada contiene más nutrientes que la normal? La respuesta: quizás.

La pasta saborizada con tomates o pimientos rojos puede aportar algo más de las vitaminas A y C, pero el tipo preparado con hierbas o espinaca no suele ofrecer nada adicional. Lo que debe hacer es leer la etiqueta "Datos Nutricionales" para asegurarse.

SOLUCIONES PARA COMPRAR Y PREPARAR

PASTA

La pasta viene en una gran variedad de formas. En las góndolas de los supermercados, están las cajas comunes de pasta seca, como espagueti, linguini y lasaña. Luego tiene la pasta fresca "gourmet" que se encuentra en el área refrigerada. Si tiene la suerte de vivir cerca de un buen mercado italiano, posiblemente también encuentre pasta casera (seca o fresca). Además tiene la pasta de trigo integral. Y por último, ¡la pasta viene en una gama de alegres colores!

CUANDO ELIJA PASTA:

Cada uno de los dos tipos principales de pasta (común e integral) ofrece sus propias ventajas.

■ **Pasta común.** La mayoría de la pasta común (incluida la refrigerada) está hecha con harina enriquecida con nutrientes adicionales, incluido el ácido fólico como folato. Para estar seguro, busque las palabras "harina enriquecida" en la lista de ingredientes, (lamento decirle que la deliciosa pasta de los mercados italianos probablemente no esté enriquecida; pero para asegurarse, pregunte).

■ **Pasta de trigo integral.** Este tipo contiene pequeñas cantidades naturales de una gran variedad de vitaminas y minerales. Pero mientras que la pasta de trigo integral presume de tener el triple de fibra que la pasta común, no se exige que contenga el ácido fólico adicional. Al igual que la pasta común, viene seca o fresca.

¿Cuál es la mejor? Es difícil decidirse por una. Nosotros recomendamos comprar las dos.

PARA ALMACENARLA:

■ La pasta seca mantiene el sabor hasta un año cuando se mantiene en un lugar fresco y seco, como la alacena.

■ La pasta fresca dura hasta la fecha de vencimiento del paquete.

Si abre el paquete y no la usa toda, guárdela bien cerrada para evitar que se seque. Si no cree que vaya a usarla antes de la fecha de vencimiento, puede congelarla por un mes aproximadamente. No la descongele antes de usar. Tomará un minuto o dos más en cocinarse.

■ La pasta congelada puede guardarse hasta por nueve meses si no se ha abierto. Las porciones sobrantes que estén bien selladas se mantendrán bien por unos tres meses.

PRESENTACIÓN PERFECTA DE LA PASTA

Ya sea que use pasta común o de trigo integral, siga esta guía paso a paso para crear un maravilloso plato de pasta.

◆ **Seleccione la salsa correcta.** La pasta delicada, como el cabello de ángel o el espagueti delgado, va mejor con salsas livianas. La pasta más gruesa (fettuccine) combina mejor con salsas más pesadas. Y la pasta con formas, como los corbatines y las conchas, es perfecta con salsas con trocitos. En general, la salsa de tomate tiene la menor cantidad de grasas y calorías, mientras que la Alfredo (perdón) es la que más tiene.

◆ **Incluya vegetales.** Cuando agrega vegetales a la salsa para espagueti, puede llenar el plato de pasta por menos calorías. Agregue floretes de brócoli a la salsa de tomate o marinara, agregue ejotes a la salsa pesto, añada pimientos rojos picados a la salsa de ajo y aceite de oliva, o agregue una mezcla de coloridos vegetales picados como zanahoria, ayote y pimientos verdes a la salsa blanca.

◆ **Aumente las proteínas.** Eso le ayudará a equilibrar los carbohidratos que consume y lo mantendrá satisfecho por más tiempo.— El esposo de Karen piensa que las albóndigas no pueden faltar, pero ella prefiere camarones o pollo a la parrilla.

◆ **Espolvoree queso.** Una cucharada de queso parmesano o romano rallado puede reforzar el calcio y el sabor.

(Continuación de la página 339)

PASTA DE SAN VALENTÍN

La pasta le brinda energía al corazón de dos formas. Primero es rica en carbohidratos. Cuando consume más carbohidratos y menos grasas, el colesterol baja en picada.

Además, la mayoría de la pasta que compra en el supermercado está enriquecida con ácido fólico, una vitamina B. En un estudio de la Universidad de Harvard en el que participaron más de 80,000 mujeres, los investigadores determinaron que las participantes que tenían la ingesta más alta de ácido fólico y vitamina B6 tenían un 45% menos de probabilidades de desarrollar enfermedades cardíacas que las que tenían la ingesta más baja.

El ácido fólico también ofrece otro beneficio importante, uno que podría ser útil el Día de San Valentín. Comer la ingesta recomendada de 400 microgramos del nutriente al día reduce a la mitad el riesgo de defectos de nacimiento en los tubos neurales. Una taza de pasta cocida proporciona aproximadamente el 25% del requerimiento diario.

ADEMÁS DE LA ENERGÍA

Los carbohidratos complejos de la pasta no solo son saludables para el corazón. También mejoran la resistencia. Los atletas suelen comer pasta en abundancia antes de una competencia, porque la pasta suministra energía de forma gradual. En otras palabras, no tendrá una ola de energía cuando empiece los ejercicios y se quedará sin aliento al final.

Alivio Rápido Para:

Síndrome Premenstrual

Cuando tenga las molestias del síndrome premenstrual, coma un plato de pasta. Una dieta rica en carbohidratos, como pasta y pan de trigo integral, elevará el nivel de un aminoácido que produce serotonina, una sustancia química del cerebro que mejora el humor.

RESUMEN DE INFORMACIÓN NUTRICIONAL

Espagueti cocido (1 taza)

Calorías: 197

Grasas: 1 g

Grasas saturadas: 0 g

Colesterol: 0 mg

Sodio: 1 mg

Carbohidratos totales: 40 g

Fibra dietética: 2 g

Proteínas: 7 g

Ácido fólico: 25% del valor diario

Vitamina B3 (niacina): 9%

Hierro: 11%

¿LA PASTA LO HACE SUBIR DE PESO?

¡No! ¡No es así! ¡No es cierto! Nos moríamos por aclarar esto: a pesar de lo que dicen los libros de dietas, las calorías de la pasta no tienen más probabilidades de aumentar las libras que las calorías de cualquier otro alimento.

Pero los tamaños de las porciones de pasta (especialmente en restaurantes) están fuera de control. Por ejemplo, cuando Karen pidió un Linguini Pomodoro (tomates picados, ajo, albahaca y aceite de oliva) en un restaurante italiano recientemente, recibió un tazón gigantesco: ¡el equivalente a 5 porciones de pasta! Si deja el plato limpio, aumentará de peso.

¿Cuánto es una porción? No mucho, de acuerdo con el Departamento de Agricultura de Estados Unidos (USDA, por sus siglas en inglés); solo ½ taza de pasta cocida. Nuestra recomendación es que coma aproximadamente 1 taza de pasta cocida y que eso cuente como 2 de las 6 a 11 porciones de granos que este organismo recomienda comer a diario. Cúbrala con ⅓ taza de salsa, ⅓ taza de vegetales y 1 cucharada de queso.

Probablemente no entrene para la Medalla de Oro Olímpica, pero este mismo concepto puede ayudarle si va de excursión, hace una caminata benéfica de 5 km o si hace mucho trabajo de jardinería.

La Lasaña de mi Suegra

La suegra de Karen, Alyce, prepara la lasaña más deliciosa que haya probado. Toda la familia le pide que la prepare para la cena de Nochebuena. Es casi tan buena como los regalos.

2 latas (28 onzas cada una) de tomates machacados
4 latas (8 onzas cada una) de salsa de tomate
1 lata (6 onzas) de pasta de tomate
1 libra de carne de res molida (como mínimo, 93% magra)
½ taza de migas de pan
1 huevo
½ cucharadita de albahaca seca
½ cucharadita de orégano seco
1 libra de pasta para lasaña
12 onzas de queso ricotta semidescremado
8 onzas de queso mozzarella semidescremado rallado

Si tiene pensado hornear albóndigas, caliente el horno a 350 °F. En una olla grande, mezcle los tomates, la salsa de tomate, y la pasta de tomate y cocine a fuego medio-bajo. Mientras tanto, en un tazón grande, mezcle la carne de res molida, las migas de pan, el huevo, la albahaca y el orégano hasta integrar. Forme albóndigas miniatura. Fríalas en una sartén antiadherente u hornéelas hasta que la parte de adentro ya no esté rosada. Escurra bien para quitar la grasa. Agregue las albóndigas a la salsa, baje el fuego y deje hervir a fuego lento. En otra olla grande, cocine la pasta siguiendo las instrucciones del paquete.

Aumente la temperatura del horno a 375 °F. Cubra el fondo de un molde para hornear de 13 x 9 pulgadas con un tercio de la salsa con albóndigas. Cubra con un tercio de la pasta y los quesos. Repita las capas (salsa con albóndigas, pasta y quesos) hasta llegar al borde del molde. Lleve al horno de 40 a 45 minutos o hasta que los quesos se derritan y la pasta se caliente de manera uniforme. Deje enfriar unos minutos antes de cortar.

Variación: para reducir la cantidad de sodio, use tomates enlatados con bajo contenido de sal.

Porciones: doce.

Datos nutricionales por porción: calorías, 349; proteínas, 24 g; carbohidratos, 41 g; fibra, 5 g; grasas, 10 g; grasas saturadas, 5 g; colesterol, 33 mg; sodio, 979 mg; calcio, 29% del valor diario; hierro, 27%.

Ensalada de Pasta de Último Minuto

¿Alguna vez invitó a amigos a una barbacoa de último minuto y se dio cuenta de que solo tenía papas fritas para servir con las hamburguesas? No corra al supermercado. Probablemente ya tenga todos los ingredientes para esta ensalada fácil de preparar.

1 libra de pasta de tamaño mediano (conchas, rotini o macarrones)
1 pimiento rojo o verde picado
½ taza de zanahoria rallada
2 tomates grandes picados
4 onzas de queso mozzarella semidescremado en cubos
1 frasco (8 onzas) de aderezo para ensalada reducido en grasas, preferiblemente italiano o vinagreta

Cocine la pasta según las instrucciones del paquete. Escúrrala en un colador grande y pásela por agua fría por unos minutos. Pase la pasta a un tazón grande. Agregue el pimiento, la zanahoria, los tomates, el queso y el aderezo y mezcle bien. Refrigere hasta que esté listo para comerla.

Porciones: ocho.

Datos nutricionales por porción: calorías, 282; proteínas, 10 g; carbohidratos, 45 g; fibra, 3 g; grasas, 6 g; grasas saturadas, 2 g; colesterol, 10 mg; sodio, 297 mg; calcio, 11% del valor diario; hierro, 13%.

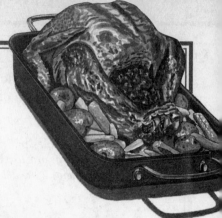

Pavo:

Una Fuente de Nutrición

EFICAZ CONTRA:
- la diabetes
- las enfermedades cardíacas
- las infecciones

REFUERZA:
- la energía
- la función inmunológica

La madre de Karen la invita a ella y a su esposo, John, a la "cena de Acción de Gracias", por los menos, media docena de veces al año, incluso en julio. Mamá tuvo una idea brillante: ¿por qué disfrutar del pavo solo el día de Acción de Gracias?

EL PAVO QUE HABLA

El pavo aporta generosas porciones de media docena de importantes nutrientes. Son estos:

▶ **Vitamina B3 (niacina).** Esta vitamina produce energía en todas las células del cuerpo. Si no consume la cantidad suficiente, es posible que se desoriente mentalmente y que padezca diarrea.

▶ **Vitamina B6.** Convierte un aminoácido en serotonina, un importante químico cerebral que afecta el estado de ánimo. Ayuda a elaborar otras sustancias esenciales, tales como insulina y anticuerpos para combatir infecciones.

▶ **Vitamina B12.** Este nutriente trabaja en equipo con el folato y el ácido fólico para fabricar glóbulos rojos. También pueden combatir enfermedades cardíacas.

SOLUCIONES PARA COMPRAR Y PREPARAR

Afortunadamente ya no tendrá que comprar un pavo entero o una pechuga de pavo para disfrutar esta carne tan deliciosa como nutritiva. Se venden pequeños cortes de pavo en porciones y carne de pavo molida, que es saludable y fácil de incorporar a las comidas.

CUANDO ELIJA PAVO MOLIDO:

■ Compre pavo molido elaborado con carne blanca sin piel.

■ Evite el pavo molido de carne oscura con piel. Su contenido de grasas es similar al de la carne de res molida.

CUANDO ELIJA PAVO FRESCO O CONGELADO:

■ Compre uno empacado herméticamente.

■ En pavos congelados, no debería encontrar ninguna quemadura por congelación ni cristales de hielo, y el pavo debería estar muy duro.

NUEVAS FORMAS DE COMERLO

Usted conoce la manera más obvia de servir pavo entero, pero ¿qué se hace con los restos, los cortes de pavo o la carne molida? Es una buena pregunta. Pruebe estas sugerencias.

◆ **Quesadillas en estuche.** Una de las amigas de Karen prepara quesadillas con restos del pavo del día de Acción de Gracias. Envuelve pequeñas porciones de pavo, verduras y salsa de arándanos rojos en tortillas de harina y las calienta en el horno.

◆ **Sopa de fideos con pavo.** La carne oscura sin piel puede agregarse a prácticamente cualquier sopa de fideos o verduras.

◆ **Sustituya el pollo.** ¿Ya comió pollo tres noches esta semana? Utilice cortes de pavo en muchas de las recetas que requieran pechuga de pollo.

◆ **Reduzca las grasas de las hamburguesas.** En las hamburguesas, sustituya la mitad de la carne de res por carne blanca de pavo.

RESUMEN DE INFORMACIÓN NUTRICIONAL

Pavo de carne blanca sin piel (3 onzas asadas)

Calorías: 119

Grasas: 1 g

Grasas saturadas: 0 g

Colesterol: 73 mg

Sodio: 48 mg

Carbohidratos totales: 0 g

Fibra dietética: 0 g

Proteínas: 26 g

Vitamina B3 (niacina): 30% del valor diario

Vitamina B6: 24%

Vitamina B12: 6%

Hierro: 7%

Fósforo: 18%

Cinc: 12%

▶ **Hierro.** Ya lo sabe: si no satisface los requisitos de hierro, es posible que se sienta cansado y aletargado. Hasta podría desarrollar anemia por deficiencia de hierro, lo que agravaría los síntomas.

▶ **Fósforo.** Es un mineral muy atareado. Al igual que el calcio, el fósforo es el mineral más abundante en huesos y dientes. También genera energía en las células del cuerpo y regula el metabolismo de los órganos.

▶ **Cinc.** Algunos estudios han demostrado que este mineral es esencial para tener un sistema inmunológico resistente.

ENTRE LA LUZ Y LA OSCURIDAD

Si cuida su ingesta de grasas, debería preferir la blanca carne del pavo sin piel: una porción cocida de 3 onzas tiene solamente 1 gramo de grasas. De lo contrario, puede disfrutar tanto la carne blanca como la oscura, siempre y cuando retire la piel.

La carne oscura no es tan grasosa como cree: una porción cocida de 3½ onzas tiene solo 30 calorías adicionales y 3 gramos adicionales de grasas. Como beneficio, el pavo de carne oscura ofrece aproximadamente el doble de cinc que el de carne blanca. Pero no caiga en la tentación de comer la carne oscura con la piel, ya que el contenido graso puede elevarse hasta 7 gramos por porción, lo que dependerá de la parte del pavo que elija.

Exquisitos Sándwiches de Ensalada de Pavo

Cuando Karen era niña, su familia la llevaba a un restaurante que servía unos sándwiches increíbles de ensalada de pavo. ¿Por qué eran tan sabrosos? Una delgada capa de queso crema y el pan integral de centeno más delicioso que ha probado. Aunque este restaurante ha cerrado, su legado vive en la casa de Karen a través de esta receta.

½ libra de pechuga de pavo cocida
¼ taza de mayonesa reducida en grasas
¼ taza de apio finamente picado
¼ taza de cebolla morada finamente picada
¼ taza de arándanos rojos deshidratados picados
2 cucharadas de queso crema reducido en grasas
8 rebanadas de pan de centeno

En un procesador de alimentos, pique el pavo. En un tazón mediano, mezcle el pavo, la mayonesa, el apio, la cebolla y los arándanos rojos. Divida el queso crema equitativamente entre las 4 rebanadas de pan. En cada rebanada, coloque un cuarto de la ensalada de pavo y otra rebanada del pan.

Porciones: cuatro.

Datos nutricionales por porción: calorías, 304; proteínas, 24 g; carbohidratos, 36 g; fibra, 5 g; grasas, 7 g; grasas saturadas, 2 g; colesterol, 57 mg; sodio, 568 mg; calcio, 7% del valor diario; hierro, 16%.

Pepino:

La Frescura

EFICAZ CONTRA:
- el cáncer
- las enfermedades cardíacas
- los ojos hinchados

REFUERZA:
- la hidratación
- el control del peso

Durante mucho tiempo pensamos que los pepinos eran aburridos. Solían ser otro ingrediente de la ensalada. Nada especial, realmente. Pero hemos aprendido que cobra vida cuando es el centro del plato.

Los nutricionistas también han cambiado de opinión sobre los pepinos. Antes los dietistas no los consideraban importantes (pocas calorías y pocos nutrientes), pero ahora se dan cuenta de que los pepinos tienen mucho más de lo que se ve a simple vista.

LOS SUEÑOS SE CONVIERTEN EN REALIDAD

Empecemos con lo básico. Un tercio de un pepino de tamaño promedio aporta cerca del 10% de la vitamina C y más o menos el 5% del potasio diario que necesita. Si bien no es un gran aporte, solo tiene 13 calorías. Tanto la vitamina C como el potasio merman el riesgo de sufrir enfermedades cardíacas.

BENEFICIOS OCULTOS

Hace varios años, Colleen señaló que aunque los pepinos no tienen demasiadas vitaminas y minerales tradicionales, no le sorprendería si los científicos descubrieran fitoquímicos (compuestos vegetales) beneficiosos. Estaba en lo correcto.

Ahora los investigadores saben que los pepinos contienen fitoesteroles y terpenos, sustancias que disminuirían el riesgo de desarrollar cáncer.

CRUJIDO DE POCAS CALORÍAS

¿Todavía no lo cree? Lea esto: los pepinos ayudan a bajar de peso. Los estudios de la Universidad Estatal de Pensilvania en State College han demostrado que los alimentos con baja densidad energética (que ocupan bastante espacio en el estómago con pocas calorías) lo ayudan a perder libras. La teoría sugiere que cuando come estos alimentos, se siente satisfecho con menos calorías y deja de comer.

Los pepinos y la lechuga romana están empatados en el puesto del vegetal con la densidad energética más baja. Así que inclúyalos en sándwiches y ensaladas para añadir volumen. Empáquelos en la canasta para picnic, especialmente en los días calurosos. Los pepinos son principalmente agua y pueden darle los líquidos adicionales que necesita para evitar la deshidratación.

Alivio Rápido Para:

Ojos Hinchados

Si las alergias hacen que se le hinchen los ojos (como a veces le sucede a Karen), coloque una rodaja de pepino sobre cada ojo por un par de minutos. Con las rodajas de pepino, se contraen los vasos sanguíneos y se reduce la hinchazón.

RESUMEN DE INFORMACIÓN NUTRICIONAL

Pepino (1/3 mediano)

Calorías: 13

Grasas: 0 g

Grasas saturadas: 0 g

Colesterol: 0 mg

Sodio: 2 mg

Carbohidratos totales: 3 g

Fibra dietética: 1 g

Proteínas: 1 g

Vitamina C: 9% del valor diario

SOLUCIONES PARA COMPRAR Y PREPARAR

Buenas noticias: probablemente encuentre una amplia variedad de pepinos todo el año.

CUANDO ELIJA PEPINOS:

◼ Compre pepinos muy firmes y redondeados hasta los extremos.

◼ Busque los de color verde intenso.

◼ Si no es fanático de las semillas (¿quién lo es?), elija una de las variedades europeas más esbeltas, porque suelen no tener semillas o tienen muy pocas.

PARA ALMACENARLOS:

Mantenga todos los pepinos en la gaveta del refrigerador. Si están lustrosos y enteros, se mantendrán bien por una semana. De lo contrario, revíselos todos los días o cada dos días.

CUANDO ESTÉ LISTO PARA USARLOS:

Antes de comer el pepino, lávelo, incluso si piensa pelarlo. De esa forma, no transferirá bacterias de la cáscara al interior. Hay que pelar los pepinos lustrosos. Con los no lustrosos, usted decide.

SIMPÁTICAS IDEAS CON PEPINOS

Además de la simple y básica ensalada, le damos más ideas con el pepino.

◆ **Al estilo inglés.** Unte delgadas rebanadas de pan de centeno con queso crema descremado y agrégue rodajas de pepino. Añada un poco de zanahoria rallada para que sea más crujiente. Sirve como un excelente "sándwich para el té".

◆ **Salsa de pepino.** Agregue pepino pelado y picado al yogur natural semidescremado sazonado con sus hierbas favoritas (a nosotros nos gustan los cebollinos). Sirva con pescado o pollo a la parrilla.

◆ **Revitalice la pasta.** Agregue pepino y tomate en cubos a su ensalada de pasta favorita.

Ensalada de Pepino con Cinco Ingredientes

Nunca falla: cuando Karen planifica un picnic, sube la temperatura. Así que suele preparar esta refrescante ensalada de pepino para combatir el calor.

2 pepinos medianos pelados y cortados
2 tomates grandes picados
2 cucharadas de albahaca fresca picada
¼ taza de aderezo italiano reducido en grasas
¼ taza de queso feta

En un tazón grande, mezcle los pepinos, los tomates, la albahaca, el aderezo y el queso. Refrigere por una hora o dos antes de servir para integrar los sabores.

Porciones: cuatro.

Datos nutricionales por porción: calorías, 76; proteínas, 3 g; carbohidratos, 11 g; fibra, 2 g; grasas, 3 g; grasas saturadas, 1 g; colesterol, 6 mg; sodio, 171 mg; calcio, 7% del valor diario; hierro, 6%.

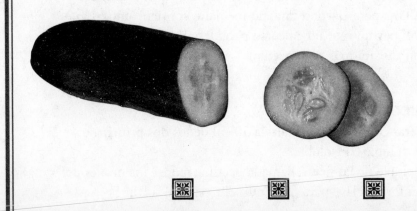

Pera:

Pura Salud

EFICAZ CONTRA:
- el cáncer
- las enfermedades cardíacas
- el colesterol alto

REFUERZA:
- la regularidad

Cuando Karen era niña, los padres tenían un bello peral en el jardín. A finales de agosto, cosechaban las peras y su mamá las usaba en ensaladas, sándwiches y cualquier cosa que se le ocurriera. Ahora, en agosto, Karen regresa a la casa de sus padres a recoger una bolsa enorme de peras. Sabe que las peras contienen muchas propiedades saludables, ¡y estaría demente si no aprovechara esta delicia gratis!

TANQUE LLENO DE FIBRA

Sin duda, la característica más saludable de las peras es el alto contenido de fibra. Una pera Bartlett tamaño mediano contiene unos 4 gramos de fibra. Y hay un estudio en curso para determinar si las variedades con cáscara más gruesa, como las peras Bosc, ofrecen aún más.

DÚO DINÁMICO

Es más, las peras contienen una mezcla 50-50 de los dos principales tipos de fibra: soluble e insoluble.

La fibra soluble de las peras, llamada pectina, reduce los niveles de colesterol, una forma clave para disminuir el riesgo de sufrir enfermedades cardíacas. Funciona así:

▶ La fibra soluble ayuda a unir los ácidos biliares, lo que permite que la pectina extraiga el colesterol de la sangre.

▶ También bloquea las grasas y el colesterol de los alimentos para que no lleguen a la pared interior de los intestinos, donde se absorberían.

Los investigadores de la Universidad de Purdue en West Lafayette, Indiana, determinaron que comer unos 9 gramos de pectina al día reduce el colesterol en un 10%. ¡Cada pera tiene, como mínimo, 2 gramos de pectina!

La lignina, la fibra insoluble de las peras, también es muy importante. Da más volumen a las heces y permite que pasen más rápido por los intestinos, lo que reduciría el riesgo de cáncer de colon. También une la hormona masculina testosterona y, en consecuencia, puede reducir las probabilidades de desarrollar cáncer de próstata.

RESUMEN DE INFORMACIÓN NUTRICIONAL

Pera Bartlett (1 mediana)

Calorías: 100

Grasas: 1 g

Grasas saturadas: 0 g

Colesterol: 0 mg

Sodio: 0 mg

Carbohidratos totales: 25 g

Fibra dietética: 4 g

Proteínas: 1 g

Vitamina C: 10% del valor diario

Alivio Rápido Para:

Estreñimiento

La próxima vez que se tape la tubería interna, corte una pera y mézclela con un par de ciruelas pasas y una cucharadita de afrecho para comer algo antes de dormir. La tubería se destapará a la mañana siguiente: ¡garantizado!

SOLO SUPERFICIAL

Algunas personas pelan las peras. ¡No lo haga! De acuerdo con un estudio reciente en la Universidad de California en Davis, casi todos los fitoquímicos (compuestos vegetales saludables) de las peras están en la cáscara. Y la variedad morada Bartlett contiene aproximadamente un tercio más de estos compuestos beneficiosos (particularmente las flavonas y antocianinas contra el cáncer) que las variedades verdes.

Aunque las peras en general no aportan tantos compuestos como otras frutas (los científicos consideran que la cantidad es moderada), no querrá perderse ni un poquito. Entonces, nada de pelarlas, ¿de acuerdo?

SOLUCIONES PARA COMPRAR Y PREPARAR

Las peras fueron el último grito en Francia desde el siglo XII hasta el siglo XIX, y los cultivadores desarrollaban nuevas variedades continuamente. Llegaron a 3,000 tipos diferentes. Afortunadamente para aquellos de nosotros a quienes nos cuesta decidirnos, solo se cultiva comercialmente un puñado de variedades.

ELIJA UNA PERA

Estas son cinco de las peras más espléndidas:

■ **Anjou.** La pera más popular, la Anjou, tiene forma de huevo y permanece verde cuando madura.

■ **Bartlett dorada.** Es una pera dulce y muy aromática, que suele ser verde cuando está en el supermercado. Se torna dorada cuando madura en la cocina.

■ **Bartlett morada.** Esta variedad sabe y huele igual de bien que su prima la dorada. La Bartlett morada tendrá un color morado oscuro en el supermercado y madurará a un color morado brillante en su casa.

■ **Bosc.** Con una consistencia firme y densa y un sabor delicioso, esta variedad es ideal para cocinar y hornear. Las Bosc son fáciles de reconocer por su color café terroso.

■ **Seckel.** Esta pera pequeña color granate y verde olivo (aproximadamente la mitad del tamaño de una Anjou) es la más dulce de todas.

CUANDO ELIJA PERAS:

Cuando elija la variedad, determine qué tan maduras las desea. ¿Quiere comerlas hoy? ¿O prefiere guardarlas por unos días? La mayoría de las peras de los supermercados tardan de uno a tres días en madurar. Cómo determinar el grado de madurez:

■ **Ignore el color.** Algunas peras cambian de color cuando están maduras, pero otras variedades permanecen del mismo tono.

■ **Sienta la pulpa.** Con el pulgar, presione suavemente hacia abajo cerca de la base del tallo. Si se hunde levemente, la pera está madura y lista para comer. Si no, tendrá que madurar en casa.

PARA ALMACENARLAS:

■ Refrigere las peras maduras de inmediato. Si se dejan a temperatura ambiente, pueden ponerse café por dentro. Las peras maduras aguantan más o menos una semana en el refrigerador.

■ Coloque las peras en una bolsa de papel café junto con una bola de algodón húmeda (la humedad evitará que se arruguen) y guárdelas a una temperatura de entre 60 °F y 70 °F. Revíselas todos los días para ver si alguna madura. Si no, cambie la bola de algodón.

PERAS PERFECTAS

Ahora pruebe estas formas inusuales de disfrutar esta fruta excepcional.

◆ **Prepare ensaladas más crujientes.** Olvídese de los crutones y agréguele peras a la ensalada. Si prepara la ensalada con tiempo, rocíe las peras con jugo de limón para evitar que se pongan cafés.

◆ **Dele vida a la bandeja de vegetales.** ¿Está aburrido de servir los mismos floretes de brócoli y palitos de zanahoria con salsa ranch en las fiestas? Pruebe algo nuevo. Cubra una bandeja mediana o grande con lechuga romana. En los lados derecho e izquierdo de la bandeja, coloque horizontalmente rodajas de pera con jugo de limón. En cada esquina, coloque unas cuantas uvas púrpura. Coloque rodajas de ayote en la parte superior e inferior. ¿Y en el centro? Agregue una montaña de camarones cocidos. ¡Es un plato hermoso!—

◆ **Adorne el pan tostado.** Si desea un toque de dulzura (y fibra adicional), agregue mantequilla de maní y rodajas de pera a un pan de trigo integral tostado.

◆ **Simplifique los acompañamientos.** Hornee mitades de peras con jamón o cerdo durante los últimos 15 minutos de horno, cubriéndolas con los jugos. Sirva como acompañamiento. ¡Es mucho más fácil que preparar puré de papa!

Peras Perfectamente Horneadas

Termine la comida de otoño o invierno con este postre caliente de peras. No sienta culpa: no tiene grasa.

2 peras cortadas a la mitad y sin semillas
1–2 tazas de agua
1 cucharadita de canela en polvo
½ cucharadita de nuez moscada en polvo
2 cucharadas de miel
Salsa de chocolate o frambuesa (decoración) opcional

Caliente el horno a 350 °F. Coloque las peras en una bandeja para hornear. Llene la bandeja con 1 a 2 pulgadas de agua. Espolvoree la canela y la nuez moscada y luego rocíe con la miel. Cubra y lleve al horno de 35 a 40 minutos, o hasta que las peras estén blandas. Coloque cada una de las mitades de pera en un plato y, si lo desea, adórnelas con la salsa de chocolate o frambuesa. Sírvalas calientes.

Porciones: cuatro.

Datos nutricionales por porción: calorías, 84; proteínas, 0 g; carbohidratos, 22 g; fibra, 2 g; grasas, 0 g; grasas saturadas, 0 g; colesterol, 0 mg; sodio, 1 mg; calcio, 2% del valor diario; hierro, 3%.

Arrollado Waldorf

En la década de 1890, se creó la Ensalada Waldorf en el Hotel Waldorf-Astoria de la Ciudad de Nueva York, con manzanas, apio y mayonesa. Desde entonces, los chefs le han agregado nueces, y ahora a veces reemplazan las manzanas por peras. Este arrollado le da un toque moderno a un clásico.

1 pera en rodajas sin semillas

1 tallo de apio mediano picado

1 cucharada de nuez de nogal picada

3 cucharadas de mayonesa reducida en calorías

2 tortillas de harina (8 pulgadas de diámetro)

4 lonjas de jamón o pavo reducido en sodio

En un tazón mediano, mezcle la pera, el apio, las nueces y la mayonesa hasta integrar. A cada tortilla, colóquele 2 lonjas del jamón o pavo y la mitad de la mezcla de pera. Enrolle las tortillas y sirva de inmediato.

Porciones: dos.

Datos nutricionales por porción: calorías, 251; proteínas, 9 g; carbohidratos, 35 g; fibra, 3 g; grasas, 8 g; grasas saturadas, 3 g; colesterol, 24 mg; sodio, 517 mg; calcio, 6% del valor diario; hierro, 12%.

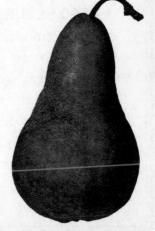

Perejil:

Un Beso de Salud

EFICAZ CONTRA:
- el mal aliento
- el cáncer
- las enfermedades cardíacas
- el colesterol alto

REFUERZA:
- los huesos

La próxima vez que alguien decore el plato con perejil, no pregunte: "¿Qué es esta cosa verde?" mientras lo aleja. ¡Cómaselo! El perejil comprime tanta buena nutrición en un paquete tan pequeño que no debería mandarlo a la pila de compost.

BESO SEGURO

Empecemos con el beneficio puramente cosmético del perejil. Esta hierba hace desaparecer el mal aliento. Los antiguos romanos solían comer perejil con pan en el desayuno, probablemente para combatir el aliento mañanero. ¡Pruébelo! Es la menta para el aliento, ¡y los restaurantes lo regalan!

RESUMEN DE INFORMACIÓN NUTRICIONAL

Perejil fresco
(2 cucharadas, picado)

Calorías: 3

Grasas: 0 g

Grasas saturadas: 0 g

Colesterol: 0 mg

Sodio: 4 mg

Carbohidratos totales: 0 g

Fibra dietética: 0 g

Proteínas: 0 g

Vitamina A: 8% del valor diario

Vitamina C: 17%

OTROS BENEFICIOS DEL PEREJIL

Si pasamos a temas de salud más importantes, una pequeña cantidad de perejil ofrece una gran cantidad de vitaminas A, C y K.

Las vitaminas A y C actúan como antioxidantes que destruyen las sustancias que dañan las células antes de que desencadenen un ataque al corazón y cáncer. La vitamina K fortalece los huesos. Un reciente estudio de la Universidad de Harvard determinó que las mujeres que consumían menos vitamina K tenían un 70% más de probabilidades de sufrir una fractura de cadera que las que consumían más.

Los investigadores también estudian ciertos compuestos vegetales del perejil llamados terpenoides. Los resultados preliminares sugieren que los terpenoides reducen el nivel de colesterol malo (lipoproteína de baja densidad, LDL) y también combaten el cáncer.

Nada mal para una decoración, ¿cierto?

Alivio Rápido Para:

Aliento a Ajo

Si acaba de engullirse un plato entero de pasta con salsa de ajo, y quiere que lo besen en la noche, mastique una ramita de perejil. Le refrescará el aliento.

SOLUCIONES PARA COMPRAR Y PREPARAR

Elegir perejil fresco es muy sencillo. Decida si desea la variedad de hoja rizada (la que se usa como decoración) o el tipo italiano de hoja plana (ideal para cocinar).

CUANDO ELIJA PEREJIL:

En cualquier variedad, compre un manojo que tenga hojas de color verde brillante (no marchitas).

PARA ALMACENARLO:

Lave el perejil y sacuda el exceso de agua. Envuélvalo en toallas de papel y guárdelo en una bolsa plástica en el refrigerador.

COMPARTA EL PEREJIL

Estas son algunas sugerencias para usar hasta la última ramita:

◆ **Despídase de la albahaca.** En la receta de pesto, sustituya la mitad de la albahaca por perejil fresco picado.

◆ **Sazone las papas.** Agregue perejil fresco picado a las papas horneadas, asadas o en puré.

◆ **Decore el postre.** Use una ramita de perejil en el postre como un dulce de menta.

◆ **Pruebe el tabule.** Este tradicional plato de Medio Oriente se prepara principalmente con trigo burgol y perejil. Pídalo la próxima vez que llame su atención en el menú de un restaurante.

Superpasta de Verano

En el calor del verano, pruebe esta receta. Satisface como una comida formal y no como una ensalada de pasta, y aun así es refrescantemente liviana.

½ libra de pasta con forma de corbatines
3 cucharadas de aceite de oliva
1 taza de melón de la variedad *honeydew* en trozos
½ taza de uvas púrpura sin semilla y cortadas a la mitad
½ taza de perejil fresco de hoja plana finamente picado
2 cucharadas de jugo de limón

En una olla grande, hierva la pasta hasta que esté al *dente*. Escúrrala y mézclela con el aceite. Deje que se enfríe. Agregue el melón, las uvas, el perejil y el jugo de limón, y sirva.

Porciones: cuatro.

Datos nutricionales por porción: calorías, 340; proteínas, 8 g; carbohidratos, 53 g; fibra, 3 g; grasas, 11 g; grasas saturadas, 2 g; colesterol, 0 mg; sodio, 10 mg; calcio, 3% del valor diario; hierro, 18%.

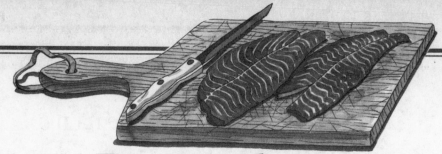

Pescado:

Engánchese

EFICAZ CONTRA:
- la depresión
- las enfermedades cardíacas
- la hipertensión
- la arritmia
- el dolor menstrual
- la artritis reumatoidea
- los accidentes cerebrovasculares

REFUERZA:
- el desarrollo del cerebro y la vista de los bebés
- la regularidad menstrual

Siempre nos sorprendemos cuando hablamos con personas que admiten que les gustaría comer más pescado, pero no saben cómo cocinarlo. Nada podría ser más fácil. El pescado es tan delgado y tierno que no es necesario hacer mucho. Y no hay nada más saludable. El pescado contiene gran cantidad de ácidos grasos omega 3 (grasas esenciales que nuestro cuerpo no puede producir, por lo que tenemos que obtenerlas de los alimentos).

ÚNASE A LA FRATERNIDAD OMEGA 3

Curiosamente, el omega 3 proviene de las plantas verdes, tales como el plancton y las hojas de los árboles. Obtenemos nuestro omega 3 al comer el pescado que se alimentó de plancton. Nuestros antepasados obtenían el omega 3 de la carne de los animales que se alimentaban de hojas de árboles, tales como el venado y el antílope. Pero eso es parte del pasado. Hoy en día, la carne proviene de corrales de engorde (engordan al ganado con heno y forraje) y contiene cantidades muy reducidas de omega 3.

Inclínese por el Pescado más Graso

Cuando esté a la pesca de ácidos grasos omega 3, capture estos bellos nadadores para que su pesca sea abundante. Los gramos de grasa de cada uno se basan en una porción comestible cruda de 3 onzas.

Pescado	Ácidos Grasos Omega 3 (g)
Sardinas en aceite de sardina	3,3
Macarela del Atlántico	2,5
Trucha de lago	1,6
Anchoa europea	1,4
Pescado azul	1,2
Salmón rosado	1,0
Róbalo rayado	0,8
Ostras del Pacífico	0,6
Atún	0,5
Camarón	0,4
Cangrejo real de Alaska	0,3
Langosta del Norte	0,2
Vieiras	0,2
Pez espada	0,2

Otros alimentos, como el aceite de canola, las semillas de linaza, las nueces y algunas verduras de hoja verde, proporcionan ácido alfa-linolénico, que nuestro cuerpo puede utilizar para producir omega 3.

NO SE ENCASILLE

¿Por qué concentrarse en el pescado? Varios estudios han demostrado que las personas que consumen tan solo dos porciones de 3 onzas de pescado a la semana tienen menores índices de enfermedades cardíacas, accidentes cerebrovasculares, arritmia e hipertensión. Los investigadores especulan que el omega 3 es la fuente energética del pescado, porque estas grasas están incorporadas a las membranas celulares de todo el cuerpo y pueden modificar el funcionamiento de las células.

(Continúa en la página 368)

SOLUCIONES PARA COMPRAR Y PREPARAR

Comprar un delicioso pescado fresco es más fácil de lo que cree.

CUANDO ELIJA PESCADO FRESCO:

■ Busque pescado grueso y húmedo que huela a frescura y brisa, no a pescado.

■ Busque pescado entero con ojos brillantes y claros, escamas limpias y apretadas.

■ Elija pescado y filetes de aspecto húmedo.

PARA ALMACENARLO:

■ Almacene el pescado fresco en el empaque original en la parte más fría del refrigerador. No deje pasar más de dos días antes de cocinarlo.

■ Mantenga separado el pescado crudo del cocido para evitar la contaminación de los jugos crudos.

Pescado congelado. Si compra pescado congelado, tenga en cuenta estos consejos:

■ Asegúrese de que el empaque esté intacto y que el pescado no tenga quemaduras por congelación.

■ Colóquelo de inmediato en el congelador.

■ Descongélelo de manera segura pasándolo al refrigerador un día antes de cocinarlo.

DEL AGUA A LA COCINA EN UN INSTANTE

El tiempo de cocción del pescado al horno, asado, hervido, frito o en estofado tomará aproximadamente 10 minutos por pulgada de grosor. Se puede saber que el pescado está listo cuando cambia de traslúcido a opaco y se descama fácilmente con un tenedor.

El pescado es muy tierno, así que no lo marine durante más de 10 minutos o se pondrá pastoso. Y no lo cocine demasiado, porque se pone duro. Pero asegúrese de que esté bien cocido. La cocción "término medio" puede ser riesgosa, porque el pescado puede contener parásitos y bacterias capaces de provocar una intoxicación. Pero relájese: el pescado bien cocinado es completamente seguro.

SUSHI SEGURO

El Departamento de Agricultura de los Estados Unidos indica que los platos de pescado crudo (como el sushi y el sashimi) pueden ser seguros para la mayoría de las personas (excepto los diabéticos) si se los prepara con pescado muy fresco, se los congela a temperaturas comerciales (a temperaturas inferiores a las de los congeladores caseros), y luego se los descongela para comerlos. El congelamiento comercial mata todos los parásitos que puedan contener. Ya muertos, no serán peligrosos para usted.

COMA UN PLATO DE PESCADO

Si está listo para mejorar el porcentaje de salud de cada célula de su cuerpo, coma pescado. Dos porciones pequeñas cada semana son suficientes. Para obtener una mejor nutrición, mezcle y combine diferentes variedades. Las siguientes son algunas formas sencillas y tentadoras para empezar. ¡Tome la carnada!

◆ **Engánchelo con la sopa de verduras.** Agregue trozos de pescado fresco a la sopa comercial de verduras. Hierva a fuego lento durante, por lo menos, 5 minutos para asegurarse de que el pescado esté bien cocinado. También puede usar sobrantes de pescado cocinado.

◆ **Almuerce atún.** El atún blanco Albacore (o bonito del Norte) contiene más omega 3 que el atún light o de aleta amarilla que venden en la mayoría de los restaurantes. Para preparar ensalada de atún, use mayonesa baja en grasas y abundantes verduras frescas, como apio picado, zanahorias ralladas, pepino picado y rebanadas de rábano. Rellene un bolsillo de pan pita integral.

◆ **Dígale sí a las anchoas.** Junto con los pimientos, las cebollas y las aceitunas, ordene anchoas para la pizza. También puede agregarlas a la ensalada César.

◆ **Prepare "sobrantes planificados".** Cuando ase salmón, cocine una tanda doble. Refrigere los sobrantes para mezclarlos con ensalada de pasta para llevar al trabajo al día siguiente.

◆ **Sardinas crujientes.** Coma un par de sardinas con galletas integrales saladas en el almuerzo o la merienda.

(Continuación de la página 365)

Cuando el omega 3 se convierte en parte de las plaquetas sanguíneas, por ejemplo, las plaquetas se vuelven menos adherentes y tienen menos probabilidades de agruparse y, por lo tanto, menos probabilidades de obstruir una arteria y causar un ataque cardíaco.

OBTENGA LOS BENEFICIOS DE OMEGA 3

Más descubrimientos científicos:

▶ Un estudio danés determinó que las mujeres con dolor menstrual intenso consumían poco pescado.

▶ En un estudio que se realizó en Albany Medical College, 33 pacientes con artritis reumatoidea que tomaron aceite de pescado tuvieron menos dolor de articulaciones. Algunos pudieron suspender los medicamentos antiinflamatorios no esteroideos (AINE), como el ibuprofeno y el naproxeno de sodio.

▶ En Finlandia se realizaron estudios que sugieren que las personas con bajos niveles de omega 3 en las membranas neurales tienen mayor tendencia a padecer depresión.

ALIMENTO PARA EL CEREBRO DE LOS BEBÉS

Sobre el desarrollo de los niños, los investigadores han determinado que cuando una mujer embarazada come pescado, el omega 3 pasa al bebé, que lo utiliza para el desarrollo del cerebro y de la vista. Más adelante, durante la lactancia materna, el bebé también recibe omega 3. Actualmente hay un gran debate sobre la adición de omega 3 a la fórmula infantil en los Estados Unidos, como se está haciendo en Europa.

Alivio Rápido Para:

Menstruación Irregular

¿Le preocupa arruinar la ropa constantemente porque nunca puede saber cuándo tendrá el período? ¡Pescado al rescate! Los investigadores han descubierto que los suplementos de ácidos grasos omega 3 en la dieta de las mujeres regulan el ciclo menstrual: ¡ahora sabrá cuándo ponerse pantalón blanco!

RESUMEN DE INFORMACIÓN NUTRICIONAL

Salmón salvaje del Atlántico a la parrilla (3 onzas)

Calorías: 155

Grasas: 7 g

Grasas saturadas: 1 g

Colesterol: 60 mg

Sodio: 48 mg

Carbohidratos totales: 0 g

Fibra dietética: 0 g

Proteínas: 22 g

Vitamina E: 13% del valor diario

Hierro: 5%

Cinc: 13%

Salmón Primavera
a la Parrilla

Aceite de oliva en aerosol para cocinar
2 cucharadas de aceite de oliva
1 libra de filete de salmón salvaje del Atlántico
Sal al gusto
½ libra de rotini u otra pasta
1 diente de ajo picado
½ libra de arvejas chinas frescas
1 taza de pimiento rojo y otra de amarillo cortados en tiras de 2 pulgadas
¼ taza de cebollinos en rodajas finas
1 taza de leche descremada evaporada
½ taza de queso parmesano recién rallado
4 cucharadas de albahaca fresca en rodajas finas (decoración)

Rocíe aceite en la parrilla y luego precaliéntela. Ajuste el calor de manera que pueda colocar su mano a 14 pulgadas de distancia de la llama durante 20 segundos. Coloque el salmón con la piel hacia abajo en la parrilla y tápelo. Ase lentamente durante 10 a 20 minutos (según el grosor) o hasta que el salmón forme escamas fácilmente. Retírelo, páselo a un plato limpio y divídalo en cuatro trozos iguales.

Mientras se asa el salmón, llene una olla grande con agua, agregue sal al gusto y haga hervir el agua. Agregue la pasta y hiérvala hasta que esté al dente. Escúrrala y regrésela a la olla para mantenerla caliente.

Caliente el aceite de oliva a fuego alto en una cacerola resistente. Agregue el ajo, las arvejas chinas, los pimientos y los cebollinos y cocine durante un minuto, revolviendo constantemente. Agregue la leche y caliente solo hasta que forme burbujas. Agregue la pasta cocida y el queso. Mezcle con cuidado hasta integrar. Divida la pasta y las verduras entre los cuatro platos. Cubra cada plato con un trozo de salmón. Acompáñelo con albahaca.

Porciones: cuatro.

Datos nutricionales por porción: calorías, 367; proteínas, 34 g; carbohidratos, 17 g; fibra, 3 g; grasas, 18 g; grasas saturadas, 4 g; colesterol, 72 mg; sodio, 359 mg; calcio, 41% del valor diario.

Pimiento:

Encierre con Aros los Beneficios para la Salud

EFICAZ CONTRA:
- el cáncer
- los resfriados
- las enfermedades cardíacas

REFUERZA:
- la vista

En verano, Karen (mejor dicho, su esposo) enciende la parrilla azul de carbón Weber y asa pimientos rojos a la perfección. Los mezcla en ensaladas, los incluye en tortillas y algunas veces los come solos. Karen no se cansa de comerlos, porque además del delicioso sabor, los pimientos tienen muchos beneficios. Por un tercio de las calorías de una naranja, el pimiento rojo contiene el doble de vitamina C (141 miligramos). Un pimiento verde se compara con una naranja: unos 66 miligramos de vitamina C. ¡Sorprendente!

NOTAS SOBRE LA VITAMINA C

En el cuerpo, la vitamina C actúa como antioxidante, ya que captura los radicales libres. Estos conflictivos componentes moleculares dañan, lo que con el tiempo deriva en enfermedades cardíacas y cáncer.

De acuerdo con una prometedora investigación, el gobierno de los Estados Unidos recientemente elevó la ingesta diaria sugerida de vitamina C de 60 miligramos a 75 miligramos para las mujeres, y a 90 mi-

La Paleta de Colores de los Pimientos

¿No sabe qué color comprar? Vea por qué debe escoger los rojos. Los valores nutricionales corresponden a 1 taza de pimientos picados.

Pimiento	Vitamina C (mg)	Betacaroteno (unidades)	Luteína (mcg)
Rojo	191	2,379	6,800
Amarillo	184	120	770
Verde	89	198	700

ligramos para los hombres. Los fumadores, sugirió el gobierno, deberían consumir 35 miligramos adicionales, hasta llegar a un total de 110 miligramos para las mujeres y 125 miligramos para los hombres. Aparentemente, la nicotina genera daño celular y disminución de la vitamina C.

La vitamina C también refuerza el sistema inmunológico, lo que reduce la gravedad y duración de los resfriados. Pero, más allá de la creencia popular, no hay mucha evidencia que demuestre que altas cantidades de vitamina C prevengan por completo los resfriados.

AHORRADORES DE VISTA

Los pimientos, especialmente los rojos, contienen una generosa cantidad de luteína y zeaxantina. Estos dos componentes vegetales claves pueden prevenir la degeneración macular por edad (ARMD, por su sigla en inglés).

¿Nunca lo había escuchado antes? La mácula es un pequeño punto en el centro de la retina y es la responsable de que la visión sea nítida. Es la que le permite leer las señales de tránsito y las etiquetas de nutrición. La degeneración macular por edad, la causa más común de ceguera irreversible en mayores de 65 años, provoca que la mácula se afine y que empeore la visión.

SOLUCIONES PARA COMPRAR Y PREPARAR

El verano es la temporada de los pimientos. Encontrará fácilmente todos los colores de pimientos frescos a un precio razonable.

CUANDO ELIJA PIMIENTOS FRESCOS:

■ Compre pimientos firmes, brillantes y sin arrugas.

■ Busque los de tallo verde.

■ Evite los pimientos con áreas blandas o hundidas.

■ Evite los que tengan fisuras, rajaduras o manchas negras.

PARA ALMACENARLOS:

Almacene los pimientos en una bolsa plástica o un recipiente en el refrigerador. Los pimientos verdes y amarillos duran, por lo general, una semana, en tanto que los pimientos rojos permanecen frescos solo de tres a cuatro días.

CUANDO ESTÉ LISTO PARA USARLOS:

■ Lave los pimientos antes de comerlos o cocinarlos.

■ Restriegue los que tengan una capa cerosa.

Pimientos en frascos y congelados. Si los pimientos frescos son muy caros en invierno (hay que tener la cuenta bancaria de Bill Gates), compre un frasco de pimientos rojos asados para sándwiches y ensaladas o tiras de pimiento congeladas para sofritos. Ahorrará un montón de dinero y obtendrá toda la nutrición.

LOS PIMIENTOS DE PETER PIPER

Estas son algunas maneras de usar pimientos que ni siquiera Peter Piper había considerado.

■ En *bruschetta*. En lugar de untar sobre el pan italiano la tradicional cobertura de tomate, cúbralo con pimientos rojos asados y queso mozzarella fresco.

■ En crema para untar. En un procesador de alimentos, haga puré 1 taza de pimientos rojos asados, pelados y cortados en tiras. Agregue 1 taza de queso descremado y 2 dientes de ajo. Procese hasta integrar. Agregue 1 cucharada de albahaca fresca picada.

ABRA LOS OJOS

Aquí es cuando entran en escena los pimientos: la luteína y la zeaxantina son pigmentos comunes de la mácula. Se han hecho estudios que han demostrado que quienes sufren de degeneración macular por edad tienen menos de estos pigmentos que quienes no padecen la enfermedad.

Puede tomar suplementos para reforzar los niveles de luteína y zeaxantina. Sin embargo, la mayoría de los oftalmólogos recomienda obtener estos compuestos de los alimentos, ya que pueden funcionar de manera sinérgica con otros nutrientes que no se encuentran en los suplementos.

Así que busque pimientos, remolacha, col rizada y otras verduras ricas en estos componentes.

RESUMEN DE INFORMACIÓN NUTRICIONAL

Pimiento rojo crudo
(1 unidad de aproximadamente
3 ½ onzas)

Calorías: 20

Grasas: 0 g

Grasas saturadas: 0 g

Colesterol: 0 mg

Sodio: 1 mg

Carbohidratos totales: 5 g

Fibra dietética: 1 g

Proteínas: 1 g

Vitamina A: 8% del valor diario

Vitamina C: 186%

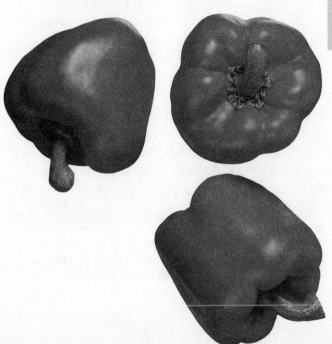

Pasta Primavera
a la Marinara

Recorte las grasas en la salsa de la pasta y reemplácelas por mucha fibra. Sustituya la carne de res molida por verduras.

3 tazas de salsa marinara preparada
Aceite de oliva en aerosol para cocinar
2 dientes de ajo picados
¾ taza de floretes de brócoli
1 zanahoria en rodajas de 1 ½ pulgada de largo
1 pimiento rojo en trozos de 1 pulgada
1 libra de pasta en forma de conchitas o rotini grandes
⅓ taza de queso parmesano rallado (decoración)

Llene una olla grande con agua para la pasta y colóquela a fuego alto. Mientras tanto, en una olla mediana a fuego medio-bajo, caliente la salsa marinara y revuelva ocasionalmente. Rocíe una sartén antiadherente con aceite en aerosol, agregue el ajo y saltee de 1 a 2 minutos. Agregue el brócoli, la zanahoria y el pimiento, saltee hasta que estén tiernos y crujientes, y revuelva con frecuencia.

Cuando el agua llegue a una ebullición rápida, agregue la pasta. Cocine de acuerdo con las instrucciones del paquete. Agregue las verduras salteadas a la salsa y revuelva hasta integrar. Cocine a fuego lento. Cuando termine de cocinarse la pasta, escúrrala y pásela a un tazón grande. Agregue la salsa a la pasta y revuelva. Sírvala en seis tazones. Decore con el queso.

Porciones: seis.

Datos nutricionales por porción: calorías, 390; proteínas, 13 g; carbohidratos, 62 g; fibra, 6 g; grasas, 7 g; grasas saturadas, 2 g; colesterol, 3 mg; sodio, 743 mg; calcio, 10% del valor diario; hierro, 30%.

Piña:

Su Conexión Saludable con Hawái

EFICAZ CONTRA:
- el cáncer
- las enfermedades cardíacas

REFUERZA:
- el proceso digestivo
- la función inmunológica

La piña evoca imágenes de Hawái: días gloriosos repletos de natación, turismo y mucha piña. En una palabra: paraíso.

Si no puede viajar hasta allá, haga lo que más se le parece: compre una piña en el supermercado local. No es lo mismo, pero le encantará. Y la piña es muy saludable y deliciosa.

ALIVIO TROPICAL

Según la variedad de piña que elija, una porción de 4 onzas contiene del 25% al 150% de la vitamina C que necesita para el día. Como seguramente ya sabe, la vitamina C es un antioxidante que devora los radicales libres, los chicos malos que causan el daño celular que puede resultar en enfermedades cardíacas y cáncer. También fortalece su

RESUMEN DE INFORMACIÓN NUTRICIONAL

Piña (4 onzas o 2 rodajas de 3 pulgadas)

Calorías: 65

Grasas: 0 g

Grasas saturadas: 0 g

Colesterol: 0 mg

Sodio: 10 mg

Carbohidratos totales: 16 g

Fibra dietética: 1 g

Proteínas: 1 g

Vitamina C: 25–150% del valor diario

SOLUCIONES PARA COMPRAR Y PREPARAR

Comprar una piña no requiere de ningún esfuerzo, porque muy pocas veces verá una piña que no esté madura. Eso es porque, a diferencia de muchas otras frutas, la piña se cosecha solo cuando está madura y luego se envía a los supermercados.

CUANDO ELIJA PIÑAS:

■ Compre frutas con hojas color verde oscuro.

■ Evite las que tengan magullones o puntos blandos. (Mito: el color de la cáscara exterior de la piña no es indicio de la calidad o la madurez).

■ Revise la variedad. Todas las variedades de piña contienen vitamina C, pero la relativamente nueva Del Monte Gold® ofrece toda la vitamina C (y más) que necesita para el día en una sola porción. La cantidad es cuatro veces mayor que la de las variedades tradicionales.

PARA ALMACENARLAS:

■ Envuelva la piña en plástico de manera que quede holgado.

■ Refrigérela hasta por cinco días.

CUANDO ESTÉ LISTO PARA USARLAS:

■ Retuerza la corona para sacarla de la piña.

■ Quítele la cáscara con un cuchillo.

■ Córtela.

sistema inmunológico para evitar resfriados, gripes y otras infecciones.

ENZIMAS ESTABILIZADORAS

Además de la vitamina C, la piña está llena de otros compuestos que previenen el

■ O corte la piña longitudinalmente en cuartos para trocearla

■ Retire los extremos y luego el centro.

■ Corte la fruta en trozos pequeños: ¡listo!

La piña en rodajas dura hasta tres días en el refrigerador si la guarda en un recipiente sellado.

PREPARE UNA FIESTA HAWAIANA

Para disfrutar el sabor de los trópicos, pruebe estas sugerencias sencillas:

◆ **Endulce el desayuno.** Agregue trozos de piña fresca o deshidratada en el yogur del desayuno. Caliente rodajas de piña fresca o enlatada y cómalas con waffles. O siga el ejemplo de los hawaianos: córtela en rodajas y cómala sola.

◆ **Encienda la parrilla.** Ase rodajas de piña en ambos lados solo hasta que esté caliente. Agregue helado de yogur de vainilla para obtener un postre especial.

◆ **Reanime un sándwich.** Coloque una rodaja de piña en el próximo sándwich de jamón y queso.

◆ **Despliegue velas.** Para preparar un "bote" de piña: corte una piña longitudinalmente a la mitad, dejando la corona unida a la cáscara. Saque la fruta cortando cerca de la cáscara con un cuchillo delgado y filoso. Retire el centro. Luego corte la fruta en pedazos pequeños. Mézclela con trozos de otras frutas frescas (los mangos, los melones y las fresas son buenas opciones) y sírvala en el bote.

cáncer. El principal es la bromelaína, una enzima que detiene la diseminación de los tumores.

Los estudios con animales sugieren que la bromelaína tiene un futuro prometedor en la lucha contra el cáncer de pulmón y la leucemia, especialmente, pero es necesario realizar más pruebas. Mientras tanto, agreguemos la exquisita piña a la lista de alimentos contra el cáncer.

Alivio Rápido Para:

Callosidades

Para suavizar una callosidad, aplique un pedazo de cáscara de piña, cúbralo con vendas adhesivas y deje actuar durante la noche, sugiere el Dr. James Duke, investigador retirado del Departamento de Agricultura de Estados Unidos y autor de La Farmacia Natural. Una enzima de la cáscara es la que se encarga del trabajo.

La bromelaína también le da el beneficio más inmediato de ayudar en la digestión. Así que si después de haber comido un plato de chile picante, su estómago se retuerce, coma unos trozos de piña o beba un vaso de jugo de piña. Puede darle el alivio que necesita, sin los efectos secundarios de los antiácidos.

Ensalada de Frutas Tropicales

La próxima vez que alguien le pida que lleve una ensalada de papas o macarrones a un picnic, pregunte si puede preparar esta ensalada de frutas. Solo una porción tiene casi toda la vitamina C que necesita para el día y no tendrá que encender el hornillo.

2 tazas de trozos de piña
2 tazas de trozos de mango
2 tazas de trozos de melón
½ taza de fresas picadas
¼ taza de jugo de naranja
¼ taza de hierbabuena fresca picada

En un tazón grande, mezcle la piña, el mango, el melón, las fresas, el jugo de naranja y la hierbabuena. Sirva de inmediato, o cubra y refrigere.

Porciones: seis.

Datos nutricionales por porción: calorías, 89; proteínas, 1 g; carbohidratos, 22 g; fibra, 3 g; grasas, 1 g; grasas saturadas, 0 g; colesterol, 0 mg; sodio, 7 mg; calcio, 2% del valor diario; hierro, 2%.

Pollo:

Ayuda a Ser un
Peso Pluma

EFICAZ CONTRA:
- los resfriados
- las enfermedades cardíacas
- el colesterol alto

REFUERZA:
- la energía
- la función inmunológica
- el control del peso

Aunque preparamos pollo, por lo menos, cuatro noches a la semana, nuestras familias pocas veces protestan: "¿Pollo otra vez?". Probablemente sean atentos. Pero hasta ellos admiten que el pollo, en comparación con otros alimentos, puede saber increíblemente diferente según la receta.

Piénselo: sazone espárragos al vapor con hierbas italianas o sírvalos con salsa holandesa y sabrán, pues, a espárragos. Pero si prepara pollo a la parrilla y lo come con una tortilla de harina caliente con salsa, pimientos y cebollas, toma un sabor completamente diferente que si lo asa con romero y ajo.

La característica del pollo es la versatilidad; no solo para cocinarlo, sino también en las propiedades nutritivas. Tres onzas de pollo contienen al menos un 5% del valor diario de ocho vitaminas y minerales diferentes que son básicos para la buena salud.

AYUDE AL CORAZÓN

El nutriente más abundante del pollo es la niacina o vitamina B3. Una pechuga de pollo contiene cerca del 60% de lo que necesita para todo

RESUMEN DE INFORMACIÓN NUTRICIONAL

Pechuga de pollo sin piel (3 onzas asadas)

Calorías: 140

Grasas: 3 g

Grasas saturadas: 1 g

Colesterol: 72 mg

Sodio: 63 mg

Carbohidratos totales: 0 g

Fibra dietética: 0 g

Proteínas: 26 g

Vitamina B2 (riboflavina): 7% del valor diario

Vitamina B3 (niacina): 59%

Vitamina B6: 20%

Vitamina B12: 5%

Hierro: 5%

Magnesio: 6%

Fósforo: 19%

Cinc: 6%

el día. Los estudios sugieren que la niacina disminuiría el nivel de colesterol y reduciría el riesgo de sufrir enfermedades cardíacas.

Y si sustituye la res por el pollo, su corazón lo agradecerá. Tres onzas de pollo rostizado tienen solo un gramo de grasas saturadas, ¡mientras que la misma cantidad de carne de res molida contiene 6 gramos o más! Cuando reduce las grasas saturadas de su dieta, reduce el riesgo de sufrir problemas cardíacos. Sustituir carne de res por pechuga de pollo también le permite ahorrar calorías. Una porción de pechuga de pollo asada sin piel contiene unas 100 calorías menos que una porción de carne de res

Alivio Rápido Para:

Infección del Tracto Respiratorio Superior

Si está resfriado, prepare sopa de pollo, o mejor aún, pídasela a su pareja. El pollo contiene el aminoácido cisteína, químicamente similar al medicamento para la bronquitis acetil-cisteína. Según los nuevos estudios, la sopa de pollo bloquearía la producción de neutrófilos, glóbulos blancos que alivian los síntomas del tracto respiratorio superior en los resfriados, señala el autor del estudio, el Dr. Stephen Rennard.

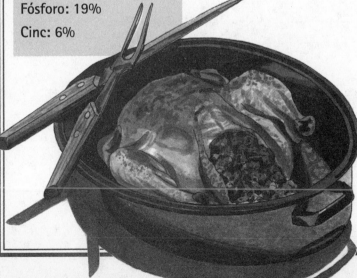

381

SOLUCIONES PARA COMPRAR Y PREPARAR

Es importante manipular el pollo con cuidado para mantener saludable a su familia. A continuación le explicamos cómo darle todo el amor y el cariño.

CUANDO ELIJA POLLO:

■ Compre el pollo al final para que no esté sin refrigeración mientras hojea las revistas, busca un nuevo lápiz labial, compara las etiquetas de nutrición de las galletas de soda y mira otros productos.

■ Coloque de inmediato el paquete de pollo en una bolsa plástica (los supermercados suelen tener estas bolsas en el sector de carnes; si no las tiene, tome unas de la sección de productos perecederos). En caso de que el exterior del paquete se haya contaminado con salmonela u otro tipo de bacteria, la bolsa plástica evitará que los bichos pasen a los otros alimentos.

■ Pídale al empleado de la caja que empaque las carnes por separado de los otros alimentos.

■ En los días cálidos, coloque los abarrotes en el carro (no en la cajuela) para mantenerlos lo más frescos posible.

PARA ALMACENARLO:

■ Cuando llegue a casa, desempaque primero el pollo y guárdelo de inmediato en el refrigerador. Colóquelo en la parte más fría del refrigerador.

■ Congélelo si no piensa usarlo en los siguientes dos días.

molida y cerca de 50 calorías menos que un bistec. Con el tiempo, perderá peso: otra buena noticia para el corazón.

¡NO MÁS DÍAS DE ENFERMEDAD!

El pollo también aporta el vigor de la vitamina B6, la vitamina B12 y el cinc, un trío que fortalece al sistema inmunológico, por lo que es

CUANDO ESTÉ LISTO PARA USARLO:

■ Descongele el pollo en el refrigerador (¡nunca sobre la encimera!) o sumérjalo en agua fría.

■ Quítele la piel antes o después de cocinarlo. Dejar la piel mientras se cocina no aumenta el contenido de calorías o grasas del pollo.

■ Utilice un termómetro para carnes para verificar si está listo. El pollo entero debe llegar a 180 °F, las porciones de pollo con hueso, a 170 °F, y las porciones de pollo sin hueso, a 165 °F. Refrigere de inmediato el pollo que haya sobrado. ¡Eso es todo!

VARIACIONES DE UN TEMA

Probablemente tenga muchas recetas de pollo, por lo que no lo aburriremos con lo básico. Compartiremos algunas formas creativas para este alimento básico. ¡Vamos, no sea gallina!

◆ **Fiesta de pizza.** Karen prefiere la cobertura de salsa de tomate, pimientos asados, porciones de pollo a la parrilla, queso parmesano y mozzarella ahumado. Esta versión de pizza (menos el queso rico en grasas y el pepperoni) es una comida saludable.

◆ **En tacos.** Seguro, la receta de tacos requiere carne de res molida. Sustitúyala por pechuga de pollo desmenuzada y mantendrá el sabor.

◆ **Espagueti con pollo.** Cuando agrega porciones de pollo asado a la pasta, nadie extraña las albóndigas. Ni siquiera se queja el esposo de Karen, a quien le encantan las albóndigas.

menos probable que se contagie con el virus de la semana. Además el pollo contiene algo de hierro, el mineral que evita que se vuelva anémico.

Sopa de Pollo del Viejo Continente de la Abuela

El Dr. Stephen Rennard, investigador del Centro Médico de la Universidad de Nebraska, estudió la receta de sopa de pollo de la abuela lituana de su esposa. Descubrió que aliviaba los síntomas del resfriado, tal y como lo afirmaba la abuela.

1 pollo para hornear (5–6 libras) limpio
1 paquete de alas de pollo (1–2 libras) limpias
3 cebollas grandes
1 batata grande
3 chirivías
2 nabos
12 zanahorias
6 tallos de apio
1 manojo de perejil
40 bolitas de matzá
Sal y pimienta negra molida al gusto

En una olla grande, coloque el pollo y cúbralo con agua fría. Lleve el agua a ebullición. Agregue las alas de pollo, las cebollas, la batata, las chirivías, los nabos y las zanahorias. Hierva por aproximadamente 90 minutos, retirando la grasa de la superficie a medida que se acumule. Agregue el apio y el perejil, y hierva por unos 45 minutos más. Saque el pollo. Pase los vegetales a un procesador de alimentos y procese hasta que queden finamente picados. Regrese los vegetales a la olla, agregue las bolitas de matzá y sazone con sal y pimienta. Hierva a fuego lento hasta que las bolitas de matzá se calienten por dentro.

Porciones: veinticuatro porciones de 1 taza.

Datos nutricionales por porción: calorías, 163; proteínas, 5 g; carbohidratos, 18 g; fibra, 2 g; grasas, 8 g; grasas saturadas, 1 g; colesterol, 89 mg; sodio, 50 mg; folato, 13% del valor diario; vitamina C, 10%; hierro, 6%.

Queso:

Rallado para los Huesos

EFICAZ CONTRA:
- el cáncer de colon
- el síndrome premenstrual
- las caries

REFUERZA:
- los huesos

Queremos hacer una confesión: Karen no bebe leche. No ha bebido leche desde los dos años. Pero a lo largo de la vida, siempre se las ha ingeniado para consumir suficiente calcio, en gran parte, gracias al queso.

Y el calcio es esencial. ¿Por qué? "Lo mejor para evitar la osteoporosis es consumir suficiente calcio", comenta la Dra. Felicia Kausman, directora clínica de la Fundación Nacional contra la Osteoporosis (*National Osteoporosis Foundation*). "Los productos lácteos como la leche, el queso y el yogur son algunas de las principales fuentes del mineral".

CURSO SOBRE CALCIO

Esta es una breve clase sobre la forma en que el cuerpo usa el calcio. La mayoría del

RESUMEN DE INFORMACIÓN NUTRICIONAL

Queso parmesano
(2 cucharadas, rallado)

Calorías: 57

Grasas: 4 g

Grasas saturadas: 2 g

Colesterol: 10 mg

Sodio: 233 mg

Carbohidratos totales: 0 g

Fibra dietética: 0 g

Proteínas: 5 g

Calcio: 17% del valor diario

SOLUCIONES PARA COMPRAR Y PREPARAR

¿Acaso no le encanta el aroma de una tienda de quesos? ¡Es como saborear el parmesano con la nariz!

CUANDO ELIJA QUESO:

Revise la fecha de vencimiento en el paquete antes de comprarlo.

PARA ALMACENARLO:

■ Preserve el queso refrigerándolo tan pronto como sea posible.

■ Guarde el queso en su empaque original o en un recipiente hermético. Los quesos duros, como el cheddar, deberían mantenerse bien por varios meses, mientras que los quesos frescos o suaves, como el ricotta, duran de una a tres semanas.

CÓMO CONTROLAR EL MOHO:

■ Si nota moho en un queso fresco o suave, deséchelo.

■ Si observa una mancha de moho en un queso duro, corte 1/2 pulgada debajo del moho y coma el resto del queso lo antes posible.

■ Tire el queso duro que tenga más de dos manchas de moho.

Sugerencia para servir: la mayoría de los aficionados del queso prefiere dejar los quesos duros a temperatura ambiente una media hora antes de servirlos, lo que les da la oportunidad de "respirar" para realzar el sabor. Pero no haga lo mismo con los quesos frescos y no maduros, como el ricotta o el cottage, porque podrían echarse a perder.

CREACIONES CON QUESO

Ahora que sabe cuidar el queso, sea creativo.

◆ Use el de cabra. En lugar de mayonesa, unte una delgada capa de queso de cabra en un sándwich especial.

◆ Imite a los franceses. Como postre, reemplace el pedazo de pastel por queso y fruta.

calcio se almacena en los huesos, en donde les da la fuerza para sostener el cuerpo, proteger los órganos internos y trabajar con los músculos para que usted pueda moverse.

Cerca del 1% del calcio reside en el torrente sanguíneo, donde regula las paredes celulares y envía mensajes entre células.

Esto es lo que debe saber sobre el consumo de calcio:

▶ **No agote las reservas.** Es crucial que satisfaga los requerimientos de calcio, porque si se queda corto, los huesos sacrificarán parte de las reservas del mineral y se lo darán al flujo sanguíneo. Si los huesos tienen que suplir continuamente el déficit de su dieta, se vuelven débiles y propensos a las fracturas. Lamentablemente los estudios demuestran que una de cada dos mujeres sufre una fractura relacionada con la osteoporosis alguna vez en su vida.

▶ **Consuma suficiente.** Hasta los cincuenta, el requerimiento de calcio es de aproximadamente 1,000 miligramos diarios. Después el requerimiento aumenta a 1,200 miligramos diarios. La mayoría de las porciones de 1 onza de queso aportan de 170 a 210 miligramos de calcio, una buena porción del requerimiento diario. Para quienes se deleitan con comida italiana: ¡el queso parmesano ofrece unos descomunales 330 miligramos!

▶ **Enfóquese en los quesos semidescremados.** Lamentablemente muchas mujeres eliminan el queso de la dieta, o lo reducen significativamente, porque cuentan los gramos de grasas. Aunque algunos quesos, especialmente las variedades suaves como Havarti, contienen 10 gramos de grasa en una onza, otros, como el mozzarella o el ricotta semidescremados, contienen una cantidad más razonable equivalente a 5 gramos.

Alivio Rápido Para:

Calambres

Si le dan muchos calambres musculares cada vez que hace una actividad extenuante, es probable que no tenga suficiente calcio. Coma unos cuantos bocados de queso todoslos días para deshacerse de esos molestos calambres.

Gangas y Fiascos del Calcio

El queso contiene mucho calcio. El problema es que algunos tipos también contienen muchas calorías. Para determinar cuáles quesos contienen la proporción ideal, y cuáles son un fiasco, dividimos el contenido de calcio por las calorías. El resultado: el coeficiente de calcio. Mientras más alto el coeficiente, mejor.

Queso	Coeficiente de Calcio
Queso crema descremado	3.4
Parmesano	3
Ricotta semidescremado	2.9
Suizo	2.7
Mozzarella semidescremado	2.6
Romano	2.6
Edam	2.3
Gouda	2.1
Asiago	2
Monterey Jack	2
Feta	1.9
Muenster	1.9
Cheddar	1.8
Colby	1.7
Americano	1.5
Queso azul	1.5
Queso de cabra	0.52
Queso crema común	0.22

Para los platos diarios, enfóquese en quesos con menos grasas y calorías. Guarde el Brie horneado rico en grasas para los días festivos y las ocasiones especiales.

DE ÚLTIMO MINUTO

Las investigaciones más recientes sugieren que mientras consume suficiente calcio para proteger los huesos, podría ayudar al cuerpo de otras formas. Lea esto:

▶ Un estudio con más de 400 mujeres determinó que consumir 1,200 miligramos de calcio al día redujo a la mitad los síntomas del síndrome premenstrual, tal como irritabilidad e hinchazón abdominal.

▶ Otro estudio sugiere que el calcio reduce el riesgo de formación de pólipos en el colon, que pueden evolucionar en cáncer.

▶ Por último, se ha demostrado que comer un pequeño trozo de queso después de una comida estimula la producción de saliva, lo cual lava los ácidos dañinos que provocan las caries.

Tanta investigación es alentadora. Así que diga: "¡*cheese*!" (queso).

Sándwich de Queso Derretido Sin Remordimientos

¿Le encanta el queso derretido escurriéndose entre rebanadas de pan crujiente? ¡A todos nos encanta! Pruebe esta versión adulta y sin remordimientos del clásico sándwich de queso a la parrilla. ¡Se convertirá en un favorito del almuerzo!

Aceite de canola en aerosol para cocinar
4 rebanadas de queso mozzarella semidescremado
2 mitades de pimiento rojo asado
4 rebanadas de pan integral

Cubra una sartén grande antiadherente con aceite en aerosol y póngala a fuego lento-medio. Coloque 1 porción de queso, 1 mitad del pimiento y otra porción de queso sobre una rebanada de pan. Cubra con una segunda rebanada de pan. Repita con los ingredientes restantes. Cubra ligeramente la parte externa del pan, por arriba y abajo, con aceite en aerosol. Coloque los sándwiches en la sartén caliente. Cocine hasta que se dore la parte inferior de cada sándwich (de 2 a 3 minutos) y voltee. Continúe cocinando hasta que el otro lado comience a dorarse (unos 2 minutos). Retire de la sartén. Deje enfriar por 1 minuto y luego corte cada sándwich a la mitad.

Variación: sustituya el queso mozzarella por porciones de queso americano semidescremado o con un 2% de grasas.

Porciones: dos.

Datos nutricionales por porción: calorías, 242; proteínas, 13 g; carbohidratos, 34 g; fibra, 4 g; grasas, 7 g; grasas saturadas, 3 g; colesterol, 11 mg; sodio, 540 mg; calcio, 20% del valor diario; hierro, 20%.

Salsa de Queso y Moras

Si ya se aburrió del aderezo ranch o de cebolla en las fiestas, pruebe esta sabrosa alternativa. Una advertencia: haga copias de la receta con anticipación. Sus invitados se la pedirán: ¡garantizado!

¾ taza de queso ricotta semidescremado
¼ taza de yogur natural semidescremado
3 cucharadas de jalea de mora
¼ cucharadita de extracto de vainilla
⅓ taza de moras ligeramente machacadas con un tenedor

En un procesador de alimentos, mezcle el queso, el yogur, la jalea y el extracto de vainilla hasta integrar. Agregue las moras y mezcle. Refrigere hasta que se espese.

Porciones: seis.

Datos nutricionales por porción: calorías, 80; proteínas, 4 g; carbohidratos, 10 g; fibra, 0 g; grasas, 3 g; grasas saturadas, 2 g; colesterol, 10 mg; sodio, 47 mg; calcio, 11% del valor diario; hierro, 2%.

Quinua:

¡Es Novedosa!

EFICAZ CONTRA:
- el cáncer
- la diabetes
- las enfermedades cardíacas
- los accidentes cerebrovasculares

REFUERZA:
- la función inmunológica
- la regularidad

Cuando Colleen era niña, pasaba mucho tiempo con los caballos. Los montaba, pero también le gustaba limpiar los establos y lustrar las sillas y bridas. Y le encantaba darles de comer. Siempre disfrutó los olores maravillosos de los silos de granos que flotaban por el aire. Ahora, cuando cocina quinua, la nariz reconoce ese aroma familiar a grano, y añora a los caballos.

NO BROMEAMOS

La quinua no es el mismo grano que ella les daba de comer a los caballos. Pero tiene un aroma similar: limpio, fresco y terroso. Y en granos integrales, la quinua es lo mejor que hay.

Es un grano muy pequeño que empieza como una semilla de ajonjolí y cuadriplica su tamaño cuando se cocina. Coloca 1 taza de granos en una olla con algo de agua y, cuando levanta la tapadera, tiene una olla llena (es casi tan sorprendente como preparar palomitas de maíz, pero sin el ruido).

Los granos cocidos se convierten en perlas miniatura traslúcidas. Cada uno tiene una "cola" dorada minúscula, que se forma cuando el germen gira como apartándose del grano. La quinua es sorprendente-

SOLUCIONES PARA COMPRAR Y PREPARAR

Encontrará quinua en la tienda local de alimentos saludables o naturales, e incluso en algunos supermercados más grandes.

CUANDO ELIJA QUINUA:

Compre cajas pequeñas que no parezcan llevar 12 años en la góndola.

CUANDO ESTÉ LISTO PARA USARLA:

Para preparar quinua, póngala en un colador de malla fina y lávela con agua del grifo para quitar el polvo fino. Agregue 1 taza de quinua y 2 tazas de agua en una olla de 1 ½ cuarto. Lleve a ebullición. Cubra y hierva a fuego lento por unos 15 minutos, o hasta que se haya absorbido el agua. Es generosa: terminará con una olla llena. El suave sabor de la quinua es una excelente combinación para platos dulces y gustosos.

CONOZCA LA QUINUA

Estas son algunas sugerencias para agregar quinua al menú semanal:

◆ **Como relleno.** Use quinua cocida en lugar de arroz cuando prepare pimientos rellenos o rollos de repollo.

◆ **Cocínela.** Reemplace el arroz por quinua cocida para preparar "puré de quinua".

◆ **Mézclela.** Incorpore quinua cocida a los vegetales salteados para preparar pilaf. Pruebe nuestra "Quinua Pilaf" (pág. 382).

◆ **Agréguela.** Mezcle quinua cocida fría con vegetales frescos picados y su aderezo favorito para preparar una fresca ensalada de verano.

◆ **Hágala jugo.** Cocine la quinua en jugo de frutas en lugar de agua. Sírvala con nueces picadas para el desayuno.

◆ **En sopas.** Revuelva una cucharada o dos de quinua seca en la sopa unos minutos antes de servirla.

mente ligera y esponjosa, no es pesada y almidonosa como el arroz o la cebada (piense en la diferencia entre el arroz normal cocido y el cereal de arroz inflado).

El sabor es muy suave. Probablemente hasta sea desabrida. Pero puede ser una buena opción para las personas a quienes les desagrada el sabor fuerte y ligeramente amargo del trigo integral.

UNA CARRETADA DE NUTRIENTES

Lo que hace que la quinua sea una maravilla es que está repleta de nutrientes. Contiene más proteínas que cualquier otro grano, y sobresale del grupo de proteínas vegetales, porque aporta la gama completa de aminoácidos que la hacen tan completa como la carne. Y sus alforjas están cargadas con el triple de vitamina E y el doble de calcio, hierro, magnesio y potasio de otros granos. Incluso tiene un poco más de cinc. También tiene mucha fibra, y sus 2 gramos de grasas por cada porción de ¾ taza son grasas monoinsaturadas y poliinsaturadas saludables para el corazón.

UN APORTE DE SALUD

La quinua ofrece los mismos beneficios que los otros granos integrales. Varios estudios demuestran que las personas que comen más granos integrales tienen menos probabilidades de tener un ataque al corazón o un accidente cerebrovascular, y menos probabilidades de sufrir de cáncer y desarrollar diabetes. Los fitoquímicos (sustancias químicas naturales de las plantas) de los granos integrales parecen estimular la función inmunológica, la cual no previene evita los resfriados y la gripe, sino que también combate enfermedades graves como el cáncer. Y la fibra insoluble de los granos integrales mantiene el buen funcionamiento de los intestinos, lo que evita el estreñimiento y la diverticulosis.

¡Son muchos caballos de fuerza para un grano tan minúsculo!

RESUMEN DE INFORMACIÓN NUTRICIONAL

Quinua (¾ taza, cocida)

Calorías: 127

Grasas: 2 g

Grasas saturadas: 0 g

Colesterol: 0 mg

Sodio: 7 mg

Carbohidratos totales: 23 g

Fibra dietética: 2 g

Proteínas: 4 g

Vitamina E: 11% del valor diario

Cobre: 14%

Hierro: 17%

Potasio: 18%

DE RÁPIDA COCCIÓN

Y esta es la mejor noticia para todos los que están muy ocupados: a diferencia de otros granos integrales que tardan de 45 a 60 minutos en cocinarse, la quinua pasa del paquete a la mesa en solo 15 minutos. ¿Qué está esperando? Ensille el caballo y cabalgue hasta la tienda de abarrotes para comprar un suministro fresco.

Desayuno Reconfortante con Quinua

Si le gusta el cereal de grano integral calentito, pero prefiere un sabor más suave (como el de la crema de trigo), este es el tazón para usted. ¡Tome una cuchara!

1 taza de quinua seca
2 tazas de agua
¼ taza de mezcla de frutas tropicales deshidratadas *Sun-Maid*
2 cucharadas de pacanas tostadas y picadas
2 cucharadas de azúcar morena
Una pizca de especias para tarta de calabaza
1 taza de leche descremada

Coloque la quinua en un colador de malla fina y enjuáguela bajo el chorro de agua corriente hasta que el agua salga limpia. Coloque la quinua en una sartén, agregue el agua y lleve a ebullición. Cubra y hierva a fuego lento por 15 minutos, o hasta que se haya absorbido el agua. Agregue la fruta deshidratada, las pacanas, el azúcar morena y las especias para tarta de calabaza. Con un cucharón, sirva en dos tazones. Agregue a cada uno ½ taza de leche.

Porciones: dos.

Datos nutricionales por porción: calorías, 352; proteínas, 11 g; carbohidratos, 61 g; fibra, 4 g; grasas, 8 g; grasas saturadas, menos de 1 g; colesterol, 2 mg; sodio, 76 mg; vitamina B2 (riboflavina), 21% del valor diario; vitamina D, 25%; vitamina E, 16%; calcio, 20%; cinc, 15%.

Quinua Pilaf

Este acompañamiento es más liviano que el arroz, pero es rico en nutrientes. ¡Y también es colorido!

¼ taza de zanahoria en cubos
¼ taza de pimiento rojo picado
¼ taza de pimiento verde picado
½ taza de cebolla en cubos
1 diente de ajo finamente picado
1 cucharadita de aceite de oliva
½ taza de quinua seca
2 tazas de caldo de pollo sin grasa
1 cucharadita de albahaca seca
2 cucharadas de almendras tostadas y partidas

En una sartén grande, saltee la zanahoria, los pimientos, la cebolla y el ajo en el aceite hasta que estén suaves. Reserve. Coloque la quinua en un colador de malla fina y enjuáguela bajo el chorro de agua corriente hasta que el agua salga limpia. Coloque la quinua en una sartén, agregue el caldo y la albahaca, y lleve a ebullición. Cubra y hierva a fuego lento por 15 minutos, o hasta que se haya absorbido el agua. Agregue los vegetales. Divídala en dos platos. Cubra cada uno con 1 cucharada de las almendras.

Porciones: dos.

Datos nutricionales por porción: calorías, 292; proteínas, 14 g; carbohidratos, 41 g; fibra, 6 g; grasas, 8 g; grasas saturadas, menos de 1 g; colesterol, 0 mg; sodio, 195 mg; vitamina A, 118% del valor diario; vitamina C, 51%; vitamina E, 27%; hierro, 37%; magnesio, 30%; cinc, 12%.

Rábano Picante:

Condimento contra el Cáncer

EFICAZ CONTRA:
- el cáncer
- la intoxicación por alimentos
- las enfermedades cardíacas
- la congestión nasal

REFUERZA:
- la cicatrización de las heridas

E s muy fácil rechazar el rábano picante. Es esa sustancia gris pastosa que se agrega al Bloody Mary o se esparce en un sándwich de rosbif.

Pero es un condimento que debería respetar y usar más. Un poco de esta poderosa verdura de raíz proporciona una cantidad sorprendente de nutrientes beneficiosos.

ASISTENTE Y SANADOR DEL CORAZÓN
Tan solo 2 cucharadas de rábano picante fresco o preparado proporcionan el 12% de la vitamina C que necesita diariamente. ¿Quién lo habría adivinado?

A la larga, parece ser que la vitamina C previene las enfermedades cardíacas y el cáncer. A corto plazo, acelera la cicatrización de

RESUMEN DE INFORMACIÓN NUTRICIONAL

Rábano picante preparado (2 cucharadas)

Calorías: 14

Grasas: 0 g

Grasas saturadas: 0 g

Colesterol: 0 mg

Sodio: 94 mg

Carbohidratos totales: 3 g

Fibra dietética: 6 g

Proteínas: 1 g

Folato: 4% del valor diario

Vitamina C: 12%

heridas, así que se recuperará antes de las cortadas que se hizo al afeitarse o incluso del tratamiento de canales.

Pero lo que entusiasma a los investigadores no es la vitamina C del rábano picante. Después de todo, las frutas cítricas y los pimientos rojos contienen mucha más vitamina C que el rábano picante.

NEUTRALIZADOR DE TOXINAS

Lo que hace felices a los investigadores en nutrición es un grupo de compuestos difícil de pronunciar: los isotiocianatos. Se han hecho estudios que han determinado que, por lo menos en los tubos de ensayo, los isotiocianatos parecen desactivar algunas sustancias químicas antes de que desencadenen el cáncer. Los científicos piensan que los isotiocianatos pueden ser especialmente útiles para prevenir el cáncer de boca, faringe, pulmón, estómago, colon y recto.

DESTRUCTOR DE BACTERIAS

Y esa no es la única noticia prometedora sobre estos compuestos. Según lo que sugieren los estudios, que ayudan a combatir la listeria, la E. coli y otras bacterias patógenas responsables de que padezcamos intoxicaciones alimentarias. No hay forma de predecir cuándo llegarán estas bacterias a los alimentos, especialmente a los sándwiches. Entonces, ¿por qué no agregar un poco de rábano picante a su sándwich? Le dará un sabor excelente y usted tendrá más tranquilidad.

Alivio Rápido Para:

Nariz Congestionada

¿El resfriado lo tiene tirado? ¿Tampoco puede respirar? Unte bastante rábano picante preparado sobre una galleta de soda y cómala lentamente. Los vapores del rábano picante llegarán a la parte posterior de la nariz y la descongestionarán. ¡Hasta la mayor congestión desaparecerá con el efecto de tres galletas de soda!

SOLUCIONES PARA COMPRAR Y PREPARAR

Para comprar rábano picante, tiene tres opciones: el preparado, la raíz fresca o la salsa.

La mayoría opta por el rábano picante preparado. Viene en un frasco y generalmente está mezclado con vinagre (si el rábano picante es rojo, se lo ha mezclado con vinagre y jugo de remolacha).

CUANDO ELIJA RÁBANO PICANTE FRESCO:

¿Prefiere la opción fresca? Preste atención: el rábano picante fresco tiene un sabor más picante y un olor mucho más acre que el preparado. Si opta por lo fresco, siga estas pautas:

■ Seleccione raíces firmes.

■ Guárdelos en una bolsa plástica en el refrigerador, en donde se conservarán hasta por una semana.

■ Antes de rallar las raíces blancas y carnosas, límpielas y corte la cáscara.

EMPIECE A JUGUETEAR

El rábano picante puede echar raíces en su cocina de estas maneras:

◆ **Mézclelo con mostaza.** Claro que podría comprar mostaza con rábano picante, pero cuesta más y probablemente tenga demasiado o muy poco rábano picante para su gusto. Así que incorpore rábano picante en su marca favorita de mostaza. ¡Con esto le inyectará nueva vida a su sándwich de rosbif, pavo o jamón!

◆ **Prepare una salsa cremosa.** Revuelva 3 cucharadas de rábano picante en 1 taza de crema agria reducida en grasas, yogur natural o aderezo francés. Obtendrá una pasta agria ideal para tiras de pimiento rojo, ramitas de brócoli y zanahorias miniatura.

Pan Pita con Atún

Lo siento, Charlie, pero nos aburre el mismo atún de siempre. El rábano picante brinda al atún de lata estándar una bien merecida mejora en el sabor.

1 lata (6 onzas) de atún en agua escurrido
⅓ taza de mayonesa sin grasa o reducida en grasas
⅓ taza de yogur natural reducido en grasas
¼ taza de rábano picante preparado
1 cebolla morada en cubos
½ taza de zanahoria rallada
2 cucharadas de pepinillos
2 hojas de lechuga romana
4 rebanadas de tomate
2 bolsillos de pan pita de trigo calientes

En un tazón mediano, mezcle el atún, la mayonesa, el yogur, el rábano picante, la cebolla, las zanahorias y los pepinillos. Cubra y refrigere, por lo menos, durante 1 hora para mezclar los sabores. Rellene cada bolsillo con la mitad de la ensalada de atún, 1 hoja de lechuga y 2 rodajas de tomate.

Porciones: dos.

Datos nutricionales por porción: calorías, 337; proteínas, 28 g; carbohidratos, 51 g; fibra, 6 g; grasas, 3 g; grasas saturadas, 1 g; colesterol, 26 mg; sodio, 961 mg; calcio, 13% del valor diario; hierro, 23%.

Rábano:
El Crujido que Combate el Cáncer

EFICAZ CONTRA:
- el cáncer

REFUERZA:
- el control del peso

Cuando ofrecemos una fiesta (grande o pequeña, para amigos o parientes), siempre tenemos un plato de vegetales. Para nosotros, es tan esencial como comprar una buena botella de vino o preparar un postre memorable. ¿Qué tiene de esencial este plato? Casi siempre, bastoncitos de zanahoria, tiras de pimiento rojo, rebanadas de apio y trocitos de rábano. La mayoría de la gente cree que el rábano sólo agrega un poco de color, pero nosotros queremos que nuestros invitados lo coman. Su sabor ligeramente picante contrasta de manera agradable con los vegetales de menos sabor; además está lleno de compuestos eficaces contra el cáncer. ¿Se le ocurre un mejor regalo?

LOS RÁBANOS SON LO MÁXIMO

Como el brócoli, las coles de Bruselas y la coliflor, los rábanos son crucíferas. Los compuestos de este tipo de vegetales pueden reducir el riesgo de padecer cáncer; especialmente los de próstata, colon, vejiga y estómago. En un estudio que se realizó en Alemania con casi 1,500 personas, los investigadores determina-

RESUMEN DE INFORMACIÓN NUTRICIONAL

Rábanos rojos (8)

Calorías: 6

Grasas: 0 g

Grasas saturadas: 0 g

Colesterol: 0 mg

Sodio: 9 mg

Carbohidratos totales: 1 g

Fibra dietética: 1 g

Proteínas: 0 g

Vitamina C: 14% del valor diario

SOLUCIONES PARA COMPRAR Y PREPARAR

Algunos supermercados tienen diferentes variedades de rábanos. Todos ofrecen rábanos rojos (los que ha visto toda la vida), rábanos blancos japoneses (grandes, en forma de zanahoria) y rábanos negros (color café oscuro o negro opaco con el interior blanco). Probablemente prefiera los rábanos rojos, pero por si se siente aventurero, también le diremos los secretos de las otras variedades.

CUANDO ELIJA RÁBANOS ROJOS:

■ Elija los que estén lisos, firmes, bien formados y sean de color vivo.

■ No compre los grandes (no le gustará el sabor), ni los que estén rajados o manchados.

CUANDO ELIJA RÁBANOS BLANCOS JAPONESES:

Asegúrese de que estén firmes y uniformes, y que tengan la piel brillante.

CUANDO ELIJA RÁBANOS NEGROS:

Elija los sólidos, pesados y que no estén rajados.

La siguiente regla se aplica a los tres tipos: si va a comprar rábanos con las hojas (los venden con y sin hojas), asegúrese de que las hojas se vean frescas.

PARA ALMACENARLOS:

■ Quíteles las hojas.

ron que los rábanos y las cebollas disminuyen significativamente las probabilidades de desarrollar cáncer de estómago, mientras que las salchichas lo aumentan, lo cual no es ninguna sorpresa.

Lo más probable es que nunca coma tantos rábanos como brócoli y otros miembros de la familia de las crucíferas. Pero cada bocado ayuda. Con solo agregar unas rebanadas de rábano a sus sándwiches o ensaladas, logrará acumular una o dos porciones adicionales de vegetales cada

■ Guarde los rábanos dentro de una bolsa plástica en el refrigerador. Los rábanos rojos y los blancos japoneses se mantienen bien por una semana; los rábanos negros pueden mantenerse frescos por meses. Solo ábrale agujeros a la bolsa plástica para que permanezcan secos.

CUANDO ESTÉ LISTO PARA CONSUMIRLOS:

■ Corte los extremos de los tallos y las puntas.

■ Lave los rábanos con cuidado.

■ No es necesario pelar ninguna variedad de rábano, excepto los negros cuando tienen la piel gruesa.

VUÉLVASE FANÁTICO DE LOS RÁBANOS

Consuma rábanos en estas formas atractivas:

◆ **Coloree vegetales.** Rebane rábanos rojos junto con zanahorias, apio y otros vegetales, y sírvalos con una salsa light, por ejemplo, la ranch.

◆ **Revitalice la ensalada de repollo.** Agregue ½ taza de rábanos negros o rojos en rebanadas a su ensalada de repollo favorita. ¡Qué contraste de colores!

◆ **Agréguelo a sándwiches.** Mezcle rábanos picados con las ensaladas de huevo, atún o pollo. O añada rebanadas de rábano al pan pita de vegetales o al sándwich club de pavo.

◆ **Condimente un plato salteado.** Rebane tiras de rábano blanco japonés y mézclelo en el wok con otros vegetales.

semana con una cantidad mínima de calorías. Y eso podría ser justo lo que necesita para prevenir el cáncer en el largo plazo.

SECRETOS PARA MANTENERSE DELGADO

Es probable que cuando trata de perder peso, esté siempre con hambre, porque su estómago está acostumbrado a tener un volumen más grande de alimentos. Puede engañar a su estómago y hacerle creer que está lleno; para ello, hártese con alimentos reducidos en calorías y de mucho volumen, como los rábanos. Ocho rábanos tienen apenas 6 (sí, seis) calorías. Cómalos solos o con un poco de yogur descremado. O venga a una de nuestras casas cuando hagamos una fiesta; habrá rábano en el plato de vegetales.

Ensalada de Pasta Fría

Cuando prepare esta ensalada para los picnics del verano, tenga a la mano copias de la receta.

½ libra de pasta en forma de conchas me-dianas
2 tazas de lechuga romana picada
1 taza de rábanos rojos rebanados
¼ taza de albahaca fresca picada
½ taza de aderezo de vinagreta con aceite de oliva
4 onzas de queso Asiago en trocitos

Cocine la pasta de acuerdo con las instrucciones del paquete. Escúrrala bien y pásela por agua fría. Pase la pasta a un tazón grande. Agregue la lechuga, los rábanos, la albahaca, la vinagreta y el queso. Mezcle y luego cubra y deje enfriar 1 hora antes de servir.

Porciones: seis.

Datos nutricionales por porción: calorías, 157; proteínas, 8 g; carbohidratos, 13 g; fibra, 1 g; grasas, 8 g; grasas saturadas, 3 g; colesterol, 17 mg; sodio, 261 mg; calcio, 20% del valor diario; hierro, 5%.

Remolacha:

Corazón Saludable
para Su Corazón

EFICAZ CONTRA:
- el cáncer
- la diabetes
- las enfermedades cardíacas

REFUERZA:
- la regularidad

Hace mucho tiempo, los amiguitos de juego de Colleen le dieron con orgullo un manojo de remolachas frescas de su propio jardín trasero. Colleen se fue corriendo a casa, ansiosa de que su mamá las cocinara para la cena. Lamentablemente, el sabor a tierra no fue del agrado de Colleen (estudios recientes indican que los niños necesitan probar 15 veces un nuevo alimento para considerarlo comestible). Así dejó a un lado las remolachas. No parecía ser mucho problema, ya que los nutricionistas no ponían a las remolachas en un lugar prioritario. Después de todo, ofrecían cantidades triviales de las "grandes" vitaminas, tales como la A y la C (¿quién conocía entonces los fitoquímicos?).

Posteriormente, esos libros de dietas ricas en proteínas y pobres en carbohidratos comenzaron a criticar a las remolachas. Los autores creían que la remolacha estaba repleta de componentes dulces que elevaban el azúcar en sangre y la insulina, además de causar resistencia a la insulina y hasta diabetes. No es así.

Hoy en día, la remolacha luce mejor, ahora que finalmente se develaron los hechos.

DERROTE A LAS ENFERMEDADES CARDÍACAS CON REMOLACHA

Por alguna razón, la remolacha parece un pequeño corazón. Una taza de remolachas frescas proporciona un tercio del requerimiento diario de folato. Es la vitamina B la que conserva la homocisteína bajo control, a fin de que no desencadene un ataque al corazón (obtener suficiente folato también reduce significativamente los defectos de nacimiento del tubo neural).

DERROTE AL CÁNCER CON REMOLACHA

La betacianina es el fitoquímico que le da a la remolacha el color rojo profundo. También combate el cáncer. En Rusia se realizaron estudios que sugieren que el jugo de remolacha inhibe la mutación de células saludables en células cancerígenas.

COLORANTE SEGURO

¿Necesita un colorante alimenticio rojo saludable? Reemplace el colorante artificial por jugo de remolacha. Las pruebas demuestran que, a diferencia de algunos colorantes artificiales, el jugo de remolacha es seguro, porque no estimula el crecimiento de células cancerígenas en el hígado.

DERROTE A LA DIABETES CON REMOLACHA

La remolacha tiene la mala reputación de elevar los niveles de azúcar en sangre. El problema es este: cuando come carbohidratos, se convierten en azúcar en la sangre (glucosa). En la sangre, la glucosa se une a la insulina, que persuade a las células a abrirse para que entre la glucosa, de modo que pueda usarse como combustible.

Las células de algunas personas son reacias a cooperar, es decir, son resistentes a la insulina. La resistencia a la insulina se ha vinculado a las enfermedades cardíacas, la hipertensión y la diabetes. Algunos alimentos con carbohidratos elevan lentamente el azúcar en la sangre y facilitan que las células resisten-

RESUMEN DE INFORMACIÓN NUTRICIONAL

Remolacha fresca cocida (1 taza)

Calorías: 75

Grasas: 0 g

Grasas saturadas: 0 g

Colesterol: 0 mg

Sodio: 484 mg

Carbohidratos totales: 17 g

Proteínas: 3 g

Fibra dietética: 3 g

Folato: 34% del valor diario

Vitamina A: 1%

Vitamina C: 7%

Calcio: 3%

Hierro: 7%

SOLUCIONES
PARA COMPRAR
Y PREPARAR

Las remolachas frescas vienen en una gama de tamaños: desde las miniaturas del tamaño de un rábano hasta las gigantes de 2 ½ pulgadas de diámetro. Las miniaturas son una delicia gourmet y pueden ser caras. Las gigantes pueden saber a madera y ser duras. Así que busque las remolachas medianas, de aproximadamente 1 ½ pulgada de diámetro. Estas remolachas tiernas son perfectas para la mayoría de los usos.

CUANDO ELIJA REMOLACHAS:

■ Compre remolachas lisas, macizas, redondas y de un rojo profundo con delgados hilos radiculares.

■ Todas sus hojas deben ser pequeñas, frescas y verdes

PARA ALMACENARLAS:

■ Antes de almacenarlas, córteles las hojas a una longitud de 1/2 pulgada. Si ya se han recortado las hojas, asegúrese de que tengan, por lo menos, ½ pulgada de tallo.

■ Deje unas 2 pulgadas de raíz primaria, también, para evitar que manchen todo.

■ Almacene las remolachas frescas en una bolsa plástica en el refrigerador, en donde se mantendrán hasta por tres semanas.

CUANDO ESTÉ LISTO PARA USARLAS:

■ Antes de cocinarlas, lávelas bien, pero suavemente, sin romper la cáscara. Déjeles los tallos cortos y las raíces primarias para que mantengan el color.

■ Después de cocinarlas, pélelas y córtelas en rodajas o en cubos. Agrégueles vinagre o jugo de limón para que conserven el tono carmesí.

tes acepten la insulina. Otros carbohidratos elevan rápidamente el azúcar en la sangre, lo que agrava el problema.

Se creía que las remolachas eran un factor que la elevaba rápidamente. Pero resultó ser que el efecto es simplemente moderado. Una taza llena de remolachas cocidas contiene casi la misma cantidad de carbohidratos que una rebanada de pan integral y eleva el azúcar en la sangre aún más lentamente. ¡Así que coma remolacha!

CAMINE AL BAÑO CON LAS REMOLACHAS

Las remolachas son una generosa fuente de fibra: unos 3 gramos por taza. La mayoría de los estadounidenses consume la mitad de los 20 a 35 gramos recomendados de fibra que se necesitan diariamente para un funcionamiento intestinal óptimo. Y el estreñimiento produce cansancio, malhumor e irritabilidad. ¿Quién lo necesita? Beba un vaso de agua, coma remolacha y póngase en movimiento.

Sopa Fría de Remolacha

En Rusia, se la llama borscht. Pero en los Estados Unidos, esta sopa es un saludable plato fresco para el verano. ¡Sonría cuando vea el impresionante color rosado! Cuando el viejo y barbado invierno convierta su casa en Siberia, caliente la sopa para que lo reconforte.

1 lata (15 onzas) de remolachas en rodajas con su jugo
1 lata (14 ¾ onzas) de consomé de pollo reducido en grasa y en sodio
1 cucharada de cebolla deshidratada picada
1 cucharada de eneldo deshidratado
1 cucharadita de miel
2 cucharadas de vinagre de vino tinto
1 taza de yogur natural descremado

En una licuadora, haga puré las remolachas y el jugo hasta que tomen una consistencia suave. Pase la mezcla a un tazón mediano. Integre el consomé, la cebolla, el eneldo, la miel, el vinagre y el yogur. Refrigere o caliente apenas un poco (no lleve a ebullición).

Porciones: cuatro.

Datos nutricionales por porción: calorías, 88; proteínas, 7 g; carbohidratos, 14 g; fibra, 1 g; grasas, 0 g; grasas saturadas, 0 g; colesterol, 1 mg; sodio, 97 mg; folato, 8% del valor diario; calcio, 14%; hierro, 10%; potasio, 7%.

Repollo Chino:

El Secreto de la Buena Salud

EFICAZ CONTRA:
- el cáncer
- la hipertensión

REFUERZA:
- los huesos
- la cicatrización de las heridas

A Colleen le encanta preparar platos salteados: es una excelente forma de convertir un poco de carne o pollo en una gran montaña de comida cuando le mezcla muchos vegetales. Es una de sus armas secretas para cambiar las porciones en el plato de su esposo Ted. Y últimamente, ha empezado a agregar repollo chino, un vegetal con un secreto.

Asocie mentalmente el repollo chino con el apio. Es aproximadamente del mismo tamaño que los robustos tallos de apio de la época del Día de Acción de Gracias. Pero los tallos son de color blanco puro, y las hojas planas y rugosas son de un color verde oscuro. ¡Muy llamativo! Probablemente lo haya visto en los platos de comida asiática de los restaurantes. Los restaurantes lo sirven cortado a lo ancho, en el mismo estilo que se corta la le-

RESUMEN DE INFORMACIÓN NUTRICIONAL

Repollo chino (1 taza)

Calorías: 20

Grasas: 0 g

Grasas saturadas: 0 g

Colesterol: 0 mg

Sodio: 58 mg

Carbohidratos totales: 3 g

Fibra dietética: 3 g

Proteínas: 3 g

Folato: 17% del valor diario

Vitamina A: 87%

Vitamina C: 49%

Calcio: 16%

SOLUCIONES PARA COMPRAR Y PREPARAR

Aunque el repollo chino alguna vez se consideró exótico, actualmente muchos supermercados lo ofrecen en el sector de productos frescos.

CUANDO ELIJA REPOLLO CHINO:

■ Compre repollos con tallos blancos y fuertes, sin cortes ni golpes.

■ Busque hojas de color verde oscuro. Si son de color verde pálido o amarillas, están envejeciendo y perdiendo las vitaminas.

PARA ALMACENARLO:

Guarde el repollo chino en la gaveta de vegetales del refrigerador y úselo en los siguientes días. Las crucíferas se marchitan rápido y cambian de sabor si se guardan por mucho tiempo.

CUANDO ESTÉ LISTO PARA USARLO:

Separe los tallos, lávelos bien y séquelos con cuidado.

AVENTURAS EXÓTICAS

Prepárese para tener aventuras exóticas. Corte los tallos a lo ancho y agregue un poco de repollo chino a los platos de todos los días. Pruebe estas sugerencias para prepararlo:

◆ **Convierta las ensaladas en una sensación.** Reemplace la mitad de la lechuga por repollo chino. Las hojas oscuras crean una base exuberante para las verduras con color.

◆ **Agréguele chispa a los sofritos.** El repollo chino añade volumen, fibra, vitaminas y minerales a los platos salteados (consulte "Repollo Chino con Fideos de Arroz" en la página 409), pero muy pocas calorías.

◆ **Refuerce las sopas.** Duplique la nutrición de las sopas enlatadas. Agrégueles una taza o dos de repollo chino y deje hervir a fuego lento de 2 a 3 minutos.

chuga romana para la ensalada César. Ha de estar pensando: "Ah, sí, esa cosa".

CRUCÍFERA CRUJIENTE

El repollo chino es un miembro asiático muy educado de la familia del repollo conocida como crucíferas. Al ser una crucífera, el repollo chino está relacionado con el repollo, el brócoli, la coliflor, la col rizada, el colinabo y el nuevo bebé de la familia, el broccolini.

Las crucíferas han sido reconocidas por ser muy eficaces en la lucha contra el cáncer. Pero ese no es el gran secreto del repollo chino.

VÁLVULA DE ALIVIO DE PRESIÓN

Es sabido que comer abundantes frutas y vegetales (de 8 a 11 porciones) todos los días, con un par de productos lácteos, puede reducir la presión arterial tan bien como los medicamentos. ¿Por qué? Probablemente por el trabajo en equipo de todos los nutrientes. Pero parte de la respuesta es el potasio, que en altas dosis ha demostrado reducir la presión arterial. Y el repollo chino es rico en potasio; tiene más que el banano y el jugo de naranja del desayuno. Pero ese tampoco es el gran secreto del repollo chino.

BUENO PARA LOS HUESOS

Llegó el momento de develar el secreto: ¡el repollo chino es rico en calcio! Una taza aporta tanto calcio para los huesos como medio vaso de leche; una abundancia inusual para un alimento no lácteo.

Y la parte especialmente fabulosa es que el calcio del repollo chino sí se puede absorber (a diferencia de lo que ocurre con el calcio de otros vegetales como la espinaca) igual de fácil que el calcio de la leche. Por ese motivo, el repollo chino es especialmente importante para los vegetarianos que no comen lácteos.

Además del calcio, también recibirá algo de manganeso y hierro, necesarios para la salud de los huesos y la sangre.

Alivio Rápido Para:

ortadas, adrastros e ncisiones

l repollo chino es co en vitamina C. na taza aporta la itad del requerimiento diario. Y unque la vitamina no curará el resfriado, ayudará en a cicatrización de eridas: desde cortadas con papel y adrastros hasta inisiones uirúrgicas.

Repollo Chino con Fideos de Arroz

4 onzas de fideos de arroz delgados
1 cucharada de salsa de soya reducida en sodio
2½ cucharaditas de salsa de pescado
2½ cucharaditas de azúcar
1 cucharada de semillas de ajonjolí
1 cucharada de aceite de maní
2 dientes de ajo grandes finamente picados o prensados
½ taza de cebolla en rodajas finas
½ taza de zanahorias miniatura
2 tazas de repollo chino en rodajas delgadas
1 taza de pimientos verdes, rojos y amarillos
picados y mezclados
6 onzas de solomillo de cerdo cortado en porciones y partido.

Cubra los fideos de arroz con agua caliente, déjelos en remojo 5 minutos y escúrralos. Resérvelos. En un tazón pequeño, mezcle la salsa de soya, la salsa de pescado y el azúcar hasta que el azúcar se disuelva. Reserve. En un wok a fuego alto, tueste las semillas de ajonjolí hasta que se doren. Páselas a un tazón pequeño y déjelas aparte.
Caliente el aceite en el wok a fuego alto. Agregue el ajo, la cebolla y las zanahorias y cocine por 3 minutos, revolviendo constantemente. Incorpore el repollo chino, los pimientos y el cerdo y cocine por 3 minutos, revolviendo constantemente. Añada los fideos y la salsa. Cocine hasta que los fideos se calienten, revolviendo hasta que los vegetales y los fideos estén bien mezclados. Divida en dos platos grandes. Decore con las semillas de ajonjolí.

Porciones: dos.

Datos nutricionales por porción: calorías, 543; proteínas, 33 g; carbohidratos, 68 g; fibra, 5 g; grasas, 15 g; grasas saturadas, 3 g; colesterol, 67 mg; sodio, 956 mg; folato, 26% del valor diario; vitamina A, 225%; vitamina C, 167%; vitamina E, 12%; calcio, 14%; cobre, 14%; hierro, 22%; magnesio, 22%; manganeso, 22%; cinc, 22%.

Repollo:

Un Alemán Vigoroso

EFICAZ CONTRA:
- el cáncer
- las enfermedades cardíacas
- los accidentes cerebrovasculares

REFUERZA:
- los huesos
- la vista

P obre repollo! Nadie lo entiende. Es un vegetal rico en sustancias que combaten el cáncer, que curan el corazón, que forman hueso, y nadie quiere cocinarlo porque no les gusta su olor (mejor dicho, su hediondez).

Pues tenemos buenas noticias: ¡el repollo molesta a la nariz porque lo cocina demasiado! La solución: sáquelo de la olla en un santiamén.

EL PRIMERO DE LA CLASE

Junto con el brócoli y la col rizada, el repollo es una crucífera. Mientras que el brócoli ha recibido toda la gloria, los científicos han determinado que el repollo es tan saludable como el brócoli (¡o más!).

"El repollo contiene, al menos, 11 de las 15 familias de compuestos vegetales que

RESUMEN DE INFORMACIÓN NUTRICIONAL

Repollo morado
(1 taza, rallado)

Calorías: 20

Grasas: 0 g

Grasas saturadas: 0 g

Colesterol: 0 mg

Sodio: 30 mg

Carbohidratos totales: 8 g

Fibra dietética: 1 g

Proteínas: 4 g

Vitamina C: 70% del valor diario

Calcio: 4%

SOLUCIONES PARA COMPRAR Y PREPARAR

Es fácil examinar cómo se ve el repollo fresco.

CUANDO ELIJA REPOLLO:

■ Busque cabezas firmes y bien cortadas. Cada cabeza no debería tener más de tres o cuatro hojas exteriores, las cuales no deberían estar dañadas por los gusanos (los gusanos pueden penetrar hasta el interior).

■ Busque que las hojas estén crujientes y el tallo seco.

■ Evite las cabezas con hojas amarillas, una señal de que el repollo lleva ahí demasiado tiempo.

PARA ALMACENARLO:

■ Guarde el repollo en una bolsa plástica en el refrigerador para que retenga la vitamina C. La mayoría de los tipos de repollo se mantiene bien por unas dos semanas, pero el repollo Savoy dura solo una semana.

■ Lave el repollo en agua fría después de cortarlo.

■ Rocíe con jugo de limón la parte de la cabeza que no use, para evitar que se oscurezca, luego cúbrala con plástico. Use las sobras en los próximos días.

previen el cáncer", comenta la Dra. Wendy Demark, R.D., investigadora en el Centro Integral del Cáncer de la Universidad de Duke en Durham, Carolina del Norte.

RECIBE LA MEJOR CALIFICACIÓN POR LOS INDOLES

Entre los principales compuestos están los indoles, que podrían destruir las sustancias carcinógenas o detener el proceso en sus comienzos.

En el Hospital de la Universidad Rockefeller en la Ciudad de Nueva York, los investigadores extrajeron un indol específico del repo-

CINCO CAMINOS AL CIELO DEL REPOLLO

Estos son algunos consejos para incluir más repollo delicioso en su vida.

◆ **Cocción rápida.** En general, la mayoría de las personas cuece demasiado el repollo, lo cual genera ese olor desagradable. Cocerlo demasiado también destruye la vitamina C. Así que cocínelo rápido.

◆ **Saltéelo.** En una sartén grande antiadherente o en un wok, caliente una cucharada de aceite de canola y 1/4 taza de cebollinos picados. Agregue 3 tazas de repollo rallado y 2 cucharadas de semillas de ajonjolí. Saltee a fuego medio de 8 a 10 minutos o hasta que el repollo empiece a marchitarse.

◆ **En perros calientes.** Los perros calientes contienen muchas calorías y grasas, pero saben muy bien con repollo encurtido. Haga que este plato favorito sea más sano con salchichas de res reducidas en grasas. Cocine unas cuantas salchichas, córtelas en pedazos pequeños y agréguelas al repollo caliente.

◆ **Mézclelo con pasta.** Corte el repollo en tiras largas y delgadas y agréguelas a su salsa favorita para pasta. Sirva con *fettuccine*.

◆ **Prepare una ensalada novedosa.** No es obligatorio que prepare la ensalada de repollo con un aderezo cremoso. Mezcle repollo rallado con rodajas de manzana o pera en una vinagreta cítrica, o prepare la "Ensalada Asiática de Repollo en Cinco Minutos" de la página 417.

llo y se lo dieron a hombres y mujeres por un período de una a ocho semanas. El compuesto redujo los niveles de estrógeno, una hormona que protegería contra el cáncer de mama y próstata.

Los científicos de la Universidad de Illinois en Urbana determinaron que los indoles protegieron a ratones expuestos a una sustancia carcinógena y evitaron que desarrollaran tumores de piel y de mama.

Comparación de Repollos

Todos los repollos aportan mucha vitamina C, pero algunas variedades aportan más vitamina A y calcio que otras. Vea la comparación entre porciones de 1 taza de repollos diferentes con el segundo acompañamiento favorito en Estados Unidos para perros calientes: el repollo encurtido enlatado. Algo queda claro: ¡todos son ganadores!

Repollo	Calorías	Folato (mcg)	Vitamina A (RE)	Vitamina C (mg)	Calcio (mg)
Repollo chino	9	46	210	31	73
Verde	18	30	9	22	32
Morado	19	15	3	19	36
Savoy	19	56	70	21	24
Repollo encurtido enlatado	44	56	4	35	70

Mientras tanto, en un estudio de más de 47,000 hombres, investigadores de la Universidad de Harvard determinaron que quienes comieron una porción de 1/2 taza de repollo o dos porciones de 1/2 taza de brócoli una vez a la semana redujeron en un 44% el riesgo de sufrir cáncer de vejiga, en comparación con quienes comieron menos de una porción semanal de cualquiera de los vegetales.

MÁS RECONOCIMIENTOS

Según indican los estudios, las crucíferas también reducen el riesgo de padecer enfermedades cardíacas, un ataque al corazón y cataratas.

Y este es otro reconocimiento para el repollo: entre las crucíferas, algunos tipos de repollo tienen un alto contenido de calcio, lo que aumenta la densidad de los huesos.

¿Qué me dice? ¿Le dará otra oportunidad al repollo?

Ensalada Asiática de Repollo en Cinco Minutos

A la familia de Karen le encanta la ensalada de repollo cremosa, pero el último cuatro de julio, Karen se dio cuenta de que no tenía todos los ingredientes ni el tiempo para prepararla. Así que rápidamente preparó esta receta y cruzó los dedos para que a los invitados les gustara. El resultado: basta decir que no quedaron sobras.

½ bolsa de *Mann's Broccoli Cole Slaw* o 3 tazas de repollo rallado y ¼ taza de zanahoria rallada
2 cucharadas de maní picado
2 cucharadas de semillas de girasol
½ taza de aderezo para ensalada de ajonjolí y jengibre reducido en grasas

En un tazón grande, mezcle los vegetales, el maní y las semillas de girasol y agregue el aderezo. Refrigere, por lo menos, 1 hora para combinar los sabores.

Porciones: seis.

Datos nutricionales por porción: calorías, 72; proteínas, 2 g; carbohidratos, 6 g; fibra, 1 g; grasas, 5 g; grasas saturadas, 1 g; colesterol, 0 mg; sodio, 228 mg; calcio, 2% del valor diario; hierro, 4%.

Retoño de Brócoli:

El Gigante de la Salud Jo, Jo, Jo

EFICAZ CONTRA:
■ el cáncer

REFUERZA:
■ la función inmunológica

Mamá siempre decía: "Una onza de prevención vale una libra de cura". Y esa es la estrategia contra el cáncer del Dr. Paul Talalay, el investigador de la Universidad Johns Hopkins en Baltimore que explotó primero el poder quimioprotector del brócoli, y después el de los retoños de brócoli.

¿Por qué esperar hasta tener una enfermedad grave, como cáncer de mama, para cuidarse? ¿No sería mejor combatir las células de cáncer *antes* de que tomen el control? El Dr. Talalay se puso a trabajar con tubos de ensayo y ratones de laboratorio para determinar cómo motivar los mecanismos de defensa natural del cuerpo con alimentos saludables.

PREVENCIÓN Y QUIMIOPROTECCIÓN

Desde hace mucho, los investigadores saben que quienes comen más crucíferas (familia del repollo) tienen índices muy bajos de ciertos tipos de cáncer. Pero ignoraban el motivo. Así que el Dr. Talalay se puso a trabajar.

Lo que descubrió fue que la sustancia química natural llamada sulforafano obstaculiza el crecimiento de las células de cáncer de mama en el laboratorio. También descubrió que todos los vegetales de la familia del repollo contienen sulforafano, pero el brócoli es el que más tiene. Fue un resultado interesante que dio inicio a una sorprendente cadena de eventos.

El objetivo de la prevención del cáncer es reducir nuestra exposición a sustancias carcinógenas, agentes que producen cáncer como el humo del cigarrillo, la contaminación del aire, la radiación y el alcohol, para que no puedan atacar células y enfermarlas. Es necesario saber que una sustancia es carcinógena para poderla evitar.

La estrategia del Dr. Talalay es encontrar alimentos que fortalezcan las defensas del cuerpo para que pueda luchar contra las sustancias carcinógenas (conocidas y desconocidas). Lo curioso de este enfoque, llamado quimioprotección, es que no es necesario que sepa qué es lo que está combatiendo. Es como construir una gran fortaleza con un foso para tener todos los frentes cubiertos, sin importar qué invasores ataquen. Así que aunque el Dr. Talalay trabaje con células de cáncer de mama, la protección del sulforafano del brócoli debería defenderlo contra otros tipos de cáncer.

RESUMEN DE INFORMACIÓN NUTRICIONAL

Retoño de brócoli (½ taza)

Calorías: 5

Grasas: 0 g

Grasas saturadas: 0 g

Colesterol: 0 mg

Sodio: 1 mg

Carbohidratos totales: 1 g

Fibra dietética: 0 g

Proteínas: 1 g

Vitamina C: 2% del valor diario

Manganeso: 2%

JO, JO, JO, PEQUEÑO RETOÑO

Las células producen una familia de enzimas que neutralizan las sustancias carcinógenas antes de que ataquen nuestro ADN y empiecen a crecer células cancerosas. Cuando el Dr. Talalay pasó de tubos de ensayo a ratones, aprendió que el sulforafano era dinamita para aumentar la actividad de las enzimas de desintoxicación.

Con animales infectados simultáneamente con potentes sustancias carcinógenas y alimentados con sulforafano, descubrió lo siguiente:

▶ La cantidad de animales que desarrolló tumores se redujo en un 60%.

RETOÑO DE BRÓCOLI

SOLUCIONES PARA COMPRAR Y PREPARAR

Los retoños de brócoli están en la sección de productos frescos del supermercado. ¡Sea cuidadoso!

CUANDO ELIJA RETOÑOS DE BRÓCOLI:

■ Compre retoños llenos de vitalidad y en empaques llenos a reventar.

■ Ignore los arrugados o débiles.

Precaución: lave muy bien los retoños que compre, especialmente si piensa comerlos crudos, pues algunos están contaminados con la bacteria E. coli. Por seguridad y para mantener los niveles de sulforafano, compre la marca BroccoSprouts, los cuales se cultivan con semillas esterilizadas, se evalúan semanalmente para detectar la contaminación, y luego se lavan, empacan, refrigeran y someten a inspecciones sorpresa.

DE ABURRIDO Y RUTINARIO A ENTUSIASTA Y APASIONADO

Cuando desee añadir un poco de sabor a alimentos aburridos y rutinarios, pruebe estas ideas maravillosas:

◆ **Cause una gran impresión.** Haga aún más atrevida una ensalada atrevida. Mezcle hojas de arúgula, berro y espinaca con retoños de brócoli. Endulce con aderezo Catalina reducido en calorías.

◆ **Cause revuelo.** Agregue un puñado de retoños de brócoli a su sopa favorita: desde sopa de tomate hasta sopa de vegetales y la clásica sopa de pollo con fideos.

◆ **Prepare un sándwich.** Sobre una rebanada de pan saludable de siete granos, apile lechuga romana, pavo, aros de pimiento rojo y verde, una torre de retoños de brócoli, rodajas de cebolla y una rodaja de aguacate. Ataque con tenedor y cuchillo (¡porque no podrá morderlo con la boca!).

◆ ***Wrap* rocanrolero.** Llene una tortilla con ensalada de atún, zanahoria rallada, apio picado, lechuga de hoja morada y un puñado de retoños de brócoli. Envuelva la parte inferior de la tortilla sobre la parte del medio y luego enrolle el resto. O pruebe nuestro "*Wrap* de Retoños al Estilo Sudoeste" en la página 442.

▶ La cantidad de tumores de cada animal que desarrolló tumores se redujo en un 80%.

▶ El tamaño de los tumores era un 75% más pequeño.

▶ Los tumores aparecieron después de transcurrido más tiempo y crecieron más lentamente.

Se están haciendo pruebas en mujeres para determinar si el sulforafano estimula las enzimas de desintoxicación en humanos.

El Dr. Talalay también determinó que la cantidad de sulforafano en cierto brócoli era 10 veces más alta. En su intento por cultivar su propio brócoli estandarizado, descubrió que, en una onza, los retoños de brócoli de tres días contenían de 20 a 50 veces más sulforafano que el brócoli maduro. Pero los retoños que compró variaban tanto como el brócoli.

En consecuencia, desarrolló una semilla estandarizada y un proceso para cultivar retoños que, combinados, garantizaban una alta dosis de sulforafano. A su producto lo llamó BroccoSprouts. Puede conseguirlos en el supermercado o cultivarlos en su casa. Si desea comprar el kit para hacer germinar las semillas, llame a *Whole Alternatives* al (800) 626-5357.

Wrap de Retoños al Estilo Sudoeste

Cuando en Baltimore se llevó a cabo la versión local de la carrera Race for the Cure por el cáncer de mama, el dueño de un restaurante enrolló 3,000 sándwiches quimioprotectores similares a esta versión, la cual se ha reducido para lograr un tamaño ideal para almorzar en casa.

2 cucharadas de salsa de frijoles picante y sin grasas
1 tortilla de trigo integral
¹⁄₁₆ cucharadita de semillas de comino
¹⁄₁₆ cucharadita de cilantro molido
4 trocitos de chile jalapeño
¼ taza de cebolla picada
¼ taza de tomate maduro picado
½ taza de retoños de brócoli

Unte la salsa de frijoles en el tercio del centro de la tortilla. Rocíe las semillas de comino y el cilantro. Agregue el chile, la cebolla, el tomate y los retoños. Envuelva el tercio inferior de la tortilla sobre la mezcla, luego enrolle hacia los lados.

Porción: una.

Datos nutricionales por porción: calorías, 135; proteínas, 7 g; carbohidratos, 31 g; fibra, 5 g; grasas, 1 g; grasas saturadas, 0 g; colesterol, 0 mg; sodio, 325 mg; vitamina C, 15% del valor diario; hierro, 10%; magnesio, 10%.

Romero:

Deléitese con el Sabor

EFICAZ CONTRA:
- el cáncer
- las intoxicaciones por alimentos
- las enfermedades cardíacas
- las arrugas

REFUERZA:
- la relajación
- el control de peso

El año pasado nos sorprendimos al ver un "árbol de Navidad" de tres pies de altura hecho con una planta grande de romero que habían podado con esa forma. ¡Un excelente regalo para la cocina de un buen amigo! Cuando le ataque la tristeza después de las fiestas, tendrá romero con aroma a pino para reconfortarlo y cocinar. Incluso podría ayudarle a mantener la piel fresca y joven cuando vaya a la Florida a calentarse después del frío invierno.

DEJE QUE EL SOL BRILLE

Aunque no estamos sugiriendo que se olvide del protector solar, nos entusiasma mucho la investigación enfocada en el romero como agente protector del rostro. Resulta que la piel es igual de vulnerable al

RESUMEN DE INFORMACIÓN NUTRICIONAL

Romero seco (1 cucharada)

Calorías: 2

Grasas: 0 g

Grasas saturadas: 0 g

Colesterol: 0 mg

Sodio: 0 mg

Carbohidratos totales: menos de 1 g

Fibra dietética: menos de 1 g

Proteínas: 0 g

Vitamina A: 1% del valor diario

Calcio: 1%

Hierro: 1%

Alivio Rápido Para:

Mareos

¿Se siente algo mareado? Prepare sus propias sales aromáticas. Coloque entre 1 y 4 gotas de aceite esencial de romero sobre un pañuelo de papel y páselo por debajo de la nariz. Frotar el aceite en las sienes también ayuda.

¿Cómo es posible? El aceite estimula las terminaciones de los nervios trigémino y olfatorio, y produce un reflejo que mejora la respiración y la circulación, de acuerdo con el libro *Rational Phytotherapy: A Physicians' Guide to Herbal Medicine*.

daño por el oxígeno como lo es el corazón, o incluso más, porque está constantemente expuesta al aire, el sol y la contaminación.

Se han hecho estudios preliminares que han demostrado que consumir extracto de romero, el cual rebosa de antioxidantes, puede prevenir los cambios dañinos para la piel, ya que protege la grasa de las células dérmicas. ¡Definitivamente cocinaremos con romero!

CUERPO Y ALMA

El romero está lleno de carnosol, un compuesto fenólico que combate el cáncer, ya que interrumpe las inflamaciones para que esas células malas no encuentren un punto de apoyo para crecer. Aparentemente, el carnosol mejora la producción del hígado de varias sustancias que combaten el cáncer, incluida la glutatión-S-transferasa. Además, el romero puede protegerlo contra enfermedades por intoxicación alimenticia. Diversos estudios sugieren que combate los hongos, los virus y las bacterias. Para estar seguro, mantenga frías las comidas frías (por debajo de 40 °F) y calientes las comidas calientes (a más de 140 °F).

Como beneficio adicional, cuando sazona con romero en lugar de mucha mantequilla o crema agria, protege el corazón de las grasas saturadas, y la cintura del exceso de libras.

El romero también se investiga por su capacidad de relajar a quien lo inhala. Así que siempre respire profundo cuando cocine con romero.

SOLUCIONES PARA COMPRAR Y PREPARAR

En algunos supermercados, encontrará romero fresco atado en manojos pequeños. En otros, lo encontrará como unas cuantas ramitas envasadas al vacío en un recipiente plástico pequeño. El tamaño que debe comprar depende de cuánto necesite, aunque casi nunca tener de más es un problema.

CUANDO ELIJA ROMERO:

Esta hierba de aspecto similar al del pino debe verse tan fresca como su árbol de Navidad ideal. Las hojas deben ser de color verde oscuro por arriba y blanquecinas en la parte inferior, sin moho y sin manchas oscuras o de humedad.

PARA ALMACENARLO:

Cuando lleve romero fresco a su casa, lávelo, séquelo con cuidado, envuélvalo en toallas de papel y guárdelo en una bolsa plástica. O colóquelo en un recipiente diseñado para permitir la circulación del aire.

CUANDO ESTÉ LISTO PARA USARLO:

Si piensa comerse el romero (para obtener todos los beneficios, debería), macháquelo, píquelo o muélalo (¡esas hojas que parecen agujas son bastante duras!).

CON EL AROMA DE LAS COMIDAS DELICIOSAS

Estas son algunas formas aromáticas para usar el romero:

◆ **Ramifíquese.** Para saborizar la carne, coloque una rama de romero en la carne de cerdo, pollo o res cuando se está cocinando y disfrute del aroma.

◆ **Rocíelo.** Espolvoree romero molido sobre filetes de atún o salmón antes de asarlos a la parrilla.

◆ **Mézclelo.** Añada romero molido a la sopa minestrone enlatada para lograr el auténtico sabor italiano.

◆ **Agítelo.** Espolvoree un poco de romero molido en la próxima pizza; le dará vida al plato.

Pollo al Romero al Estilo Michael

El peluquero de Colleen es un artista en todo lo que hace. Es pintor, actor y le encanta cocinar. Y se ofreció a compartir su delicioso método para cocinar pollo. La casa se llena de un magnífico aroma a pino. ¿Cuál es la gran sorpresa? Cocinar el pollo con la piel lo mantiene jugoso y suculento. Retírela antes de comer para mantener las grasas y las calorías bajo control.

2 mitades de pechuga de pollo con hueso y piel
2 ramas pequeñas de romero fresco
Sal al gusto
Pimienta negra recién molida al gusto

En una sartén antiadherente pesada, coloque las pechugas de pollo con el lado de la piel hacia abajo. Coloque una rama de romero sobre cada una. Cúbralas y cocínelas a temperatura media-alta de 10 a 15 minutos, o hasta que el pollo ya no esté rosado por dentro y los jugos estén transparentes. Quite la piel y el romero. Sazone ligeramente con la sal y la pimienta.

Porciones: dos.

Datos nutricionales por porción: calorías, 144; proteínas, 27 g; carbohidratos, 0 g; fibra, 0 g; grasas, 3 g; grasas saturadas, 1 g; colesterol, 73 mg; sodio, 64 mg; vitamina B3 (niacina), 59% del valor diario; vitamina B6, 26%; hierro, 6%; cinc, 6%.

Sandía:

El Cuidador de la Salud en Verano

EFICAZ CONTRA:
- las enfermedades cardíacas
- la hipertensión
- el colesterol alto
- la arritmia
- el cáncer de próstata
- los accidentes cerebrovasculares

REFUERZA:
- la energía
- la hidratación

La mejor manera de comer sandía es sentado meciendo las piernas en un muelle y escupiendo las semillas al agua. Lleve puesto el traje de baño: el jugo debería gotear por la barbilla y los codos. Debería tener varios niños alrededor para ver quién escupe las semillas más lejos. Y cuando termine, láncese al agua para limpiarse y refrescarse. Si no puede comer la sandía de esta manera, la segunda posibilidad corresponde a la rutina más civilizada de plato, cuchillo y tenedor: en cualquier caso, consiéntase con el más dulce de los agentes contra el cáncer.

RESUMEN DE INFORMACIÓN NUTRICIONAL

Sandía (1 taza)

Calorías: 49

Grasas: 1 g

Grasas saturadas: 0 g

Colesterol: 0 mg

Sodio: 3 mg

Carbohidratos totales: 11 g

Fibra dietética: 1 g

Proteínas: 1 g

Vitamina A: 11% del valor diario

Vitamina B6: 11%

Vitamina C: 16%

SOLUCIONES PARA COMPRAR Y PREPARAR

¿Quiere una sandía maravillosa? ¡Sea selectivo!

CUANDO ELIJA SANDÍA:

Una sandía entera le da muy pocas pistas respecto de lo que hay dentro. A diferencia del melón *cantaloupe* o *honeydew*, la fragancia no le servirá de guía. Y la prueba del "golpe sordo" es falsa (¡aunque sea divertida!). Afortunadamente la mayoría de los lugares venden sandías enteras y trozos cortados, lo cual le da pistas sobre la calidad. Colleen siempre revisa los trozos cortados para asegurarse de que en su mayoría estén rojos, maduros y jugosos, y que la pulpa sea densa y firme. De ser así, compra la sandía entera, siguiendo estas indicaciones de la Junta Nacional de Promoción de la Sandía, que declara que elegir una sandía es facilísimo.

1. Examine la sandía. Elija una firme, simétrica y sin golpes, cortes ni depresiones.

2. Levántela. La sandía debería ser pesada para su tamaño. La sandía contiene un 92% de agua, lo que genera la mayor parte de su peso.

3. Dele vuelta. Del lado de abajo, debe haber una mancha de color crema amarillento (donde se asienta sobre el suelo y se madura al sol). Ese tono crema amarillento parece ser la clave. Si la sandía aún está verde o está blanca en la parte inferior, probablemente no esté madura.

PARA ALMACENARLA:

La sandía madura en la planta y no en la encimera de la cocina. Así que, básicamente, lo que compra es lo que obtiene. Para mantener una sandía en su punto máximo de sabor, enfríela de inmediato.

LA VIDA EN ROJO

La sandía roja es rica en licopeno, uno de los seis carotenoides activos que crea los colores rojo, anaranjado y amarillo en los alimentos, y ahora se analiza por su eficacia para prevenir diversos tipos de cáncer

Una sandía entera durará aproximadamente una semana en el refrigerador.

CUANDO ESTÉ LISTO PARA USARLA:

Lave toda la suciedad de la cáscara antes de cortarla, para no arrastrar tierra ni bacterias por la sandía con la primera rodaja. Cubra las superficies cortadas con un envoltorio plástico o guarde los trozos en recipientes herméticos. Una vez que la sandía está cortada, su calidad se deteriora rápidamente, así que consúmala.

MÁS ALLÁ DE LO BÁSICO

Estas son algunas formas divertidas y festivas de servir sandía.

◆ **Paletas de helado.** Corte la sandía en trozos sin semillas, hágalos puré en la licuadora y luego congele el jugo en bandejas para cubitos de hielo. Agregue palitos para crear deliciosas paletas de helado.

◆ **Manténgala en forma.** Corte la sandía en trozos finos sin las semillas ni el centro. Con la ayuda de moldes para galletas, corte las rodajas en formas festivas según la ocasión.

◆ **Cree una bola.** Consiga un utensilio para extraer bolitas de fruta en dos tamaños. Extraiga varias bolitas grandes y pequeñas para agregar a la ensalada de frutas. Dé forma a la cáscara vacía para que parezca una canasta desechable para servir la ensalada. Aproveche los restos irregulares en una "Granizada de Sandía" (pág. 457).

◆ **Póngale jamón.** Alterne jamón magro y rodajas delgadas de sandía sobre una base de lechuga de color verde oscuro para tener una ensalada de almuerzo y no cocinar.

◆ **Sonría y diga: "¡queso!".** Coloque cubos de sandía alrededor de una porción de queso cottage con calcio adicional. Espolvoree con canela molida y decore con una ramita de menta.

(los otros carotenoides activos son: alfacaroteno, betacaroteno, criptoxantina, luteína y zeaxantina).

Por lo menos dos estudios han demostrado que el licopeno es el mejor devorador del peligroso oxígeno singlete antes de que dañe las células e inicie el proceso del cáncer. Y ambos estudios determinaron que los hombres que consumieron más licopeno y que tuvieron la mayor cantidad de licopeno en las glándulas prostáticas tuvieron menos probabilidades de desarrollar cáncer de próstata. Aunque la mayor cantidad de licopeno provenía de los tomates, los análisis demuestran que, en una taza, la sandía aporta un tercio más de licopeno que los tomates frescos.

LA "BEBIDA" DEPORTIVA NATURAL

Nada sabe mejor que un buen trozo de sandía superfría después de un partido de tenis o de una larga y cálida tarde de trabajo de jardinería. Suprime la sed, porque la sandía contiene más de un 90% de agua.

Y los azúcares naturales de la sandía son refrescantes. Aportan energía y normalizan el azúcar en sangre (el único alimento del cerebro): así estará físicamente coordinado y pensará con claridad. Y como la mayoría de las bebidas deportivas elaboradas, la sandía contiene potasio, que es importante para mantener un ritmo cardíaco saludable en personas que toman diuréticos.

BENEFICIOSA PARA EL CORAZÓN

Escatimar el potasio también puede abrir la puerta para elevar la presión arterial, un factor de riesgo importante para ataques cardíacos y accidentes cerebrovasculares. Consumir en abundancia verduras y frutas, tales como sandía, ha demostrado reducir la presión arterial alta. Por el lado del corazón, la mayoría de la fibra de la sandía es soluble, es decir, inmoviliza el colesterol en el tracto intestinal, de modo que no lo reabsorba, y reduce el colesterol total en sangre. ¡Qué forma más dulce y maravillosa de tener un corazón saludable!

Alivio Rápido Para:

Para Mamás con Náuseas

¿Tiene náuseas matutinas? Coma sandía. Aunque las investigaciones aún no han podido explicar por qué, las mujeres que no pueden siquiera beber agua sí disfrutan de trozos congelados de sandía sin sentirse mareadas, de acuerdo con Miriam Erick, R.D., directora de la *National Morning Sickness Nutrition Clinic* (Brigham) y del *Women's Hospital* (Boston).

Granizada de Sandía

*En aquellos apacibles y brumosos días de verano, cuando le falte
energía para escupir las semillas de sandía, beba a sorbos esta granizada cuya receta fue proporcionada por la Junta Nacional de Promoción de la Sandía. Congele cubos de sandía en un día en que se sienta
con más energía, de modo que esté lista cuando le gane la indolencia.*

**1 lata (de 10 onzas) de mezcla congelada para margarita sin al-
cohol**
3 tazas de sandía sin semilla en cubos
**2 tazas de cubos de sandía congelados sin semilla* o cubitos de
hielo**

En una licuadora o un procesador de alimentos, bata la mezcla
para margarita y los cubos de sandía sin congelar hasta que se
vuelvan líquidos. Agregue los cubos de sandía congelados o los
cubitos de hielo. Procese hasta que la mezcla esté como aguanieve.
Sirva de inmediato.

**Sandía en cubos sin semilla. Coloque los cubos en una bandeja
para hornear recubierta de papel encerado y congele. Cuando esté
congelada, pásela a una bolsa plástica para congelar y regrésela al
congelador.*

Porciones: seis.

*Datos nutricionales por porción: calorías, 61; proteínas, 1 g; carbohidratos, 16 g;
fibra, 1 g; grasas, 0 g; grasas saturadas, 0 g; colesterol, 1 mg; sodio, 3 mg.*

Semillas de Linaza:

Pepitas de Fruta Seca

EFICACES CONTRA:
- el cáncer
- las enfermedades cardíacas

REFUERZAN:
- el desarrollo del cerebro y la vista de los bebés
- la regularidad

Cuando Colleen y Ted se casaron hace algunos años, terminaron con utensilios de cocina duplicados: cubiertos, platos, ollas, sartenes, máquinas para palomitas de maíz e incluso molinillos de café. Restablecieron el orden haciendo una gran venta de garaje. Se deshicieron de todos los artículos duplicados, excepto los molinillos de café. Colleen se rehusó a venderlos. ¿Por qué? Con uno muele el café fresco en grano para preparar una taza perfecta cada mañana. El otro es para moler las semillas de linaza que agrega a las hamburguesas de pavo que alegran su corazón.

¿Semillas de linaza? Sí, las semillas de la planta de lino. Es cierto, son un alimento raro. Pero la razón por la que recomendamos las semillas de linaza es que contienen un aceite especial que la mayoría de los estadounidenses no consumen.

Los funcionarios de salud pública nos han repetido durante 30 años que debemos reducir la grasa saturada de las hamburguesas, el queso, la mantequilla y el helado para reducir nuestro riesgo de padecer enfermedades cardíacas, la causa número uno de muerte en hombres y mujeres. Y muchos de nosotros lo hicimos. Así que esa debería ser la solución. ¡Incorrecto! Ahora ha surgido otro problema con las grasas: el desequilibrio de las grasas poliinsaturadas.

GRASAS FUERA DE ORDEN

Resulta que hay dos tipos de grasas que debemos comer (sí, ¡tenemos que comer un poco de grasa!), porque nuestro organismo no puede producirlas. Se llaman ácidos grasos esenciales. El que se llama omega 6 proviene de los aceites vegetales que consumimos con la comida frita, las galletas, los pasteles y los alimentos muy procesados. Como probablemente se lo imagina, lo consumimos en demasía. El otro ácido graso esencial, el omega 3, proviene principalmente del pescado (y, por supuesto, consumimos demasiado poco).

Este desequilibrio (mucho de uno y muy poco del otro) crea problemas de coágulos sanguíneos, estrechamiento de las arterias y arritmias cardíacas. Algunos estudios también sugieren que crea propensión a la artritis, trastornos autoinmunes y cáncer. Es por eso que la Asociación Americana del Corazón y los Lineamientos Nutricionales para Estadounidenses recientemente sugirieron que comamos dos porciones de pescado a la semana.

SUSTITUTO RÁPIDO DEL HUEVO

¿Necesita un huevo para la receta de panqueques, panecillos o galletas? Mezcle 1 cucharada de semillas de linaza molidas con 3 cucharadas de agua y déjelas en reposo durante un minuto o dos. Agregue esta mezcla a la receta en lugar de un huevo.

RESUMEN DE INFORMACIÓN NUTRICIONAL

Semillas de linaza
(1 cucharada)

Calorías: 42

Grasas: 4 g

Grasas saturadas: 1 g

Colesterol: 0 mg

Sodio: 4 mg

Carbohidratos totales: 2 g

Fibra dietética: 2 g

Proteínas: 2 g

Calcio: 2% del valor diario

Hierro: 5%

INFORMACIÓN SOBRE LA LINAZA

Entonces, ¿qué tiene que ver esto con las semillas de linaza? Están cargadas de ácido alfa-linolénico, que el organismo puede convertir en el mismo tipo de grasa que tanto necesita del pescado.

¿Estamos seguros de que las semillas de linaza son tan buenas como el pescado? Los estudios sobre las semillas de linaza recién están comenzando, por lo que es necesario investigar mucho antes de dar un Sí absoluto. Pero, en un estudio que realizó la Universidad de Toronto con nueve mujeres saludables, su colesterol

**SOLUCIONES
PARA COMPRAR
Y PREPARAR**

La semilla de linaza es brillante, rojiza, ovalada y plana con el extremo en punta. Es un poco más grande que una semilla de ajonjolí. Es dura y fibrosa, pero agrega un ligero sabor a nuez a las comidas.

Desafortunadamente es probable que no encuentre semillas de linaza en el supermercado. Así que tendrá que ir a su tienda de alimentos naturales favorita. Y bien vale la pena salirse del camino de compras habitual. Si tiene algún problema, llame sin costo al (877) BUY-FLAX. Le enviarán una libra de semillas de linaza por aproximadamente $6.

Puede comprar semillas enteras, harina de semillas molidas o aceite de semillas de linaza.

PARA ALMACENARLAS:

■ Conserve las semillas de linaza enteras en la despensa, a temperatura ambiente. Duran hasta un año.

■ Mantenga las semillas molidas en un recipiente hermético en el refrigerador (duran hasta 30 días).

■ Coloque el aceite de semillas de linaza (por prensado en frío o por filtración) en una botella oscura en el refrigerador. Úselo rápido, porque no dura mucho.

LINAZA AL MÁXIMO

Las semillas de linaza pueden ser una parte deliciosa de la vida, por ejemplo:

◆ **Refuerce el pan.** Agregue semillas de linaza a la masa rápida de pan o panecillos antes de hornear. O pinte el pan de levadura con clara de huevo y agregue semillas de linaza en lugar de ajonjolí o semillas de amapola antes de hornear.

◆ **Haga crujir a sus galletas.** Agregue semillas de linaza a la masa para galletas de avena a fin de obtener el crujido de la fruta seca.

◆ **Cambie el aceite.** En los productos horneados, reemplace el aceite o la grasa por semillas de linaza molidas. Agregue 3 cucharadas de semillas de linaza molidas por cada cucharada de grasa que desee reemplazar.

total se redujo en un 9% y su colesterol LDL (lipoproteína de baja densidad) se redujo en 18% cuando comieron 2 onzas de semillas de linaza cada día durante cuatro semanas. Esa es una buena manera de proteger su corazón.

Los ácidos grasos omega 3 también son muy importantes para el desarrollo del cerebro y de la vista, tanto antes como después del nacimiento del bebé. Las madres que comen pescado, semillas de linaza y nueces en abundancia transfieren estos desarrolladores del cerebro a través de la placenta y la leche materna.

LOS BENEFICIOS ABUNDAN

Además de su aceite parecido al del pescado, las semillas de linaza contienen hasta 800 veces más lignanos que cualquier otra planta alimenticia. ¿Lignanos? Son compuestos vegetales que actúan como estrógenos débiles. Se ha demostrado que se unen a los receptores de estrógeno del cuerpo, de la misma manera en que los agentes de telemercadeo se pegan a su línea telefónica. Los lignanos evitan que el estrógeno humano se absorba, lo que puede prevenir el desarrollo de cáncer de mama, próstata y endometrio.

Las semillas de linaza son ricas en fibra insoluble, la fibra alimentaria que le mantiene funcionando y previene el estreñimiento.

Pan de la Pradera de Lino

Si ha probado el pan blanco de "globo", este pan es para usted, cortesía del Consejo de Lino de Canadá.

3 tazas de harina multiuso enriquecida
2 ½ – 3 tazas de harina de trigo integral
⅓ taza de semillas de linaza enteras
2 cucharadas de semillas de girasol
1 cucharada de semillas de amapola
2 cucharadas de levadura instantánea de crecimiento rápido
2 cucharaditas de sal
1 ½ taza de agua
½ taza de leche descremada al 2%
3 cucharadas de miel
2 cucharadas de grasa

En un tazón grande, mezcle 2 tazas de harina multiuso, la harina de trigo integral, las semillas de linaza, de girasol y de amapola, la levadura y la sal. Caliente el agua, la leche, la miel y la grasa hasta que se sienta caliente al tacto (125 °F a 130 °F). Vierta los líquidos calientes sobre la mezcla de ingredientes secos. Mezcle suficiente cantidad de la harina multiuso restante para formar una masa blanda que no se pegue al tazón. Voltéela sobre una tabla con harina y amase hasta que esté lisa y elástica, aproximadamente 8 minutos. Cubra la masa y déjela en reposo durante 10 minutos. Divida la masa en dos y forme una barra con cada una. Coloque cada una en un molde de pan engrasado de 8 1/2 por 4 1/2 pulgadas. Cubra y deje levar en un lugar tibio hasta que se duplique el volumen (aproximadamente de 40 a 50 minutos). Precaliente el horno a 400 °F. Cuando la masa haya levado, hornéela durante 30 a 35 minutos. Retire el pan de los moldes y deje enfriar en rejillas de alambre.

Porciones: dos barras (32 rebanadas).

Datos nutricionales por rebanada: calorías, 113; proteínas, 4 g; carbohidratos, 20 g; fibra, 2 g; grasas, 3 g; grasas saturadas, menos de 1 g; colesterol, 0 mg; sodio, 150 mg; folato, 10% del valor diario; vitamina B1 (tiamina), 12%; hierro, 4%; magnesio, 6%; cinc, 4%.

Semillas:

Paquetes de Energía

EFICACES CONTRA:
■ las enfermedades cardíacas

REFUERZAN:
■ los huesos
■ la función inmunológica

Hornear panecillos de levadura con su mamá es uno de los recuerdos más agradables de Colleen. Antes de que tuviera la edad suficiente para amasar, a ella le tocaba rociar por arriba las semillas de amapola o ajonjolí.

Resulta que esas semillas eran más que decoraciones sabrosas. Son el depósito de todo lo positivo que la planta necesita para reproducirse. Están llenas de proteínas, vitaminas, minerales y grasas buenas; prácticamente todo lo necesario para crecer cuando la semilla se junta con la tierra y el agua. Y todos esos nutrientes que alimentan el corazón y sirven para formar los huesos podrán ser suyos cuando comience a esparcir estas pepitas nutritivas en comidas y meriendas.

EL BRILLO DE LAS SEMILLAS DE GIRASOL

Las semillas de girasol son la fuente más poderosa de vitamina E de la naturaleza. A menos que coma cantidades muy grandes de pan de

RESUMEN DE INFORMACIÓN NUTRICIONAL

Semillas de girasol (1 onza)

Calorías: 165

Grasas: 14 g

Grasas saturadas: 1 g

Colesterol: 0 mg

Sodio: 1 mg

Carbohidratos totales: 7 g

Fibra dietética: 3 g

Proteínas: 5 g

Vitamina E: 70% del valor diario

Calcio: 20%

437

SOLUCIONES PARA COMPRAR Y PREPARAR

La grasa es el ingrediente principal de las semillas; por ello corren el riesgo de tornarse rancias. Así que cómprelas y guárdelas meticulosamente.

CUANDO ELIJA SEMILLAS:

■ Revise la fecha "vender antes del" o "consumir antes del" en cualquier lata o frasco sellado de semillas que compre.

■ Huélalas bien si las compra a granel (más barato) para asegurarse de que el olor de las semillas sueltas sea fresco. ¡La nariz las distingue!

PARA ALMACENARLAS:

Guarde los paquetes abiertos en el refrigerador; al menos, hasta que adquiera el hábito de usarlas. Cuando ya haya adquirido el hábito, probablemente no durarán tanto como para que lleguen a arruinarse.

INTRODUZCA SEMILLAS A SU DIETA

Estas son algunas formas para sembrar semillas en su vida diaria:

◆ **Mézclelas.** Las semillas de girasol y calabaza son el ingrediente crujiente de una energética mezcla de semillas y frutos secos. Empiece son dátiles, albaricoques, pasas, higos y (¡unas pocas!) ciruelas pasas sin semilla. Agregue algunas semillas y, por supuesto, un puñado de M&M's para lograr una merienda excitante. Pero no se emocione demasiado. Esta mezcla contiene muchas calorías, así que un poco le rendirá bastante.

◆ **Revuélvalas.** Agregue semillas a cereales de grano integral fríos o calientes para aumentar los minerales que consume en la mañana. Mantenga los tres tipos a la mano y altérnelos de un día para otro para lograr una variedad de sabores y una nutrición óptima.

◆ **Hágalas girar.** Añada una o dos cucharadas en el siguiente licuado de frutas cuando lo tiene dando vueltas en la licuadora. Tendrá un sabor delicioso, y la grasa de las semillas hará que no le dé hambre tan pronto.

◆ **Espárzalas.** Mezcle exquisitos melones y bayas de verano con yogur natural o de vainilla. Adorne la mezcla con semillas de calabaza y una pizca de nuez moscada molida.

trigo integral, verduras de hoja verde oscuro y aceite vegetal alto en calorías, probablemente no obtenga de los alimentos la cantidad suficiente de vitamina E. Así que agregar semillas de girasol a una dieta normal es muy bueno solo por ese motivo solo. Tan solo ¼ taza de pequeñas semillas crujientes sin cáscara aporta el 70% del requerimiento diario.

Numerosos estudios sugieren que la vitamina E puede jugar un papel importante en la prevención de enfermedades cardíacas. En un estudio con 34,000 mujeres postmenopáusicas que duró 6 años, aquellas que ingirieron la mayor parte de la vitamina E de los alimentos tuvieron el riesgo más bajo de sufrir enfermedades cardíacas. En ese estudio, tomar un suplemento de vitamina E aparentemente no tuvo beneficios. Los científicos especulan que el beneficio podría provenir de la vitamina E en sí, o de algún otro componente del alimento natural e integral que no contiene la mayoría de los alimentos procesados o que no se agrega a los suplementos.

LAS SEMILLAS DE AJONJOLÍ FORMAN LOS HUESOS

Las semillas de ajonjolí le darán un sorprendente empujón de calcio cuando menos lo espere. Una onza (aproximadamente ¼ taza) aporta 280 miligramos de calcio. ¡Y eso representa más de un cuarto del valor diario necesario! Y esas semillas en miniatura también contienen una dosis enorme de magnesio y manganeso, que ahora se cree que protege contra formaciones óseas extrañas y pérdida de calcio en los huesos después de la menopausia.

CÓMO TOSTAR LAS SEMILLAS DE AJONJOLÍ

Las semillas de ajonjolí saben mucho mejor cuando se tuestan. Para tostarlas, coloque una sartén antiadherente sobre fuego alto. Esparza una cucharada o dos de semillas de ajonjolí. A medida que la sartén se caliente, las semillas empezarán a hacer ruido como las palomitas de maíz. Empiece a agitar la sartén con vigor, como si estuviera preparando palomitas a la antigua.

Agite hasta que las semillas estén doradas y el aroma sea tentador. Rocíe sobre ensaladas, verduras cocidas, platos salteados al estilo asiático, pollo, pescado o camarones a la parrilla.

Semillas de Diferencia

Las semillas contienen los nutrientes necesarios para que crezca una planta nueva. Pero la diferencia está en los detalles. Mezcle las diferentes variedades para lograr una mejor nutrición. Los valores nutricionales están basados en una porción de 1 onza.

Semilla	Cobre (% del valor diario)	Hierro (%)	Magnesio (%)	Manganeso (%)	Cinc (%)
Calabaza	10	5	19	7	19
Ajonjolí	21	12	25	20	19
Girasol	26	6	9	30	10

Una de las formas más agradables de comer bastantes semillas de ajonjolí es molidas en una pasta llamada tahini (ingrediente estándar del hummus). El tahini también aporta beneficios.

LAS SEMILLAS DE CALABAZA CONTIENEN MUCHO MÁS CINC QUE EL POLLO

Las semillas de calabaza son una de las mejores fuentes vegetales de cinc, un mineral clave en el laberinto de reacciones que desarrollan inmunidad contra invasores tales como los virus y el cáncer. Una onza de semillas de calabaza aporta 3 miligramos de cinc. Eso es más de lo que obtendrá de 2 onzas de carne de res magra o de 3 onzas de pechuga de pollo.

LAS CALORÍAS SUMAN: ¡QUÉ FASTIDIO!

Las semillas están repletas de las grasas no saturadas que el cuerpo necesita para tener arterias flexibles y paredes celulares saludables, pero las calorías sí cuentan en la batalla contra la barriga. Las semillas de girasol y ajonjolí aportan unas 160 calorías por onza, mientras que las semillas de calabaza tienen un poco menos: 126. Así que no se acomode frente al televisor con una lata con semillas y se la acabe. Úselas para adornar o acentuar los sabores de las comidas. Si le vuelve loco la mezcla de semillas y frutos secos, cómala como almuerzo en lugar de como bocadillo.

Pollo al Ajonjolí con Linguine de Trigo Integral

Colleen probó el plato por primera vez cuando estaba de vacaciones en Florida, con el sol poniéndose en la Isla de Sanibel. Afortunadamente para nosotros, ella pudo convencer al chef (Marwan Kassem) de que le diera la receta. Esta es su versión.

8 onzas de pasta seca de trigo integral
3 cucharadas de aceite de chile
4 pechugas de pollo deshuesadas y sin piel
1 manojo de cilantro fresco picado
1 cucharadita de mostaza de wasabi
1 taza de salsa de soya reducida en sodio
Salsa picante al gusto (opcional)
½ taza de papaya en trozos
1½ taza de yogur natural descremado
Semillas de ajonjolí negras y blancas

En una olla grande sobre fuego alto, lleve a ebullición 4 cuartos de agua. Agregue la pasta y cocine hasta que esté al dente, aproximadamente 9 minutos. Caliente el aceite de chile en una sartén grande sobre fuego mediano-alto. Agregue el pollo y saltee; cocine hasta que esté tierno. Agregue el cilantro, la mostaza, la salsa de soya y, si lo desea, la salsa picante. Cocine por 5 minutos. Agregue la pasta y la papaya, y mezcle bien. Añada el yogur y deje que todo se caliente de manera uniforme. Divida en los cuatro tazones que calentó previamente, rocíe las semillas de ajonjolí y sirva de inmediato. Sirva con la salsa de soya adicional aparte.

Porciones: cuatro.

Datos nutricionales por porción: calorías, 550; proteínas, 40 g; carbohidratos, 60 g; fibra, 8 g; grasas, 14 g; grasas saturadas, 2 g; colesterol, 67 mg; sodio, 2,265 mg; vitamina A, 17% del valor diario; vitamina B3 (niacina), 63%; vitamina C, 31%; calcio, 18%, hierro, 75%; manganeso, 91%.

Soya:
Alegría para el Corazón

EFICAZ CONTRA:
- el cáncer
- las enfermedades cardíacas
- el colesterol alto
- los sofocos

REFUERZA:
- los huesos

Por muchísimo tiempo, a Karen no le convencía el sabor de los alimentos con soya. En una palabra: ¡guácala! Pero un día, el autor de un libro de cocina llegó a su oficina con un esponjoso pastel de chocolate preparado con tofu. Ese pastel cambió para siempre la forma de pensar de Karen. Ahora es fanática de la soya y su cocina muchas veces está llena de experimentos que incluyen leche de soya, hamburguesas de soya, tofu o miso.

HABLEMOS DEL CORAZÓN

Seguramente sabe de ver las noticias que los investigadores en nutrición prefieren no dar su opinión: no están seguros de nada. Es molesto, ¿verdad?

Pero de lo que sí están seguros es que de dos a tres porciones de alimentos al día con soya reducen el colesterol, lo que disminuye el riesgo de sufrir enfermedades cardíacas entre el 15% y el 30%.

RESUMEN DE INFORMACIÓN NUTRICIONAL

Tofu (3 onzas)

Calorías: 64

Grasas: 4 g

Grasas saturadas: 1 g

Colesterol: 0 mg

Sodio: 6 mg

Carbohidratos totales: 2 g

Fibra dietética: 1 g

Proteínas: 7 g

Calcio: 4–30% del valor diario

Hierro: 25%

Magnesio: 21%

Fósforo: 8%

La reducción depende en gran parte de su nivel de colesterol, pero esos números fueron lo suficientemente buenos como para que la FDA permitiera que los productores de alimentos proclamaran beneficios de salud en la etiqueta de cualquier producto de soya que contenga, al menos, 6.25 gramos de proteína de soya por porción. Y la Asociación Americana del Corazón recientemente agregó la soya a la lista de alimentos buenos para el corazón.

Los investigadores consideran que la soya mantiene al corazón en buen estado de varias formas:

▶ Actúa como antioxidante, devorando los radicales libres que pueden causar daño celular (que ocasionará enfermedades cardíacas).

▶ Disminuye la coagulación de la sangre y las inflamaciones.

▶ Probablemente lo más importante es que promueve la expansión de los vasos sanguíneos cuando están estresados, para que la sangre pueda continuar el flujo normal.

Muchos expertos en nutrición (como el Dr. Barry Goldin, catedrático de medicina familiar en Tufts University, Boston) le exhortan a comer una porción de alimentos con soya en lugar de algo no tan saludable para el corazón, como carne de res molida grasosa o leche entera.

¿HACE CALOR?

Seguramente ha escuchado que los alimentos con soya alivian los síntomas menopáusicos como los sofocos y la sequedad vaginal. Hay estudios que muestran que la soya sí ayuda a aliviar los calores nocturnos, pero en muchos estudios, un placebo (una píldora falsa) funcionó igual de bien. Los científicos siguen tratando de resolver el misterio de los sofocos, y admiten que la soya puede brindar bastante alivio a algunas mujeres, mientras que otras no ven el beneficio. Para determinar si usted es una de las afortunadas, solo tiene que probarlo.

FORMA HUESOS

Pero la soya puede ayudar con otro efecto secundario molesto de la menopausia: la pérdida de masa ósea. Un estudio reciente de tres años

(Continúa en la página 446)

SOLUCIONES PARA COMPRAR Y PREPARAR

¿Ha echado un vistazo a lo que hay en el supermercado? En los últimos años, la selección de productos a base de soya ha crecido muy rápido. Desde los productos básicos de soya como leche de soya, tofu, tempeh y miso, hasta productos que usan la soya como ingrediente (se nos vienen a la mente hamburguesas de soya, cereales, barras energéticas, queso y yogur), hay un carrito de supermercado lleno de opciones.

Y lo que es más, los principales productores de alimentos compiten por llevar al supermercado local docenas de otros alimentos deliciosos con soya a medida que las nuevas técnicas de procesamiento permiten que los alimentos sean más sabrosos que la grumosa leche de soya color café o el queso maloliente que se tragó con esfuerzo hace solo unos cuantos años.

SELECCIONE LO MEJOR

Sin embargo, no todos los productos de soya son nutricionalmente iguales. Algunos de los nuevos productos no son tan saludables y tienen apenas una pequeña cantidad de soya agregada. Seleccione sólo alimentos con una cantidad razonable de calorías, grasas (especialmente saturadas) y sodio.

Por ejemplo, un cereal de soya nuevo aporta 200 calorías y 440 miligramos de sodio por porción; más que muchos otros cereales, incluidos los de los niños.

Esto es lo que debe buscar en los tres productos de soya que probablemente usa con más frecuencia: leche, tofu y hamburguesas.

LECHE DE SOYA

Generalmente encontrará una marca o dos en la sección de lácteos refrigerados cerca de la leche de vaca. También encontrará otras variedades en envases asépticos en el pasillo de los cereales o de los productos para hornear. Independientemente de dónde se encuentre la leche de soya, los lineamientos para elegirla son los mismos.

CUANDO ELIJA LECHE DE SOYA:

■ Asegúrese de que no contenga más de 3 gramos de grasa por vaso (aproximadamente lo mismo que la leche de vaca con un 1% de grasa).

■ Elija una marca fortificada con, al menos, el 30% del valor diario de calcio y vitamina D, porque si cambia la leche de vaca por leche de soya, no recibirá tanto calcio.

PARA ALMACENARLA:

Después de abrirla, guarde la leche de soya que sobre de los envases asépticos en el refrigerador. Se mantendrá bien por unos cinco días.

TOFU

Hay tres tipos principales de tofu: firme, suave y sedoso.

CUANDO ELIJA TOFU:

■ Elija tofu firme para los platos salteados o siempre que desee que mantenga su forma.

■ Elija el tofu blando para platos que requieren que se incorpore.

■ Elija el tofu sedoso para platos que requieren que se haga puré o se licue.

■ Cuando sepa qué tipo de tofu necesita, compare el contenido de calcio entre las diferentes marcas. La mayoría varía entre el 4% y el 30% del valor diario de calcio. Compre el que ofrezca la mayor cantidad de este mineral que sirve para formar huesos.

PARA ALMACENARLO:

Mantenga el tofu en el refrigerador. Úselo antes de la fecha de vencimiento. Si le sobra, páselo por agua y cúbralo con agua fresca antes de refrigerarlo. Si le cambia el agua todos los días, las sobras se mantendrán bien por aproximadamente una semana.

HAMBURGUESAS DE SOYA

Note que no dijimos "hamburguesas vegetarianas". Algunas hamburguesas vegetarianas están hechas solo de granos y verduras. Esas no tienen nada de soya. Incluso las que están hechas de soya pueden variar muchísimo en la cantidad de isoflavonas (compuestos beneficiosos) que proporcionan.

CUANDO ELIJA HAMBURGUESAS DE SOYA:

Busque las palabras "proteínas de soya purificadas" y "concentrado de proteínas de soya" en los ingredientes. Las hamburguesas de soya

(Continúa en la página 446)

SOLUCIONES PARA COMPRAR Y PREPARAR

(Continuación de la página 445)

preparadas con proteínas de soya purificadas tienen todas las isoflavonas; las preparadas con el concentrado ofrecen solo el 5%, indica el Dr. James Anderson, investigador de soya de la Universidad de Kentucky en Lexington.

PARA ALMACENARLAS:

Consérvelas en el congelador hasta que esté listo para cocinarlas.

INTRODUCCIÓN DE LA SOYA EN LAS COMIDAS

A continuación encontrará diversas formas de hacer que a su familia le encante comer con soya:

◆ **Sustituya la leche de vaca.** Puede usar la leche de soya en casi cualquier receta que requiera leche de vaca; incluso salsas cremosas, pudines y panqueques. Encuentre una marca que le guste. Nuestra favorita: Silk.

◆ **Úsela en salsas.** En una licuadora, mezcle un paquete de su salsa favorita (a nosotros nos gusta ranch) con un paquete de tofu blando o sedoso. Abra una bolsa de nachos reducidos en grasas, ¡y que empiece la fiesta!

(Continuación de la página 443)

muestra que una dieta rica en soya reduce la velocidad a la que se pierde la densidad mineral ósea que mantiene al esqueleto fuerte. Los investigadores aún tienen que confirmar la conexión entre la soya y los huesos, pero este punto se ve prometedor.

ADVERTENCIA SOBRE EL CÁNCER

Esta es la noticia que ha estado esperando: los científicos están casi seguros de que la soya reduce el riesgo de desarrollar algunos tipos de cáncer, especialmente el cáncer de próstata. Es una excelente noticia para los hombres.

Entre los efectos preventivos de la soya sobre las enfermedades cardíacas y el cáncer de próstata, "para los hombres, comer alimentos con soya es esencial", comenta el Dr. Bill Helferich, profesor asociado

◆ **Embellezca la hamburguesa.** No vamos a mentirle: hasta la más deliciosa hamburguesa de soya no se compara con una suculenta hamburguesa de carne de res. Pero puede ser similar si, como suele decir la mamá de Karen, "modifica" la hamburguesa. Estas son cinco formas de mejorar una tortita de soya:

1. Marine la hamburguesa en salsa teriyaki antes de cocinarla.

2. Derrita encima una delgada rebanada de queso cheddar.

3. Tueste el pan (y asegúrese de elegir uno delicioso).

4. Cubra con delgadas rebanadas de aguacate.

Unte su mostaza de miel favorita.

◆ **Experimente en el wok.** Considere usar tofu firme en lugar de res, pollo o cerdo la próxima vez que encienda el wok.

◆ **Cambie los aperitivos.** En lugar de comer papas fritas y pretzels, satisfaga su antojo de algo crujiente con semillas de soya. Comparadas con la fruta seca habitual, las semillas de soya tienen casi la mitad de las calorías y un tercio de las grasas por porción. Puede comprarlas naturales o sazonadas. O prepare edamame, crujientes vainas verdes de soya. Hasta los niños piensan que son ricas; y sabemos lo exigentes que pueden ser los niños.

de ciencias de los alimentos y nutrición humana de la Universidad de Illinois en Urbana.

Pero para las mujeres, especialmente para las que tienen cáncer de mama o antecedentes familiares de la enfermedad, la soya se vuelve un poco más complicada. Intentaremos explicarlo.

POSIBLES PROBLEMAS

Algunos tipos de cáncer de mama se desarrollan por medio de la hormona estrógeno. Las mujeres producen estrógeno, aunque la cantidad disminuye significativamente después de la menopausia. Los alimentos con soya contienen estrógenos de origen vegetal llamados isoflavonas. Antes de comenzar la menopausia, unos 60 miligramos diarios de isoflavonas (la cantidad de uno o dos alimentos con soya) reducen la producción de estrógenos del cuerpo entre un 20% y un 40%, aproximadamente.

El Contador de Granos

Utilice esta guía útil para determinar cuánto de su producto favorito de soya equivale a una porción.

Edamame (soya verde en vaina): ½ taza

Miso: 2 cucharadas

Hamburguesa de soya: 1 tortita

Leche de soya: 1 taza

Semillas de soya: ¼ taza

Tempeh: ½ taza

Tofu: ½ taza

La disminución del estrógeno reduce la probabilidad de desarrollar cáncer de mama. Entonces el grupo de menos de 50 años probablemente se protege del cáncer por comer alimentos con soya.

Sin embargo, a medida que se acerca a la menopausia y la producción de estrógeno del cuerpo cae en picada, los beneficios de comer soya se vuelven inciertos. Las isoflavonas tienen el potencial de estimular el tejido de la mama, lo que produce cambios que pueden acelerar el crecimiento de células cancerosas.

Lo que genera un debate acalorado es qué tan probable es esto. Algunos expertos piensan que es una posibilidad remota, otros están seguros. Los estudios actuales deberían ayudar a determinar cuál teoría es la correcta.

Pero, ¿qué hacemos mientras tanto?

▶ Si tiene cáncer de mama o intenta prevenir que vuelva a desarrollarse, algunos investigadores le aconsejan que evite la soya.

▶ Si tiene antecedentes familiares de la enfermedad y está postmenopáusica, lo mejor sería que se limite a no más de una porción al día.

▶ De lo contrario, de dos a tres porciones al día parece una buena opción.

Pudín de Vainilla de Ensueño

Cuando prepare esta versión rápida y deliciosa de la Soyfoods Association of North America, nunca volverá a comprar las mezclas instantáneas.

½ taza de azúcar
2 cucharadas de almidón
⅛ cucharadita de sal
1½ taza de leche natural de soya
1 cucharadita de extracto de vainilla

En una olla mediana, revuelva el azúcar, el almidón y la sal. Agregue lentamente la leche de soya, revolviendo con frecuencia para evitar que se formen grumos. Lleve a ebullición, baje el fuego y deje que hierva suavemente, revolviendo constantemente, por 5 minutos, o hasta que adquiera una consistencia cremosa y espesa. Retire del fuego y agregue el extracto de vainilla. Vierta en cuatro copas para postre.

Porciones: cuatro.

Datos nutricionales por porción: calorías, 144; proteínas, 2 g; carbohidratos, 30 g; fibra, 1 g; grasas, 2 g; grasas saturadas, 0 g; colesterol, 0 mg; sodio, 102 mg.

Plato Salteado para un Día Estresado

Este es un excelente plato para preparar después de un día tenso porque, si marina el tofu con anticipación, se prepara en un instante.

10 onzas de tofu firme cortado en cubos
½ taza de marinado teriyaki
2 cucharadas de aceite de canola
1 taza de zanahoria rallada
1 taza de floretes de brócoli
1 cebolla pequeña picada
2 tazas de arroz integral cocido

Marine el tofu en la salsa teriyaki por, al menos, 30 minutos en el refrigerador. Caliente en aceite en un wok grande antiadherente. Añada el tofu, las zanahorias, el brócoli y la cebolla, y saltee entre 5 y 7 minutos. Agregue el arroz y deje que todo se caliente de manera uniforme.

Porciones: cuatro.

Datos nutricionales por porción: calorías, 261; proteínas, 10 g; carbohidratos, 32 g; fibra, 4 g; grasas, 11 g; grasas saturadas, 1 g; colesterol, 0 mg; sodio, 540 mg.

Té:

Una Fiesta para el Cuerpo

EFICAZ CONTRA:
- la artritis
- el cáncer
- las cataratas
- las enfermedades cardíacas
- el accidente cerebrovascular
- las caries
- las úlceras

REFUERZA:
- los huesos
- la función inmunológica
- la vista
- el control del peso

En una aburrida y lluviosa tarde, ¿qué podría ser mejor que compartir un té al lado de una acogedora chimenea? El té ha sido un fabuloso calmante para Colleen y sus hijas, el bálsamo para momentos de aflicción, y el elíxir en los momentos de dolor y angustia. También ha sido la bebida de celebración para las alegrías. A menudo es el símbolo de la unidad y el calor familiar: la "fogata" alrededor de la cual se reúnen.

Y ahora nos complace saber que esa tradición familiar de toda la vida también puede proteger la salud. Aunque el té ha calmado almas desde tiempos inmemoria-

RESUMEN DE INFORMACIÓN NUTRICIONAL

Té caliente (1 taza)

Calorías: 2

Grasas: 0 g

Grasas saturadas: 0 g

Colesterol: 0 mg

Sodio: 7 mg

Carbohidratos totales: menos de 1 g

Fibra dietética: 0 g

Proteínas: 0 g

Folato: 3% del valor diario

Vitamina B2 (riboflavina): 2%

Magnesio: 2%

Potasio: 2%

SOLUCIONES PARA COMPRAR Y PREPARAR

Hay muchos tipos de té. Decida cuál prefiere.

■ Bolsitas de té o hebras. Obtendrá abundantes antioxidantes con el té en bolsitas o en hebras, aunque el mayor refuerzo proviene de las bolsitas (¡increíble!) (¡y pensaba que la alimentación saludable sería difícil!). Esto se debe a que los pedazos triturados de té ofrecen más superficies expuestas durante la preparación.

■ Té sin cafeína. Más buenas noticias: el té descafeinado no altera los antioxidantes. Así que hágalo fácil: elija el estilo y la marca que más le guste ¡y listo!

■ Té helado. También son recomendables las bebidas embotelladas de té helado. En pruebas con diversas marcas y sabores, algunos tés resultaron ser tan eficaces como un té en infusión, en tanto que otros aportaron por lo menos la mitad de los antioxidantes que la infusión, lo que hace a cualquier té envasado más rico en antioxidantes que cualquier bebida de soda. Pero tenga cuidado: muchos tés envasados contienen hasta 200 calorías provenientes del azúcar, lo que no ofrece beneficios para la salud, eleva el riesgo de subir de peso y le quita el apetito por consumir alimentos más saludables. Así que lea la etiqueta antes de comprarlo.

LA HORA DEL TÉ PUEDE SER EN CUALQUIER MOMENTO

Estas son algunas sugerencias para convertirse en un consumidor de té.

◆ ¿No toma té? Empiece por cantidades pequeñas. Por las mañanas, sustituya una taza de café por una de té. Le llegará una pequeña llamada para despertarse (el té aporta 47 miligramos de cafeína por taza, en comparación con los 140 miligramos del café), pero le brindará un tercio del valor diario de los antioxidantes eficaces contra el cáncer.

◆ ¿Saldrá a almorzar? Pida té helado. Pregunte si está recién preparado. Si no lo está, pida té caliente y un vaso de hielo. Prepare el té en la taza, agregue hielo para contrarrestar el calor y luego vierta el té sobre el hielo del vaso (¡verter té demasiado caliente en el vaso podría romperlo!).

les, los resultados de las investigaciones datan de unos pocos años. ¡Pero son alentadores!

DE HOMBRES Y RATONES

Hace poco tiempo, los epidemiólogos (científicos que comparan los riesgos de salud de un gran grupo de personas con otro) notaron que en los países en donde se beben grandes cantidades de té verde (el té que sirven en los restaurantes chinos), casi no se presentaban ciertos tipos de cáncer. Así que empezaron a administrarles té verde a ratones y determinaron que los protegía del cáncer de piel, de pulmón, de esófago, de estómago, de intestino delgado, de colon, de vejiga, de hígado, de próstata y de mama. ¡Caramba! ¡Con eso se cubre gran parte del territorio!

Alivio Rápido Para:

Infecciones

¿Se siente resfriado o engripado? Beba una taza de té. Las investigaciones iniciales sugieren que los antioxidantes del té estimulan el sistema inmunológico y combaten enfermedades.

Recuerde: esta investigación no demuestra que el té verde prevenga el cáncer en seres humanos. Los investigadores sustituyeron el líquido que bebían los ratones por té verde. También controlaron los antecedentes genéticos de los ratones y otros hábitos de salud. Así que hay mucho por hacer antes de que sepamos si los beneficios del té son válidos para las personas. ¡Tomemos un té mientras esperamos!

EL TÉ ES SORPRENDENTE

El té contiene abundantes antioxidantes: más que las principales frutas y verduras. Uno de los compuestos, el epigalocatequina-3-galato (EGCG, para los amigos), ha demostrado en pruebas de laboratorio que bloquea la acción de la uroquinasa, una enzima que necesitan las células cancerígenas para atacar a las células saludables. Sin la uroquinasa, las células cancerígenas dejan de invadir las células saludables y algunas veces hasta desaparecen.

Las investigaciones recientes sugieren que tanto el té verde como el negro que beben casi todos los estadounidenses tienen similares

Su Taza de Té

Le explicamos cómo preparar una taza perfecta de té caliente. Coloque agua fría en una tetera u olla. Llévela apenas a ebullición y luego viértala sobre una bolsa de té en la taza (si prepara té verde, deje reposar el agua hervida durante un minuto antes de verterla sobre la bolsa de té). Deje reposar de 3 a 5 minutos para maximizar la dosis de antioxidantes. Retire la bolsa rápidamente para evitar que el té quede amargo por el exceso de tanino. Beba a sorbos y relájese.

El té helado también es delicioso. Vierta 2 tazas de agua hirviendo sobre 4 bolsas de té en un pichel resistente al calor. Deje reposar de 3 a 5 minutos; luego retire las bolsas. Agregue 2 tazas de agua fría. Vierta en vasos con hielo. ¡Ahhhh!

efectos anticancerígenos (el té verde y el negro provienen de la misma planta. El té negro está fermentado; el té verde, no.)

LA MITAD DEL RIESGO DE SUFRIR UN ATAQUE CARDÍACO

Reiteramos, las pruebas no son concluyentes, pero en un estudio neerlandés, el tercio superior de los bebedores de té fue el que tuvo menos probabilidades de morir de un ataque cardíaco o de sufrir un accidente cerebrovascular. Y un estudio realizado en Boston determinó que las personas que bebieron una o más tazas de té negro al día tuvieron la mitad del riesgo de sufrir un ataque cardíaco que los abstemios de té. Se especula que el eficaz contenido antioxidante del té evita que el colesterol de la sangre bloquee las arterias.

BEBA TÉ PARA COMPROBARLO

Otros estudios preliminares sugieren que el té es saludable para el cuerpo de diversas maneras. Pero los ratones y los hombres parecen recibir un impulso en su metabolismo debido al té verde, lo que indica que controlaría el peso.

Es posible que el té fortalezca los huesos por el fluoruro o los fito-estrógenos (compuestos vegetales parecidos al estrógeno). Según los estudios con roedores, el té combatiría las bacterias del estreptococo, sanaría las úlceras, minimizaría la artritis y protegería los dientes. El té también protegería contra las cataratas.

Por eso, ¡tómese un té!

Té Helado de Mango

¿Busca un postre refrescante para el verano? Prepare un pichel de este té tan exótico como refrescante.

8 tazas de agua fría divididas
4 bolsas de té
1 taza de néctar de mango

Lleve a ebullición las 4 tazas de agua. Viértala sobre las bolsas de té en un pichel resistente al calor. Deje reposar de 3 a 5 minutos. Retire las bolsas de té y deséchelas. En las 4 tazas de agua, agregue el néctar de mango. Refrigere. Para servir, vierta sobre hielo en vasos altos.

Porciones: seis.

Datos nutricionales por porción: calorías, 26; proteínas, 0 g; carbohidratos, 7 g; fibra, menos de 1 g; grasas, 0 g; grasas saturadas, 0 g; colesterol, 0 mg; sodio, 7 mg; folato, 2% del valor diario; vitamina A, 10%; vitamina C, 4%.

Tomate:

El Mejor Amigo del Hombre

EFICAZ CONTRA:

- ■ **el cáncer**
- ■ **las enfermedades cardíacas**
- ■ **el colesterol alto**

Una mascota puede ser el compañero más fiel, pero un bello tomate es su mejor amigo. Cada vez más investigaciones demuestran que un compuesto de los tomates y sus derivados, tal como la salsa para espagueti, puede recortar el riesgo de padecer ciertos tipos de cáncer hasta en un 40%. ¿No es dulce la vida?

PROTECCIÓN PARA LA PRÓSTATA

Los tomates rojos y todas las comidas deliciosas que prepara con ellos, incluida la pizza, son ricos en licopeno, un antioxidante que captó la atención de los científicos en 1995, cuando los investigadores de la Universidad de Harvard divulgaron los resultados de un estudio con 47,000 hombres de entre 40 y 75 años.

Durante este proyecto de seis años, se diagnosticaron 812 casos de cáncer de próstata entre los participantes del estudio. Los investigadores deseaban saber si había diferencias entre las dietas de los hombres que desarrollaron este cáncer demasiado común y quienes permanecieron saludables.

Entre los más de 40 alimentos examinados, solo 4 protegían contra el cáncer de próstata. De esos 4 alimentos, 3 resultaron ser buenas

fuentes de licopeno: la salsa de tomate, los tomates y la pizza (las fresas fueron el otro alimento beneficioso). Se determinó que
consumir tomates o sus derivados dos veces a
la semana reduciría el riesgo de cáncer de
próstata entre un 20% y un 40%.

ESPERANZA PARA TODOS LOS TIPOS DE CÁNCER

Cuatro años más tarde, un grupo de investigadores de Harvard analizó 72 estudios sobre la
relación entre el licopeno y la prevención de
cualquier tipo de cáncer. Una asombrosa cifra
de 57 estudios determinaron que comer tomates y sus derivados con frecuencia reduce el
riesgo de padecer cáncer, especialmente el de
próstata, de pulmón y de estómago. El licopeno también protegería contra el cáncer de
mama, de cuello de útero y de colon.

Otro grupo de investigadores está tratando de determinar si comer
más productos elaborados con tomate mejora los resultados de las pacientes con cáncer de mama o de las que tienen un alto riesgo genético
de contraer la enfermedad.

POSIBLE PROTECCIÓN AL CORAZÓN

Los investigadores de Harvard también están examinando si consumir
a diario una o dos porciones de productos elaborados con tomate controlaría las enfermedades cardíacas, debido a que las investigaciones
preliminares sugieren que el licopeno reduciría el colesterol malo (lipoproteína de baja densidad, LDL).

UNA GRANDE DE PEPPERONI, POR FAVOR

¿Cuánto licopeno es necesario para obtener estos beneficios? "No estamos seguros, pero 30 miligramos diarios parecen ofrecer protección",
indica el Dr. A. V. Rao, profesor de nutrición de la Universidad de Toronto.

RESUMEN DE INFORMACIÓN NUTRICIONAL

Tomate (1 mediano)

Calorías: 35

Grasas: 0.5 g

Grasas saturadas: 0 g

Colesterol: 0 mg

Sodio: 5 mg

Carbohidratos totales: 7 g

Fibra dietética: 1 g

Proteínas: 1 g

Vitamina A: 20% del valor diario

Vitamina C: 40%

SOLUCIONES PARA COMPRAR Y PREPARAR

No hay nada como un tomate recién cortado del jardín. ¡Es por eso que contamos los días hasta que maduren los nuestros! Pero si no tiene toma-tes en el jardín, sea selectivo con lo que ofrecen los supermercados o los mercados de agricultores.

CUANDO ELIJA TOMATES:

■ Compre los lisos, rollizos, firmes y aromáticos.

■ Evite los tomates sin aroma: probablemente no estén maduros y nunca lo estarán.

■ Si desea usar los tomates en un día o dos, seleccione los maduros que cedan a la presión de los dedos.

■ ¿No piensa cocinar los tomates hasta dentro de unos días? Elija los que estén parcialmente maduros. Serán de color rosado pálido.

PARA ALMACENARLOS:

■ Almacene los tomates a temperatura ambiente para preservar su sabor. Aléjelos de la luz solar directa.

■ Coloque los tomates parcialmente maduros en una bolsa de papel, lejos de la luz solar directa, con una manzana o un banano para acelerar la maduración.

■ Refrigere los tomates solo cuando necesite extender su vida útil.

TENTACIONES CON TOMATE

Pruebe estas tentadoras sorpresas con tomate.

Otórgueles un papel estelar. Seguro que agrega tomates a la ensa-lada. Así solo forman parte del reparto. En estas sugerencias, los to-mates son las estrellas: ensalada de tomate y pepino ($2/3$ taza de tomates picados y $1/3$ taza de pepinos picados, recubiertos con ade-rezo italiano) o ensalada de tomate y albahaca (1 taza de tomates pi-cados y $1/4$ taza de hojas de albahaca picada, rociados con vinagreta balsámica).

Éntrele con Ganas a la Salsa

Algunos productos elaborados con tomate contienen más licopeno contra el cáncer que el tomate en sí. Utilice esta tabla para calcular los 30 miligramos diarios de licopeno, la cantidad sugerida por muchos investigadores.

Platillo de tomate	Licopeno (mg)
Salsa de tomate (½ taza)	21.9
Jugo de tomate (¾ taza)	19.8
Pasta de tomate (2 cucharadas)	18.2
Cóctel de jugo de vegetales (¾ taza)	17.6
Puré de tomate (¼ taza)	10.4
Tomate crudo picado (½ taza)	8.3
Ketchup (2 cucharadas)	5.2

Es pan comido: consuma ¾ taza de jugo de tomate y un tomate, o un tazón de pasta con salsa de tomate y algunas cucharadas de ketchup.

Para informarse sobre el contenido de licopeno de sus alimentos favoritos, lea "Éntrele con Ganas a la Salsa" en este mismo capítulo. Mientras tanto, ¡pida una pizza con tomate!

Un Festín A Mitad del Invierno: Tomates Asados al Horno

Esta receta convierte esos tomates simples del invierno en un entremés cálido, dulce y superjugoso que le encantará a toda su familia.

Aceite de oliva en aerosol para cocinar
4 tomates redondos cortados transversalmente en rodajas de ¾ pulgada
2 cucharaditas de azúcar
1 cucharadita de albahaca seca
½ cucharadita de pimienta negra molida
2 cucharaditas de queso parmesano rallado

Precaliente el horno a 300 ºF. Recubra dos bandejas para hornear con papel aluminio. Rocíe abundante aceite en aerosol sobre el papel aluminio. Coloque las rodajas de tomate en las bandejas para hornear. Espolvoree el azúcar, la albahaca y la pimienta. Hornee de 45 a 55 minutos o hasta que los tomates comiencen a deshidratarse. Retire del horno. Espolvoree el queso y regréselos al horno de 1 a 2 minutos, o hasta que se derrita el queso. Sírvalos calientes.

Porciones: cuatro.

Datos nutricionales por porción: calorías, 40; proteínas, 2 g; carbohidratos, 8 g; fibra, 2 g; grasas, 1 g; grasas saturadas, 0 g; colesterol, 1 mg; sodio, 30 mg; calcio, 3% del valor diario; hierro, 5%.

Toronja:

Ácida contra el Cáncer

EFICAZ CONTRA:
- el asma
- el cáncer
- las enfermedades cardíacas
- el colesterol alto
- los accidentes cerebrovasculares

REFUERZA:
- la reparación celular

Alivio Rápido Para:

Asma

¿Lo vuelve loco el asma? Se realizaron estudios preliminares que sugieren que agregar toronja a su dieta diaria puede reducir los síntomas del asma.

En algunas casas, la toronja tiene un papel secundario al de la naranja, ¡pero no en la nuestra! Eso es porque la toronja (especialmente las variedades roja y rosada) está llena de antioxidantes que protegen contra el cáncer, las enfermedades cardíacas y otros problemas de salud importantes.

ANTIOXIDANTES A SU SERVICIO

Los antioxidantes de la toronja trabajan tanto independientemente como en grupo para combatir las enfermedades. Así que coma toronja para disfrutar de las siguientes ventajas:

▶ **El valor de la vitamina C.** El pez gordo de estos antioxidantes, como sin duda ya lo sabe, es la vitamina C. ¡La mitad de una toronja garantiza que obtendrá toda la vitamina C que necesita para todo el día! Además de atacar los radicales libres (sustancias que causan daño a las células), la vitamina C ayuda a mantener el

RESUMEN DE INFORMACIÓN NUTRICIONAL

Toronja rosada
(1/2 mediana)

Calorías: 60

Grasas: 0 g

Grasas saturadas: 0 g

Colesterol: 0 mg

Sodio: 5 mg

Carbohidratos totales: 16 g

Fibra dietética: 6 g

Proteínas: 1 g

Vitamina A: 15% del valor diario

Vitamina C: 110%

colágeno que repara los tejidos del cuerpo.

▶ **Los beneficios del betacaroteno.** Las toronjas rosadas y rojas también tienen gran contenido de betacaroteno. Se han efectuado estudios que han demostrado que este antioxidante puede jugar un papel valioso como defensa contra el cáncer y las enfermedades cardíacas cuando se consume en los alimentos (no en suplementos vitamínicos).

▶ **La promesa del licopeno.** Ambas variedades de toronja, pero en especial la roja, también están cargadas de licopeno, un antioxidante que parece ser prometedor en la prevención del cáncer de próstata. (Consulte "Tomate: El Mejor Amigo del Hombre" en la página 456).

▶ **El paquete completo.** Los antioxidantes de la toronja se pueden asociar para prevenir los accidentes cerebrovasculares. Un estudio de la Universidad de Harvard determinó que beber un vaso de jugo de toronja o de naranja todos los días reducía en un 25% el riesgo de padecer un tipo común de accidente cerebrovascular.

FIBRA POR SIEMPRE

Finalmente, está la fibra. Todas las variedades de toronja proporcionan una gran cantidad de fibra, principalmente del tipo soluble. Este tipo de fibra reduce el nivel de colesterol malo o LDL (lipoproteína de baja densidad) y, por lo tanto, protege al corazón. Y para aprovechar la fibra

SOLUCIONES PARA COMPRAR Y PREPARAR

Para consumir la mayor cantidad de los anticancerígenos betacaroteno y licopeno, elija la toronja rosada o, mejor aún, la roja.

CUANDO ELIJA TORONJAS:

■ Alce la toronja. Cuanto más pesada se sienta para su tamaño, más delicioso será el jugo.

■ Evite las toronjas ásperas, que tengan la cáscara porosa o con extremos protuberantes, porque posiblemente ya estén bastante resecas.

PARA ALMACENARLAS:

Colóquela en la encimera de la cocina, como si pensara comerla en unos días. Si no, colóquela en el refrigerador, donde se conservará durante un máximo de seis semanas.

DELICIAS CON TORONJA

Cuando lea estas ideas, nunca dejará las toronjas almacenadas por mucho tiempo.

◆ **Haga brillar a su ensalada.** Esparza trozos de toronja *Ruby Red* en su ensalada verde para aportar un toque vigorizante de color y fibra. Aderécela con vinagreta cítrica.

◆ **Prepare un arco iris.** Combine trozos de toronjas blancas, rosadas y rojas en una ensalada de frutas. Le iluminará la vista.

◆ **Acentúe el sabor de su pescado.** Rocíe los camarones con jugo de toronja en lugar de jugo de limón. O prepare filetes de pescado al vapor o a la parrilla, tal como salmón o platija (de la familia del lenguado), con trozos de toronja. Otra opción: sofrito con camarones y toronja.

◆ **Endúlcela.** ¿No es lo suficientemente dulce la toronja fresca? Endúlcela con un poco de sirope de arce o miel de abeja.

al máximo, no deje de comer las paredes que separan la toronja en segmentos, dado que contribuyen, por lo menos, con la mitad de la cantidad total.

Refresco Cítrico para Comer Afuera

Este refresco que apaga la sed será un gran éxito (de frescura) en sus picnics de verano. En tan solo una porción, contiene toda la vitamina C que necesita para todo el día. Agréguele calcio a su bebida utilizando naranja fortificada con calcio y agua mineral, como Gerolsteiner, que contiene más calcio que la mayoría de las demás marcas.

1 ½ taza de jugo de toronja concentrado congelado descongelado

1 ½ taza de jugo de naranja concentrado congelado descongelado

2 litros de agua mineral con gas fría

hielo picado

2 limones en rebanadas finas

¼ taza de frambuesas frescas (opcional)

Vierta los jugos en un tazón grande para ponche. Agregue el agua y el hielo picado. Adorne con las rebanadas de limón y, si las usa, las frambuesas.

Porciones: 14.

Datos nutricionales por porción: calorías, 136; proteínas, 1 g; carbohidratos, 33 g; fibra, 0 g; grasas, 0 g; grasas saturadas, 0 g; colesterol, 49 mg; sodio, 7 mg; vitamina C, 101% del valor diario; calcio, 2%; hierro, 2%.

Uva:

Un Racimo de Beneficios para la Salud

EFICAZ CONTRA:
- el cáncer
- las enfermedades cardíacas
- las náuseas matutinas

REFUERZA:
- la función cardiovascular

Hay algo gratificante al comer un racimo de uvas. Imagínese recostado en su escritorio comiendo una uva tras otra. Evoca imágenes de los romanos reclinados en un festín bacanal, ¿verdad? Sin embargo, a pesar de que probablemente no disfrutemos de las uvas en medio de tal opulencia, tenemos algo en común con quienes disfrutaron de los festines de la antigua Roma: obtenemos los beneficios para la salud que proporciona la cáscara de las uvas.

La cáscara de las uvas es la fuente más rica de resveratrol, un compuesto natural que frena la enzima que necesitan las células cancerosas para crecer. No solo eso, ¡el resveratrol parece interferir con los tipos de mutación de genes que crean las células de cáncer en primer lugar!

DISFRUTE DE UNA PASIÓN PÚRPURA

El jugo de uva púrpura, como el vino tinto, está lleno de flavonoides, compuestos vegetales naturales que ayudan a prevenir la agregación plaquetaria innecesaria (cuando las plaquetas de la sangre se "agregan", forman coágulos sanguíneos muy pequeños que se pueden pegar en

SOLUCIONES PARA COMPRAR Y PREPARAR

Las uvas maduran en la viña, pero el proceso de maduración se detiene cuando se recolectan. Así que sea cuidadoso al comprarlas, porque el momento de la compra es clave.

CUANDO ELIJA UVAS:

■ Las más dulces: de las uvas blancas, las que tienen una tonalidad verde amarillenta; de las uvas rosadas, las que tienen un tono carmesí profundo; y de las uvas púrpura, las que son casi negras.

■ Escoja las uvas regordetas que parecen explotar de bondades.

■ Busque los tallos verdes y flexibles.

PARA ALMACENARLAS:

Almacene las uvas en el refrigerador, en donde durarán casi una semana. Lávelas justo antes de comerlas.

ENRIQUÉZCALO CON UVAS

Ahora puede disfrutar de las uvas en todas estas formas tan deliciosas:

◆ **Coma como un niño.** ¿Desea un almuerzo rápido? Prepárese un buen sándwich de mantequilla de maní y jalea de uva púrpura como lo hacían nuestras abuelitas. La mantequilla de maní está repleta de grasas saludables para el corazón y la jalea está cargada de flavonoides que lo protegen de enfermedades cardíacas y del cáncer.

◆ **Agréguele un toque crocante a las ensaladas.** Las uvas sin semilla le agregan un toque crujiente y dulce a la ensalada de pollo, atún o camarones. Rocíe un poco de curry en polvo para lograr un contraste condimentado.

◆ **Cree un adorno de gala.** Omita el perejil y opte por las uvas como decoración de platos y fuentes en su próxima cena festiva.

◆ **Uvas de arriba abajo.** Sirva pinchos de frutas como postre. Coloque en brochetas uvas, rodajas de banano, fresas enteras y trozos de piña. Agregue miel, jugo de limón y especias, y póngalas al fuego hasta que estén calientes.

◆ **Enfoque la atención en las uvas.** Reemplace el plato de caramelos por una fuente de uvas. Combine uvas blancas, rosadas y púrpura para lograr un aspecto suntuoso.

una arteria coronaria obstruida, interrumpiendo el suministro de sangre a una parte del corazón. Eso es un ataque cardíaco).

En un reducido estudio clínico de cinco hombres y cinco mujeres, beber 5 onzas de jugo puro de uva púrpura todos los días durante una semana redujo la agregación de plaquetas en un 60%, una reducción aún mejor que la que se obtiene al tomar aspirina.

NOTICIAS DE ÚLTIMA HORA

A continuación, aparecen algunos de los últimos descubrimientos científicos que revelan otros beneficios para la salud como resultado de comer uvas.

RESUMEN DE INFORMACIÓN NUTRICIONAL

Uvas Tokay, Empress o Red Flame (1 taza)
Calorías: 114
Grasas: 1 g
Grasas saturadas: 0 g
Colesterol: 0 mg
Sodio: 3 mg
Carbohidratos totales: 28 g
Fibra dietética: 2 g
Proteínas: 1 g
Vitamina B1 (tiamina): 10% del valor diario
Vitamina C: 19%
Cobre: 7%

▶ Los estudios clínicos han demostrado que beber jugo de uva vuelve más flexibles las arterias, lo que puede la circulación de la sangre.

▶ Además se ha demostrado que tanto el jugo de uva púrpura como el de uva rosada reduce la probabilidad de que se oxide el colesterol malo o LDL (lipoproteína de baja densidad). La oxidación es un proceso químico que hace que el colesterol se adhiera a las paredes de las arterias.

Alivio Rápido Para:

Náuseas Matutinas

Si las náuseas matutinas provocan que hasta un vaso de agua sea motivo para salir corriendo al baño, coma unas cuantas uvas como primer alimento en la mañana. Son excelentes para reponer líquidos, pero no causan esa sensación de náuseas, indica la especialista en nutrición prenatal, Miriam Erick, R.D., directora de la National Morning Sickness Nutrition Clinic (Brigham) y del Women's Hospital (Boston).

Vaca Púrpura para el Corazón

Bata esta delicia helada que tiene gran contenido de calcio para los huesos, y flavonoides para el corazón. Sabe tan bien que olvidará que es saludable.

1 taza de yogur descremado de cereza congelado
½ taza de jugo de uva púrpura
3 uvas púrpuras en racimo con tallos (decoración)

Licúe el yogur y el jugo de uva hasta que la mezcla esté cremosa. Vierta en un vaso alto. Adorne con el racimo de uvas. Sírvalo con una pajilla.

Porciones: una.

Datos nutricionales por porción: calorías, 257; proteínas, 7 g; carbohidratos, 57 g; grasas, 0 g; grasas saturadas, 0 g; colesterol, 0 mg; sodio, 94 mg; calcio, 61% del valor diario; manganeso, 23%.

Verdura de Hoja Verde:
La Gloria

EFICAZ CONTRA:
- el cáncer
- las enfermedades cardíacas

REFUERZA:
- los huesos
- la vista

Algunas verduras de hoja verde son puro monte: no parecen atraer mucha atención. Pero si las ve más detenidamente, considerará que merecen atención. La col rizada, la espinaca e incluso el repollo chino son verduras de hoja verde que la mayoría conoce. Pero aquí estamos hablando de otro grupo de verduras de hoja verde: la col, la mostaza y el nabo. Siga leyendo. Tendrá una agradable sorpresa.

LEA ESTO

Al igual que la col rizada y la espinaca, la col, la mostaza y el nabo son verduras de hoja verde cargadas de luteína y zeaxantina, dos compuestos importantes para la salud de los ojos. Dos estudios de la Universidad de Harvard (uno con 36,000 hombres y el otro con 50,000 mujeres) determinaron que las personas que consumían los alimentos más ricos en estos compuestos tenían aproximadamente un 20% menos de probabilidades de necesitar cirugía de cataratas.

Estos alimentos también ayudan a proteger la vista de otra manera: pueden evitar la degeneración macular relacionada con la edad (ARMD), la principal causa de ceguera en personas mayores de 65 años. En esta enfermedad, la mácula del ojo (un pequeño punto de la retina) empieza a degenerarse. Como resultado, las personas tienen dificultad para ver al frente. Resulta que la mácula está cargada de los

469

SOLUCIONES PARA COMPRAR Y PREPARAR

En todas partes del país, se encuentran verduras de hoja verde durante casi todo el año; la temporada va desde el Día de Acción de Gracias hasta Navidad.

CUANDO ELIJA VERDURAS DE HOJA VERDE:

■ Sin importar qué tipo de verdura de hoja verde compre, busque plantas con hojas pequeñas. Son más tiernas y suaves que las plantas con hojas más grandes.

■ Asegúrese de que las verduras de hoja verde estén a temperatura fría mientras están en la góndola.

■ Verifique que las hojas estén frescas y verdes, no marchitas ni amarillas.

■ Evite que las hojas presenten pequeños agujeros (señal de insectos).

PARA ALMACENARLAS:

Guarde las verduras de hoja verde, sin lavar, dentro de una bolsa plástica en su refrigerador, en donde se conservarán hasta por cinco días.

CUANDO ESTÉ LISTO PARA CONSUMIRLAS:

■ Corte y deseche los tallos, las raíces y todas las hojas descoloridas.

■ Sacuda las hojas en un tazón grande de agua fría, enjuáguelas y luego escúrralas. Si tienen mucha arenilla, enjuáguelas varias veces.

■ Seque las verduras de hoja verde en un secador de ensaladas o enróllelas en varias hojas de toalla de papel y colóquelas en el refrigerador durante unos minutos.

■ Ahora hiérvalas, cocínelas al vapor, en microondas o saltéelas. Cualquiera sea el método que elija, cocínelas la menor cantidad de tiempo posible, de modo que conserven más los nutrientes.

COCINA ECOLÓGICA

Ideas para deleitar a su familia con verduras de hoja verde:

◆ **Refrésquelas.** Cocine coles. Enfríelas y sírvalas con jugo de limón, aceite de oliva, piñones y ajo.

◆ **Ocúltelas.** Colóquelas entre las capas de su lasaña favorita.

mismos dos compuestos que abundan en estas verduras de hoja verde.

En un estudio pequeño se determinó que 13 de 14 personas con ARMD que comieron de cuatro a siete veces a la semana media taza de espinaca cocida mostraron mejoría en la vista. Las hojas verdes de col, nabo y col rizada tienen más de estos compuestos que la espinaca.

NO SE FRACTURE UNA PIERNA (¡NI LA CADERA!)

Lo ha escuchado millones de veces: asegúrese de obtener suficiente calcio para prevenir la osteoporosis, una enfermedad que debilita los huesos y aumenta la probabilidad de sufrir fracturas con el menor resbalón. A pesar de que el calcio definitivamente es vital, los investigadores también están investigando la función de otro nutriente: la vitamina K.

Una investigación realizada en la Universidad Tufts en Boston indica que la vitamina K activa, por lo menos, tres proteínas involucradas en la salud de los huesos. ¿Y qué alimentos son ricos en vitamina K? ¡Adivinó! Las verduras de hoja verde.

¡BRAVO, BETACAROTENO!

Como si eso no fuera razón suficiente para comer verduras de hoja verde, también debe saber que combaten las enfermedades cardíacas y el cáncer. Todas las verduras de hoja verde están cargadas de betacaroteno y vitamina C, antioxidantes que capturan radicales libres (compuestos que causan problemas al corazón y aumentan el riesgo de padecer cáncer).

Verduras de Hoja Verde Estilo Indio

Karen aprendió esta receta de una amiga que trabajaba con ella. La modificó para hacerla más saludable.

1 cucharada de aceite de oliva
1 cebolla morada picada
4 dientes de ajo picados
1 cucharada de jengibre fresco, pelado y picado
1 cucharadita de semillas de cilantro
1 cucharadita de semillas de comino
1 ½ cucharadita de curry en polvo
1 ½ libra de hojas de mostaza limpias y cortadas en juliana de 2 pulgadas
½ taza de agua
1 ½ libra de espinaca limpia y cortada en juliana de 2 pulgadas

Caliente el aceite de oliva en un wok grande a fuego medio-alto. Agregue la cebolla y el ajo, y saltee de 4 a 5 minutos, revolviendo con frecuencia. Agregue el jengibre, el apio, el comino y el curry en polvo, y cocine durante 1 minuto. Incorpore las hojas de mostaza y el agua, cubra y cocine de 3 a 4 minutos, o hasta que las hojas estén suaves. Quite la tapa y cocine durante 2 minutos para evaporar el agua. Agregue la espinaca y cocine, revolviendo constantemente con pinzas unos 3 minutos o hasta que la espinaca se vea mustia.

Porciones: cuatro.

Datos nutricionales por porción: calorías, 142; proteínas, 11 g; carbohidratos, 21 g; fibra, 9 g; grasas, 5 g; grasas saturadas, 1 g; colesterol, 0 mg; sodio, 180 mg; calcio, 37% del valor diario; hierro, 47%.

Vino:

Paradoja para la Salud del Corazón

EFICAZ CONTRA:

- el cáncer
- la diabetes
- las enfermedades cardíacas
- las infecciones
- los accidentes cerebrovasculares

REFUERZA:

- los huesos
- la función cerebral

Alivio Rápido Para:

Cortadas

¿Se cortó? Vierta un poco de vino en la cortada. Sus polifenoles matan las bacterias y previenen infecciones.

Hace varios años, un amigo de la familia por parte de Colleen comenzó a fabricar su propio vino y, de vez en cuando, la invitaba para hacerla participar. Así aprendió que la diferencia entre vinos tintos y blancos es el tiempo que se les permite a las uvas trituradas "asentarse sobre las cáscaras". El vino blanco se retira rápidamente, mientras que el tinto permanece hasta captar el color rojo.

Y los científicos han descubierto que el vino tinto también absorbe resveratrol, un compuesto natural que protege a las uvas de los hongos. El resveratrol también protegería al corazón humano del colesterol y a los órganos vitales, del cáncer.

¡VIVA LA PARADOJA FRANCESA!

Hace algún tiempo, los investigadores se preguntaban cómo podía ser que los estadounidenses que se atiborran de hamburguesas, costillas de cerdo y papas fritas colapsan por enfermedades cardíacas, en tanto que

SOLUCIONES PARA COMPRAR Y PREPARAR

Hay una antigua regla que establece: vino tinto con carnes rojas, vino blanco con pollo o pescado. Bien, ¿qué vino sirve con una sopa minestrone, un pan crujiente y una ensalada? Las "reglas" para elegir vino son complicadas, así que le explicaremos las básicas.

CUANDO ELIJA VINO:

Algunos expertos sugieren que los vinos con mayor cantidad de taninos (las sustancias químicas que hacen que un vino sea "seco") contienen la mayor cantidad de ingredientes saludables. Así que disfrute de los grandes tintos: cabernet, merlot y oporto.

¿ESTÁ DE BUEN HUMOR?

Estos son algunos consejos para disfrutar del vino.

◆ **Con las comidas.** Los alimentos hacen más lenta la absorción del alcohol y el vino puede traer más beneficios cuando interactúa con alimentos. El vino también intensifica el sabor de los alimentos: el mejor motivo para disfrutar del vino.

◆ **Con soda.** Mézclelo con agua gasificada para obtener una bebida chispeante, ligera y refrescante.

◆ **Cocine con vino.** Cuando cocina con vino a fuego lento durante el tiempo suficiente, se evapora el alcohol, lo que intensifica e integra los sabores. El vino también ablanda los cortes duros de carne, tales como la carne de res para estofado o el bistec de peceto.

los franceses consumen la misma cantidad de grasas en foie gras, salsas cremosas y productos de repostería, pero sus corazones nunca fallan.

¿Cómo es posible? ¡*Mais oui!* Los franceses (y los longevos italianos y españoles) a menudo beben vino en las comidas. Se sabía que el vino era un antioxidante natural, así que había que seguir investigando.

También es sabido que todas las clases de alcohol tiene sus beneficios. Pero el vino sería especial. Analice esto: los belgas y los checos beben la misma cantidad de alcohol que los franceses, pero lo beben en forma de cerveza y padecen más enfermedades cardíacas.

DOS INGREDIENTES MÁGICOS

En la investigación, los científicos se toparon con el resveratrol y la quercetina, los dos compuestos del vino que trabajarían en equipo con el alcohol para crear una clase de sinergia que impide que el colesterol malo (lipoproteína de baja densidad, LDL) se sedimente en las paredes arteriales y lo predisponga a un ataque cardíaco. Y hay más:

El resveratrol sería un eficaz anticancerígeno, porque bloquea una enzima que las células cancerígenas necesitan para crecer y desintoxicaría a los agentes mutágenos que persuaden a las células saludables para que se vuelvan cancerígenas.

BENEFICIOS ADICIONALES

Las organizaciones de la salud se muestran reacias a alentar el consumo de bebidas alcohólicas, porque esto abre la puerta a otros problemas. Pero cuanto más se investiga, más queda en claro que, para las personas adultas que no están embarazadas y que no sufren de alcoholismo, el vino tinto con las comidas agrega alegría y prolonga la vida.

Un estudio con hombres japoneses-estadounidenses que vivían en Hawái demostró que quienes consumían aproximadamente una bebida alcohólica al día entre los 40 y 50 años terminaron 26 años más tarde rindiendo mejor en las pruebas de pensamiento y razonamiento que quienes no habían bebido nada o bebieron mucho más.

En otros estudios, uno con hombres médicos en los Estados Unidos y el otro con mujeres enfermeras, se determinó que beber alcohol con moderación (de cuatro a siete bebidas por semana) redujo el riesgo de desarrollar diabetes tipo 2, en comparación con quienes nunca bebieron.

Y un estudio con mujeres de más de 65 años demostró que quienes bebieron moderadamente tuvieron mayor densidad ósea que las mujeres que no bebían alcohol. Se cree que el beneficio se acumula debido a que el alcohol afecta los niveles de la hormona paratiroidea de tal forma que no se pierde tanto tejido óseo.

MÁS ES MENOS

Y ahora, la mala noticia: los beneficios del vino tinto llegan solo con el consumo justo. Los estudios han demostrado que beber con moderación (una copa de bebida alcohólica al día para las mujeres y dos al día para los hombres) es todo lo que se necesita para captar las bondades. Más no significa mejor.

De hecho, es mucho peor. Beber más de uno o dos vasos de vino (o cualquier otra bebida alcohólica) al día aumenta el riesgo de algunos tipos de cáncer, así como de presión arterial alta, accidentes cerebrovasculares, defectos de nacimiento, alcoholismo, a violencia, suicidio y accidentes automovilísticos. Hay una gran preocupación por el hecho de que los adultos mayores cada vez tienen mayor riesgo de padecer alcoholismo de inicio tardío.

Así comprenda este mensaje: los beneficios del vino tinto no le dan luz verde para el exceso.

QUIÉNES NO DEBEN BEBER

Los Lineamientos Nutricionales para Estadounidenses del 2000 reconocen que la ingesta moderada de alcohol puede ser beneficiosa para la salud, pero rápidamente señalan que, si no desea beber, puede obtener similares beneficios con una dieta saludable, el control del peso, el ejercicio regular y evitar el consumo de tabaco.

También se aclara quiénes no deben beber alcohol:

▶ Niños y adolescentes.

▶ Mujeres embarazadas y las que podrían estarlo.

RESUMEN DE INFORMACIÓN NUTRICIONAL

Vino tinto (5 onzas líquidas)

Calorías: 106

Grasas: 0 g

Grasas saturadas: 0 g

Colesterol: 0 mg

Sodio: 0 mg

Carbohidratos totales: 3 g

Proteínas: menos de 1 g

Vitamina B6: 3% del valor diario

Hierro: 4%

Magnesio: 5%

Potasio: 4%

▶ Personas con problemas con la bebida, alcohólicos, alcohólicos en recuperación y parientes de alcohólicos.

▶ Quien piense conducir, manejar maquinaria o participar en cualquier actividad que requiera atención, destreza o coordinación (una sola bebida alcohólica puede permanecer en la sangre de 2 a 3 horas).

▶ Quien tome medicamentos recetados o de venta libre que interactúen con el alcohol (consulte al farmacéutico o proveedor de cuidados de salud).

Chispeante Refresco de Vino Tinto

Convierta la copa de vino tinto en una refrescante bebida para el verano.

¼ lima
¼ taza de vino tinto
½ taza de agua mineral

En un vaso alto, agregue hielo hasta la mitad. Exprima la lima sobre el hielo. Vierta el vino y luego el agua mineral. Revuelva con una pajilla. ¡Salud!

Porción: una.

Datos nutricionales por porción: calorías, 90; proteínas, menos de 1 g; carbohidratos, 4 g; fibra, menos de 1 g; grasas, 0 g; grasas saturadas, 0 g; colesterol, 0 mg; sodio, 6 mg; vitamina C, 6% del valor diario; hierro, 3%; magnesio, 4%; potasio, 4%.

Salmón Escalfado en Vino Tinto

Elegante y fácil. ¿Hay que decir algo más? Sí. Cuando termine de cocinar el salmón a fuego lento, quedará impregnado del sabor del vino y de los antioxidantes.

½ taza de vino tinto

2 filetes de salmón (de 5 onzas cada uno)

⅛ cucharadita de sal

Pimienta negra recién molida al gusto

2 ramitas de eneldo fresco

Vierta el vino en una sartén lo suficiente grande para cocinar el salmón. Agregue el salmón, condimente con la sal y la pimienta y cubra con el eneldo. Lleve el vino a ebullición. Baje el fuego y cocine a fuego lento, sin la tapa, hasta que el salmón forme escamas fácilmente con un tenedor. Si se seca el vino, agregue un poco de agua para evitar que se queme. Para servir, coloque cada filete de salmón sobre un plato plano. Agregue una cucharada o dos de agua a la sartén y desglase. Vierta el líquido sobre el salmón.

Porciones: dos.

Datos nutricionales por porción: calorías, 250; proteínas, 29 g; carbohidratos, 1 g; fibra, 0 g; grasas, 9 g; grasas saturadas, 1 g; colesterol, 81 mg; sodio, 212 mg; vitamina B3 (niacina), 56% del valor diario; vitamina B6, 55%; vitamina D, 159%; cobre, 19%; potasio, 21%.

Yogur:
Los Beneficios de Cultivarse

EFICAZ CONTRA:
- el cáncer
- las aftas
- la diarrea
- la hipertensión
- las infecciones vaginales

REFUERZA:
- los huesos
- el proceso digestivo
- la función inmunológica
- el control del peso

El yogur es delicioso, esa es la verdadera razón por la que nos gusta tanto. Es espeso, cremoso, y rico en calcio, ese maravilloso mineral que protege a los huesos y combate la osteoporosis. Pero sus bondades en calcio probablemente no sean lo más saludable que tiene para ofrecer. Lo más saludable son sus bichos.

BICHOS BENEFICIOSOS

Sí, leyó correctamente: el yogur contiene bichos, pero no del tipo que aplasta con el pie. Son amistosas formas microscópicas de bacterias, que destruirían los elementos que provocan diarrea, infecciones vaginales y (¿está sentado?) el cáncer.

(Continúa en la página 482)

Alivio Rápido Para:

Aftas

¿Tiene constantemente aftas? Consuma yogur natural con más frecuencia. Sus útiles bacterias combaten las que causan esas dolorosas llagas.

SOLUCIONES PARA COMPRAR Y PREPARAR

Yogur con colchón de frutas. Yogur con frutas en la parte superior. ¡Yogur con nueces trituradas! ¡Yogur con cucharilla incluida! La sección de yogures del supermercado sigue creciendo con una variedad cada vez mayor de productos.

¿Qué tipo de yogur debería comprar? Se lo haremos fácil. Lo mejor es el yogur natural, semidescremado o descremado, con cultivos activos vivos.

¿Por qué? Porque generalmente contiene más calcio que el saborizado. Además, con el tiempo, la fruta y los edulcorantes agregados inhiben las bacterias saludables.

Si desea que el yogur tenga sabor, personalícelo con cualquier producto saludable: bayas frescas, piña o melocotones picados, pasas, cereal, nueces picadas o chispas miniatura de chocolate.

Estos son algunos consejos para comprar el mejor yogur.

CUANDO ELIJA YOGUR:

■ Lea la etiqueta para asegurarse de que el yogur contenga cultivos activos.

■ Busque yogur con *Lactobacillus acidophilus* o *Bifidus*. Estos cultivos adicionales proporcionan muchos beneficios calmantes para el estómago.

■ Seleccione el yogur con la fecha de vencimiento más alejada del día de compra, debido a que la cantidad de cultivos beneficiosos declina con el tiempo.

■ Evite el yogur "tratado con calor" o "pasteurizado después del cultivo", ya que se han destruido los cultivos beneficiosos.

Si desea un yogur con sabor, son válidas todas las reglas correspondientes al yogur natural, y sume estas dos:

■ Opte por un yogur con colchón de frutas, que generalmente contiene más cultivos beneficiosos que el yogur con la fruta mezclada por todo el envase.

■ Compare el contenido de calorías y de calcio entre varias marcas, ya que varían mucho. Seleccione un yogur que contenga, por lo menos, el 30% del valor diario de calcio en una porción de 6 onzas.

CINCO FORMAS DE AÑADIR SALUD

Observe la variedad de formas saludables en que puede usar el yogur.

◆ **Haga más dietéticas las ensaladas.** En la ensalada de atún, pollo o papa, reemplace un tercio de la mayonesa por yogur natural. También puede sustituir la crema agria de las recetas de salsas. En la próxima fiesta, pruebe "Una Salsa Extraordinaria" que aparece en la página 484.

◆ **Prepare un batido suave.** En una licuadora, mezcle ½ taza de fresas, ½ taza de jugo de naranja, ¼ cucharadita de extracto de vainilla, ¼ taza de leche descremada o semidescremada, y algunos cubitos de hielo hasta integrar. Agregue ¼ taza de yogur natural.

◆ **Revitalice el arroz.** ¿Le quedaron sobrantes de arroz blanco o integral de la comida china que compró? Al día siguiente, mézclelos con yogur de vainilla, canela molida, nuez moscada y pasas para preparar una rápida ensalada fría.

◆ **Cree waffles silvestres.** En lugar de jarabe, cubra los panqueques o waffles con yogur y bayas.

◆ **Recuerde sus días de niño explorador.** Cuando tenga un antojo dulce, satisfágalo con *S'Mores Yogurt*: mezcle 1 taza de yogur natural semidescremado, 2 cucharaditas de minimalvaviscos, 2 cucharaditas de minichispas de chocolate y 1 galleta Graham triturada.

YOGUR COMÚN VS. HELADO DE YOGUR VS. HELADO

¿Considera que el "helado de yogur" es igual de fabuloso que el yogur común? Según el profesor de ciencias de la alimentación, el Dr. Manfred Kroger, de la Universidad Estatal de Pensilvania en State College, no son iguales. Los edulcorantes y la fruta que se le agrega al helado de yogur inhiben algunos de los cultivos beneficiosos del yogur.

De todas maneras, la mayoría de los tipos de helado de yogur son una mejor opción que el helado de crema. El helado de yogur ofrece más calcio (uno de nuestros favoritos, *Edy's/Dreyer's*, contiene el 45% del requerimiento diario en media taza), menos grasas y algunos cultivos activos.

La próxima vez que compre helado de yogur, elija una marca que mencione "cultivos activos" en la etiqueta. Los fabricantes deben cumplir con las normas mínimas sobre nutrientes que exige el gobierno.

(Continuación de la página 479)
Estos son los resultados.

▶ Un estudio indicó que 8 onzas de yogur con el cultivo bacteriano *Lactobacillus acidophilus* reducían tres veces el riesgo de infecciones vaginales.

▶ Las investigaciones con animales sugieren que este cultivo reduciría el riesgo de tumores de mama, colon e hígado derivados de los agentes carcinógenos.

"Aunque hemos experimentado con seres humanos, la relación entre los cultivos activos del yogur y el menor riesgo de cáncer de seno y de colon parece muy prometedora", indica el Dr. Ian Rowland, quien estudia las propiedades del yogur en la Universidad de Ulster, en Irlanda.

REFORZADORES DEL SISTEMA INMUNOLÓGICO
Aparte de las bacterias, tendrían beneficios anticancerígenos otros compuestos del yogur. "Ciertos lípidos, ácidos y péptidos del yogur

Alivio Rápido Para:

Grasa Corporal

Investigadores de la Universidad de Tennessee recientemente estudiaron las dietas de más de 7,000 hombres y mujeres. Se determinó que quienes consumían, por lo menos, tres porciones diarias de lácteos descremados o semidescremados tuvieron los niveles más bajos de grasas corporales.

¿Por qué? "Una dieta rica en lácteos semidescremados hace que las células grasas elaboren menos grasas y se preparen para desintegrar las grasas", explica el autor del estudio, el Dr. Michael Zemel. ¡Buenas noticias!

serían claves en la lucha contra el cáncer", expresa la Dra. M. E. Sanders, de *Dairy and Food Culture Technologies* de Colorado.

El yogur incluso podría estimular todo el sistema inmunológico. Una revisión reciente de los estudios de la Universidad Tufts en Boston sugiere que las personas con sistemas inmunológicos comprometidos, especialmente los adultos mayores, aumentarían sus defensas contra ciertas enfermedades al consumir yogur. Sin embargo, se aclara que muchos estudios requieren mayor investigación para tener más certeza.

MINERALES EFICACES

Los minerales del yogur merecen especial atención. Una taza de yogur natural semidescremado ofrece 100 miligramos más de potasio que un banano. La abundancia de potasio mantiene la presión arterial controlada, lo que reduce el riesgo de padecer enfermedades cardíacas y accidentes cardiovasculares.

Y también tenemos el calcio. Una taza de yogur natural semidescremado aporta cerca de 150 miligramos más de calcio que un vaso de leche. ¡Excelentes noticias para los huesos!

RESUMEN DE INFORMACIÓN NUTRICIONAL

Yogur natural semidescremado (1 taza)

Calorías: 155

Grasas: 4 g

Grasas saturadas: 2 g

Colesterol: 15 mg

Sodio: 172 mg

Carbohidratos totales: 17 g

Fibra dietética: 0 g

Proteínas: 13 g

Vitamina B2 (riboflavina): 30% del valor diario

Calcio: 45%

Fósforo: 35%

Cinc: 15%

Una Salsa Extraordinaria

La próxima vez que desee animar verduras crudas, utilice este aderezo para intensificar el sabor y reforzar el calcio.

1 taza de yogur natural semidescremado
¼ taza de eneldo fresco picado
¾ cucharadita de mostaza Dijon
¼ cucharadita de cebolla en polvo
½ cucharadita de pimienta negra molida
Sal al gusto

En un tazón mediano, mezcle el yogur, el eneldo, la mostaza, la cebolla en polvo, la pimienta y la sal. Consuma esta salsa de inmediato, o cúbrala y refrigérela.

Porciones: seis.

Datos nutricionales por porción: calorías, 27; proteínas, 2 g; carbohidratos, 3 g; fibra, 0 g; grasas, 1 g; grasas saturadas, 0 g; colesterol, 2 mg; sodio, 45 mg; calcio, 8% del valor diario.

Zanahoria:

Rica en Betacaroteno

EFICAZ CONTRA:
■ el cáncer

REFUERZA:
■ los huesos
■ la función inmunológica
■ la vista

Colleen prácticamente creció a caballo y le encantaba el sonido que hacía su caballo favorito cuando masticaba las zanahorias que ella compartía con él. Pero ahora ya no comparte las zanahorias. "¡Que coman pasto!", proclama. ¿Por qué cambió de actitud? Las zanahorias son ricas en betacaroteno, lo que las convierte en uno de los líderes en la lucha contra el cáncer.

Una zanahoria de tan solo 7 pulgadas contiene betacaroteno para satisfacer el requerimiento de cuatro días. Y cuando Colleen está demasiado agotada para pelarlas, toma una bolsa de las miniatura. Un generoso puñado de estas pepitas de oro aporta el betacaroteno necesario para tres días.

Desde hace mucho, los investigadores saben que las personas que comen mucha fruta rica en betacaroteno tienen menos

RESUMEN DE INFORMACIÓN NUTRICIONAL

Zanahorias miniatura crudas (10 unidades)

Calorías: 38

Grasas: menos de 1 g

Grasas saturadas: 0 g

Colesterol: 0 mg

Sodio: 35 mg

Carbohidratos totales: 8 g

Fibra dietética: 2 g

Proteínas: 1 g

Vitamina A: 300% del valor diario

SOLUCIONES PARA COMPRAR Y PREPARAR

La mayoría de las zanahorias que compramos vienen en bolsas plásticas con líneas delgadas, anaranjadas y engañosas que hacen que las zanahorias se vean mejor, y con bordes negros que ocultan las señales de frescura del extremo superior de las zanahorias. Agite un poco la bolsa para ver mejor el interior.

CUANDO ELIJA ZANAHORIAS:

■ Compre zanahorias color anaranjado brillante, con pocos o ningún pelo de raíz.

■ Elija las angostas, señal de que el centro es más delgado y la zanahoria, más dulce. Si el extremo superior está algo verde, no importa, aunque la parte verde es amarga y lo mejor es desecharla.

PARA ALMACENARLAS:

■ Para mantener las zanahorias frescas, quíteles las hojas. Si no lo hace, seguirán creciendo y consumiendo sus propios azúcares.

■ Guárdelas en el refrigerador para que se mantengan frescas y sabrosas.

■ En el refrigerador, mantenga las zanahorias alejadas de las manzanas. Las manzanas producen gas etileno, el cual ayuda a que otras frutas maduren, pero induce a las zanahorias a que produzcan isocumarina, una sustancia química de sabor amargo que evita que los insectos se coman las zanahorias en el campo y también podría evitar que usted las comiera.

PREPARACIONES COLORIDAS CON ZANAHORIA

Estas son algunas formas fáciles de agregar zanahorias a su dieta:

◆ **Prepare oro líquido.** Prepare un puré de cebollas y zanahorias cocidas para usar como espesante de sopas y salsas. También puede usarse como una deliciosa salsa para estofado al estilo estadounidense, solomillo de cerdo a la parrilla o pollo al horno.

◆ **Córtela delgadita para el repollo.** Para colorear la ensalada de repollo, agregue repollo verde y rojo, y luego añada zanahoria cortada en juliana.

¡MANTÉNGALAS CRUJIENTES!

Casi todos piensan que es mejor comer vegetales crudos. Pero ocasionalmente, todos podemos equivocarnos. Resulta que los mismos nutrientes que les brindan a las zanahorias y a otros vegetales la textura crujiente también aprisionan sus azúcares y carotenos. Cocinar las zanahorias el tiempo necesario para que estén entre crujientes y suaves libera el betacaroteno. Pero no las cueza en exceso. Si las cocina demasiado (unos 20 minutos), todo su valor nutricional termina en el agua de cocción y las zanahorias saben terrible.

riesgo de desarrollar cáncer de pulmón. Y las investigaciones continúan para averiguar por qué. ¿Es el betacaroteno? ¿Es uno de sus parientes? ¿O es el trabajo en equipo de los nutrientes de un alimento rico en betacarotenos?

LA PRUEBA IRREFUTABLE

Un estudio reciente con no fumadores atribuyó el éxito a los vegetales (tomates, lechuga y zanahoria) y sugirió que comer más de estos y otros vegetales disminuiría el riesgo de desarrollar cáncer de pulmón en un 25% para los no fumadores. Y un estudio italiano determinó que entre las personas que nunca habían fumado, comer más frutas y zanahorias, y reducir el alcohol y las grasas saturadas, reduciría el riesgo de sufrir cánceres de boca y laringe.

Y 16 años después de haber iniciado el estudio de salud en las enfermeras, los investigadores han aprendido que comer más vegetales, especialmente zanahorias, reduciría significativamente el riesgo de padecer cáncer de pulmón, incluso en mujeres fumadoras. No nos malinterpreten: comer mejor no reemplaza a dejar de fumar. Pero comer más zanahorias y dejar de fumar parece ser una ventaja.

BETA PARA LOS HUESOS

Las zanahorias son los principales vegetales en aportar betacaroteno. Y el betacaroteno, más que cualquiera de sus 500 primos carotenoides, está listo para convertirse en vitamina A cuando surja la necesidad. Así que las zanahorias deberían estar entre los alimentos más consumidos.

La formación de hueso es un ejemplo claro. Cuando los huesos de los niños intentan crecer, la remodelación es esencial. Al igual que derribaría una parte de su casa para construir un anexo, la vitamina A derriba los extremos acabados de los huesos para que se pueda agregar hueso. Los adultos también están en constante remodelación; no para hacer huesos más largos, sino más fuertes. El calcio se sustrae de las estructuras existentes y se lo agrega en forma permanente.

¿ALIMENTOS FANTÁSTICOS O PÍLDORAS AMARGAS?

El betacaroteno es un antioxidante eficaz en la lucha contra el cáncer. ¿Debería aumentar la protección con un suplemento? No, no es una buena idea. Un estudio finlandés determinó que el cáncer de pulmón aumentó en 29,000 fumadores que tomaban suplementos con altas dosis de betacaroteno. En un estudio con 22,000 médicos estadounidenses, los investigadores concluyeron que tomar suplementos de 50 miligramos cada dos días no surtió efectos, ni buenos ni malos, sobre el riesgo de sufrir cáncer, enfermedades cardíacas o muerte por cualquier motivo.

Así que enfóquese en los alimentos de origen vegetal en lugar de en las píldoras. Las frutas y los vegetales anaranjados, dorados y morados, como la zanahoria, la calabaza almizclera, el melón y los albaricoques, son ricos en betacaroteno. Y también son ricos en fibra, líquido, varios carotenoides y otros elementos recién descubiertos (y posiblemente no descubiertos) que trabajan en equipo por su salud.

¿HA DESARROLLADO ICTERICIA?

Probablemente no. Es cierto que puede tomar un tono anaranjado cuando come mucha zanahoria, porque los mismos pigmentos que le dan el color a las zanahorias pueden depositarse en la piel. Pero no se preocupe. Esto se denomina carotenemia y es inofensiva: el color desaparecerá en cuanto reduzca la cantidad de zanahoria que come. Sin embargo, si el blanco de los ojos se torna amarillo, podría tener ictericia y debe consultar al médico.

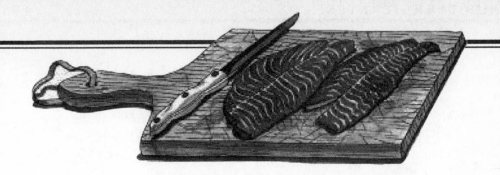

Menús Energizantes

Sí, puede tenerlo todo! Cuando vea lo fáciles y deliciosas que pueden ser las comidas energizantes, querrá usar nuestras recetas como pilares para los menús diarios. Por eso, le enseñamos la belleza del equilibrio.

Cada día suma aproximadamente 2,000 calorías, de las cuales un 30 % o menos provienen de grasas. Los hombres y las mujeres jóvenes muy activas podrían necesitar un poco más. Y eso es fácil de solucionar. Agregue una o dos rebanadas de pan integral, un poco más de mantequilla de maní o aceite de oliva, y algo de fruta o verduras crudas hasta que se sienta satisfecho. Las mujeres mayores podrían necesitar comer menos de 2,000 calorías diarias. Si ese es su caso, reduzca un poco cada porción, compre frutas más pequeñas (como mandarinas clementinas, bananos pequeños y manzanas gala) y use panecillos de la mitad del tamaño. Pero no omita ninguno de los grupos alimenticios. De ese modo, estará seguro de que su alimentación será balanceada.

Las páginas en donde encontrará las recetas aparecen entre paréntesis.

Así es como debe armarse un menú saludable.

Día Uno

¿Quiere protegerse del frío del otoño?
¡Tenemos la solución!

DESAYUNO

1 taza de jugo de naranja
2 waffles integrales *Van's*
con cobertura de
¼ taza de queso ricotta semidescremado
y
Puré de Manzana con Trocitos al Estilo
Francés (pág. 271)
Té verde con limón

ALMUERZO

Sopa de Calabaza Almizclera con
Jengibre (pág. 73)
Sándwich de Ensalada de Huevo
(pág. 232)
1 taza de leche descremada
Pera fresca

CENA

Pollo al Romero al Estilo Michael
(pág. 426)
Apio Dorado Estilo Italiano (pág. 48)
Panecillo pequeño
con
2 cucharaditas de aceite de oliva
5 onzas de vino tinto

POSTRE

Nueces entre las Bayas (pág. 317)
Té negro con leche descremada

Día Dos

¿Se siente triste?
Este es para un día de transición
a finales del verano o principios del
otoño.

DESAYUNO

Desayuno a la Danesa
1 taza de chocolate *light* caliente

ALMUERZO

2 *Wraps* de Retoños al
Estilo Sudoeste
(pág. 422)
Batatas Fritas (pág. 83)
Granizada de Sandía (pág. 431)

MERIENDA

Yogur *Dannon* semidescremado
Cajita de pasas
Té verde helado

CENA

Ensalada Roja Perfecta (pág. 253)
Pesto para una Fiesta Familiar (pág. 11)
2 panecillos
5 onzas de vino tinto

Día Tres

¡Combata el calor de julio!
(¡Con todo y fuegos artificiales!)

DESAYUNO
Desayuno Frío Patriótico
(pág. 186)
Té con lima

ALMUERZO
Superpasta de Verano (pág. 363)
sobre
2 tazas de lechuga romana
2 panecillos integrales
Vaca Púrpura para el
Corazón (pág. 468)

MERIENDA
1 onza de maní
Melocotón fresco
Té helado con limón

CENA
Papaya Rellena de Cangrejo (pág. 334)
Espárragos con Avellanas (pág. 176)
Papas Crujientes con Ajo (pág. 329)
Té Helado de Mango (pág. 455)
El Famoso Pan de Jengibre
de Colleen (pág. 236)

Día Cuatro

¡Acabe con el aburrimiento en cualquier
época del año con ingredientes ya listos!

DESAYUNO
2 Waffles Increíbles de
Albaricoque (pág. 39)
1 taza de leche descremada
Té caliente

ALMUERZO
Sopa Cremosa de Hongos
Silvestres (pág. 225)
Pan Pita con Atún (pág. 400)
Ensalada Asiática de Repollo en Cinco
Minutos (pág. 417)
Racimo de uvas
Té helado con lima

CENA
2 porciones del Plato Salteado
para un Día Estresado
(pág. 450)
·Panecillo integral
Trozo de melón
1 taza de helado de yogur descremado
Té caliente

Día Cinco

¡Sobreviva a una calurosa
mañana, tarde o noche de agosto más
fresco que un pepino!

DESAYUNO
Pastelillos con
Arándanos Rojos (pág. 57)
Brisa de Arándanos (pág. 52)

ALMUERZO
Sopa Fría de Melón (pág. 289)
Superquesadillas de Verano (pág. 172)
Ensalada de la Tía Shirley
con Tres Clases de Frijoles (pág. 196)
Té verde helado

CENA
Salmón Primavera a la Parrilla
(pág. 369)
Verduras con Granos de Trigo (pág. 212)
Espinaca con Pignoli (pág. 181)
Panecillo de granos
5 onzas de vino tinto
Té caliente

Día Seis

Sáquele jugo a la primavera:
coma al aire libre
todo el día.

DESAYUNO
Panecillo inglés integral
2 cucharadas de mantequilla de maní
2 cucharadas de jalea de frambuesa
1 taza de leche de soya de vainilla

ALMUERZO
Arrollado Waldorf (pág. 359)
Granizada de Chocolate y
Cerezas (pág. 140)
Banano

MERIENDA
Pan Pita de Trigo Integral con Hummus
Casero (pág. 325)
(3 porciones)
Té helado con menta

CENA
Ensalada Mediterránea (pág. 25)
Pasta Primavera a
la Marinara (pág. 374)
Panecillo

POSTRE
Postre de Mora y
Melocotón (pág. 302)
Té caliente con
leche descremada

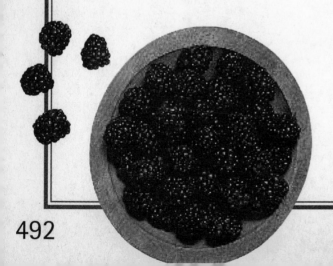

Día Siete

Combata el estrés posterior al
Día de Acción de Gracias con
sobras de pavo y muchas otras
delicias.

DESAYUNO

Desayuno para un Nuevo
Comienzo (pág. 127)
Té caliente con leche descremada

ALMUERZO

Sopa Fría de Remolacha (pág. 408)
Exquisito Sándwich de
Ensalada de Pavo (pág. 349)
Ensalada de Frutas de Otoño
Té caliente

MERIENDA

4 galletas integrales de soda
1 cucharada de mantequilla de almendra

CENA

Chuletas de Cerdo con Manzana
y Arándanos Rojos (pág. 122)
La Col Rizada No Falla (pág. 154)
Quinua Pilaf (pág. 395)
Panecillo multigranos
5 onzas de vino tinto

POSTRE

Pudín de Vainilla
de Ensueño (pág. 449)
Té caliente con menta

Índice